Verslaafd aan jou

Bezoek onze internetsite www.awbruna.nl
voor informatie over al onze boeken en dvd's.

Sylvia Day

Verslaafd aan jou

A.W. Bruna Fictie

Oorspronkelijke titel
Bared to You
© 2012 by Sylvia Day
Vertaling
Marike Groot en Ineke de Groot
Omslagontwerp
Sarah Oberrender
Omslagbeeld
Edwin Tse
Art director
George Long
Bewerking Nederlands omslag
Bram van Baal
© 2012 A.W. Bruna Uitgevers, Utrecht

ISBN 978 94 005 0238 3
NUR 302

Deze is voor dr. David Allen Goodwin.

Mijn liefde en dankbaarheid kennen geen grenzen.

Dank je, Dave. Je hebt mijn leven gered.

1

'Kom, laten we naar een bar gaan om het te vieren.'

Ik was niet bepaald verrast door dat enthousiaste voorstel van mijn huisgenoot. Cary Taylor zag altijd wel een aanleiding voor een feestje, ook als het om iets volkomen onbelangrijks ging. Dat was een van zijn charmante trekjes. 'Drinken op de avond voor je met een nieuwe baan begint? Lijkt me niet zo'n goed idee.'

'Ach, kom op, Eva.' Cary zat op de vloer van onze nieuwe woonkamer tussen een heel stel verhuisdozen, en liet zijn prachtige glimlach zien. We waren al dagen aan het uitpakken en nog zag hij er geweldig uit. Slank, donker haar en groene ogen: Cary was een man die er eigenlijk altijd buitengewoon goed uitzag, wat voor dag het ook was. Dat zou ik misschien onuitstaanbaar hebben gevonden als hij voor mij niet de dierbaarste persoon van de hele wereld was.

'Ik heb het niet over een kroegentocht,' hield hij vol. 'Gewoon een of twee glaasjes wijn. We kunnen een happy hour pakken en om acht uur weer thuis zijn.'

'Ja, maar ik weet niet of ik op tijd terug ben.' Ik wees op mijn joggingbroek en mijn hemdje. 'Nadat ik heb getimed hoe lang het lopen is naar mijn werk, wil ik nog even naar de sportschool.'

'Dan moet je maar wat sneller lopen en nog sneller sporten.' Cary's perfecte uitvoering van een opgetrokken wenkbrauw maakte me aan het lachen. Ik was ervan overtuigd dat zijn fantastische gezicht ooit nog eens over de hele wereld op billboards en in modetijdschriften te zien zou zijn. Wat voor uitdrukking zijn gezicht ook had, hij was altijd een stuk.

'En morgen na het werk?' bood ik aan als compromis. 'Als ik het einde van de dag haal, is dat wel een feestje waard.'

'Oké dan. Ik ga de nieuwe keuken inwijden voor het avondeten.'

'Eh...' Koken was dan wel een van Cary's hobby's, maar niet een van zijn sterke punten. 'Fijn.'

Hij blies een weerbarstige lok haar uit zijn gezicht en grijnsde naar me. 'We hebben een keuken waar de meeste restaurants een moord voor zouden doen. Het is gewoon niet mogelijk om daar iets aan het eten te verpesten.'

Ik was daar nog niet zo zeker van en zwaaide naar hem terwijl ik de deur uit liep, want een gesprek met hem over koken vermeed ik liever. Ik nam de lift naar de begane grond en lachte naar de portier die me met een zwierig gebaar de straat op liet.

Zodra ik naar buiten stapte, nodigden de geuren en geluiden van Manhattan me uit om op onderzoek uit te gaan. Ik was dan wel helemaal aan de andere kant van het land, ten opzichte van mijn vorige woonplaats San Diego, maar het leek wel alsof ik aan de andere kant van de wereld was gaan wonen. Twee grote wereldsteden: de een altijd beheerst, sensueel en loom, de ander levendig en zinderend van de energie. Ik had er altijd van gedroomd dat ik in een flatje met een prachtig trappenhuis in Brooklyn zou wonen, maar gehoorzame dochter als ik was, was ik in plaats daarvan in de chique Upper West Side terechtgekomen. Het was dat Cary bij me woonde, anders zou ik me vreselijk eenzaam voelen in het gigantische appartement, dat per maand meer kostte dan de meeste mensen in een jaar verdienen.

De portier tikte even tegen zijn pet toen hij me zag. 'Goedenavond, Miss Tramell. Hebt u vanavond een taxi nodig?'

'Nee, dank je, Paul.' Ik sprong heen en weer op de licht versleten hakken van mijn sportschoenen. 'Ik ga lopen.'

Hij glimlachte. 'Het is al wat koeler dan vanmiddag. Ik denk dat het buiten wel aangenaam is.'

'Ik heb me laten vertellen dat ik in juni moet genieten van het weer voordat het bloedheet wordt.'

'Dat is een goed advies, Miss Tramell.'

Ik liep naar buiten, onder de moderne glazen overkapping van de ingang door die op de een of andere manier toch mooi aansloot bij de ouderdom van het gebouw en de gebouwen ernaast. Ik genoot van de relatieve rust van mijn met bomen omzoomde straat, voor ik de drukte en het verkeer van Broadway bereikte. Op een goede dag hoopte ik één te worden met de stad, maar voorlopig voelde ik me nog een bedrieger, iemand die deed alsof ze New Yorker was. Ik woonde er dan wel en ik had er een baan, maar ik voelde me nog niet thuis in de metro en had moeite taxi's aan te houden. Ik probeerde niet met grote ogen rond te lopen en me door alles af te laten leiden, maar dat was niet eenvoudig. Er was gewoon zóveel te zien en te beleven.

De aanslag op mijn zintuigen was overweldigend; de geur van uitlaatgassen gemengd met het eten van de stalletjes, het geschreeuw van verkopers gemengd met de muziek van straatmuzikanten, de ongelooflijke hoeveelheid gezichten, stijlen en accenten, de prachtige architectonische wonderen... En dan de auto's. Jezus. Zo'n drukke stroom dicht op elkaar gepakte auto's had ik nog nooit gezien.

Er was altijd wel een ambulance, politieauto of brandweerwagen die de zee van gele taxi's probeerde te splijten met het elektronische gehuil van een oorverdovende sirene. Ik keek met ontzag toe hoe de lompe vuilniswagens smalle zijstraatjes in reden, en hoe de pakjesbezorgers het bumper aan bumper staande verkeer trotseerden omdat ze strakke deadlines moesten halen.

Echte New Yorkers laveerden er dwars doorheen. Hun liefde voor de stad zat net zo gemakkelijk en vertrouwd als een paar favoriete schoenen. Ze stonden niet met romantische verrukking te kijken naar de stoom die uit gaten in het wegdek en het trottoir opsteeg, en ze vertrokken geen spier als de grond onder hun voeten trilde wanneer de metro daar beneden voorbijraasde, terwijl ik als een idioot stond te grijnzen en mijn tenen heen en weer bewoog. New York was mijn nieuwe liefde. Ik was in de wolken, en dat was te zien ook.

Daarom moest ik echt mijn best doen om rustig te blijven toen ik naar het gebouw liep waar ik zou komen te werken. Wat mijn baan betrof had ik tenminste mijn zin gekregen. Ik wilde mijn geld verdienen op basis van mijn eigen verdiensten, en dat betekende dat ik onder aan de ladder begon. Vanaf morgenochtend zou ik de assistente zijn van Mark Garrity van Waters Field & Leaman, een van de bekendste reclamebureaus in de VS. Mijn stiefvader, megafinancier Richard Stanton, had geïrriteerd gereageerd toen ik deze baan aannam. Hij had erop gewezen dat als ik minder trots was geweest, ik ook voor een vriend van hem had kunnen werken, en de vruchten van die connectie had kunnen plukken.

'Je bent al net zo koppig als je vader,' had hij gezegd. 'Met dat politiesalaris van hem duurt het eeuwen voordat hij jouw studentenlening heeft afgelost.'

Dat was een enorme strijd geweest, maar mijn vader had geweigerd toe te geven. 'Ik laat een andere vent de opleiding van mijn dochter toch niet betalen?' had Victor Reyes gezegd toen Stanton dat had aangeboden. Daar had ik respect voor. En ik vermoedde dat Stanton dat ook had, hoewel hij het nooit zou toegeven. Ik begreep beide mannen wel, en ik had ontzettend hard gewerkt om de lening zelf terug te betalen... maar dat was me niet gelukt. Voor mijn vader was het een erekwestie. Mijn moeder mag dan hebben geweigerd met hem te trouwen, maar hij was altijd vastbesloten gebleven om in elk ander opzicht mijn papa te zijn.

Ik wist dat het geen zin had om me druk te maken om oud zeer en dus concentreerde ik me erop om zo snel mogelijk bij mijn werk aan te komen. Ik had er opzettelijk voor gekozen om de korte wandeling te timen op een druk moment op de maandag, en was dan ook blij toen ik het Crossfiregebouw, waarin Waters Field & Leaman gehuisvest was, binnen dertig minuten had bereikt.

Ik boog mijn hoofd achterover en volgde de contouren van het gebouw helemaal omhoog tot aan de smalle streep lucht. Het Crossfire was echt indrukwekkend, een slanke, glanzende hemelsblauwe spits die de wolken doorboorde. Door de gesprekken die ik daarbinnen al had gevoerd, wist ik dat het interieur, aan de andere kant van de sierlijke draaideuren met koperen lijsten, al net zo ontzagwekkend was. Er waren goudgeaderde marmeren vloeren en muren, en een beveiligingsbalie en draaihekjes van geborsteld aluminium.

Ik haalde mijn nieuwe identiteitspasje uit mijn broekzak, en hield hem op voor de twee bewakers in zwarte pakken achter de balie. Toch hielden ze me even tegen, ongetwijfeld omdat ik veel te casual gekleed was, maar toen lieten ze me door. Nog even een ritje met de lift naar de negentiende verdieping en dan had ik een globaal tijdsschema voor de hele route, van deur tot deur. Cool.

Ik liep net naar de liften toen een ranke, prachtig verzorgde brunette met haar tasje achter een draaihekje bleef steken, waardoor het opensprong en er een stortvloed aan kleingeld uit viel. De muntjes kletterden op de marmeren vloer en rolden vrolijk alle kanten op, en ik keek toe hoe mensen de chaos ontweken en doorliepen alsof ze het niet zagen. Ik kromp ineen van medelijden en hurkte om de vrouw te helpen haar geld te verzamelen, samen met een van de bewakers.

'Dank u,' zei ze, en ze gaf me heel even een gekwelde glimlach. Ik glimlachte terug. 'Niks te danken. Ik weet hoe het is.'

Ik was net op mijn hurken gaan zitten om een dubbeltje te pakken dat vlak bij de ingang lag, toen ik tegen een paar dure zwarte veterschoenen met een zwarte maatpantalon erboven stootte. Ik wachtte even tot de man uit de weg ging, en toen hij dat niet deed, keek ik omhoog. Het driedelige maatpak was al genoeg om een paar knopjes bij me in te drukken, maar door het lange, krachtige slanke lichaam dat erin zat, werd het echt een sensatie. Maar hoe opwindend al die superieure mannelijkheid ook was, pas toen ik het gezicht van de man bereikte, ging ik helemaal voor de bijl.

Wauw. Gewoon alleen maar... *wauw.*

Hij liet zich vlak voor mijn neus elegant op zijn hurken zakken. Met al die volmaakte mannelijkheid op ooghoogte vlak voor me kon ik alleen maar staren. Sprakeloos.

Toen gebeurde er iets in de lucht om ons heen.

Toen hij naar mij keek, veranderde hij... alsof er een luik voor zijn ogen wegfleed, waardoor een verzengende wilskracht tevoorschijn kwam die de lucht uit mijn longen zoog. De intense aantrekkingskracht die hij uitstraalde werd steeds sterker tot ze bijna tastbaar was. Een dynamische, onverbiddelijke kracht.

Puur instinctief schoof ik achteruit. En viel hard op mijn kont.

Mijn ellebogen bonkten van de harde impact op de marmeren vloer, maar de pijn drong nauwelijks tot me door. Ik was te druk bezig met staren, volledig in beslag genomen door de man voor me. Inktzwart haar omlijstte een adembenemend gezicht. De structuur van zijn gelaat zou een beeldhouwer doen huilen van geluk. Een krachtig getekende mond, een messcherpe neus en intens blauwe ogen maakten hem ongenadig knap. Hij kneep die ogen een klein beetje samen, terwijl de rest van zijn gelaat beheerst uitdrukkingsloos bleef.

Zijn overhemd en pak waren allebei zwart, maar zijn das had precies dezelfde kleur als die schitterende irissen. Zijn ogen waren sluw en berekenend, en ze boorden dwars door me heen. Mijn hartslag versnelde; mijn lippen gingen van elkaar om sneller te kunnen ademen. Hij rook schandalig lekker. Geen aftershave. Douchegel misschien. Of shampoo. Wat het ook was, het was verrukkelijk. Net als hijzelf.

Hij stak zijn hand naar me uit en ik zag onyxen manchetknopen en een heel duur horloge.

Ik haalde bevend adem en legde mijn hand in die van hem. Mijn hart sloeg over toen hij me nog beter vastpakte. Zijn aanraking was elektrisch en stuurde een schok door mijn arm waardoor mijn nekhaar rechtovereind ging staan. Hij bleef heel even stilstaan, en in een flits zag ik een frons die de ruimte tussen zijn arrogant opgetrokken wenkbrauwen ontsierde.

'Gaat het?'

Zijn stem was beschaafd en zacht, met een raspje waar ik rillingen van in mijn buik kreeg. Het deed me denken aan seks. Onvoorstelbaar goede seks. Ik had eventjes het idee dat hij me een orgasme kon bezorgen door gewoon lang genoeg te blijven praten.

Mijn lippen waren droog, dus gleed ik er met mijn tong overheen voordat ik antwoord gaf.

'Ja, prima.'

Hij stond met een efficiënte elegantie op en trok me naar zich toe. We hielden oogcontact, want het lukte me niet om weg te kijken. Hij was jonger dan ik eerst dacht. Niet ouder dan dertig schatte ik hem, maar zijn ogen waren veel wijzer. Hard en intelligent.

Ik voelde me tot hem aangetrokken, alsof er een touw strak om mijn middel zat gebonden dat hij langzaam maar onverbiddelijk binnenhaalde.

Ik knipperde met mijn ogen om mijn verdwazing kwijt te raken, en liet hem los. Hij was niet zomaar mooi, hij was... betoverend. Hij was het soort man van wie een vrouw het overhemd wil openscheuren, zodat de knopen alle kanten op vliegen, tegelijk met haar remmingen. Ik keek naar hem in zijn verfijnde, elegante, waanzinnig dure pak en dacht aan rauwe, primitieve seks.

Hij bukte zich en pakte het identiteitspasje op dat ik zonder dat ik het wist had laten vallen, en daardoor kwam ik eindelijk los van die uitdagende blik. Mijn hersenen kwamen hortend en stotend weer op gang.

Ik was kwaad op mezelf dat ik me zo onbeholpen voelde, terwijl hij zo volkomen beheerst was. En waarom? Omdat ik verdomme totaal van mijn stuk gebracht was.

Hij sloeg zijn blik naar me op, en die houding – hij zat bijna knielend voor me – bracht me opnieuw uit mijn evenwicht. Hij bleef me aankijken terwijl hij ging staan. 'Weet je zeker dat alles oké met je is? Misschien moet je even gaan zitten.'

Ik kreeg het er warm van. O, wat fijn om onbeholpen en stuntelig over te komen op de meest zelfverzekerde en gracieuze man die ik ooit had ontmoet. 'Ik verloor even mijn evenwicht. Niks aan de hand.'

Ik keek weg en mijn blik viel op de vrouw die de inhoud van haar tasje uitgestrooid had. Ze bedankte de bewaker die haar had geholpen en wendde zich toen tot mij. Ze verontschuldigde zich uitvoerig. Ik keerde me naar haar toe en hield het handjevol munten op dat ik had verzameld, maar haar blik bleef hangen bij de god in het maatpak en ze was me meteen totaal vergeten. Na een tijdje stak ik mijn hand maar uit en liet het kleingeld in haar tas vallen. Toen waagde ik opnieuw een blik op de man en zag dat hij naar mij keek, ook al overstelpte de brunette hem met bedankjes. Hém. Niet mij, terwijl ik toch degene was die haar had geholpen.

Ik vroeg door haar bedankjes heen: 'Mag ik mijn pasje, alstublieft?'

Hij gaf het aan me terug. Ik deed mijn best om het aan te pakken zonder de man aan te raken, maar toch streken zijn vingers langs de mijne en stuurden weer een golf van elektrisch geladen bewustzijn door me heen.

'Dank u,' mompelde ik, en ik liep vlak langs hem heen naar de draaideur en de straat op. Ik pauzeerde even op de stoep en nam een flinke teug New Yorkse lucht, die naar duizend verschillende dingen rook, sommige lekker en sommige giftig.

Er stond een chique zwarte Bentley suv voor het gebouw en ik kon mezelf zien in de onberispelijke, getinte ruiten. Ik zag er koortsig uit en mijn grijze ogen schitterden alsof ik gek was. Ik had die blik weleens eerder gezien: in de badkamerspiegel, vlak voordat ik met een man naar bed ging. Het was mijn 'ik ben klaar om te neuken'-blik, en hij had op dit moment niks te zoeken op mijn gezicht.

Jezus, Eva. Beheers je.

Vijf minuten met de Donkere Adonis en ik liep meteen over van de nerveuze, rusteloze energie. Ik voelde zijn aantrekkingskracht nog steeds, evenals een onverklaarbare impuls om terug naar binnen te gaan, waar hij was. Ik zou kunnen aanvoeren dat ik nog niet had gedaan waarvoor ik naar het Crossfire was gekomen, maar ik wist dat ik mezelf er later om zou vervloeken. Hoeveel keer per dag wilde ik mezelf voor paal zetten?

'Genoeg,' berispte ik mezelf zachtjes. 'Tijd om verder te gaan.'

Claxons loeiden toen een taxi vlak voor een andere schoot en daarna vol op de rem ging staan omdat een paar roekeloze voetgangers seconden voordat het stoplicht op groen sprong, de kruising op stapten. Er volgde geschreeuw, een spervuur aan krachttermen en handgebaren waar geen echte woede achter zat. Over een paar seconden zouden alle partijen de uitwisseling weer vergeten zijn, een momentopname in het natuurlijke ritme van de stad.

Ik ging op in de stroom voetgangers en liep naar de sportschool. Ik voelde een glimlach opkomen. Ah, New York, dacht ik, en ik voelde me weer tot rust komen. Je bent geweldig.

Ik was van plan geweest om een warming-up op de loopband te doen, en daarna een uur aan een paar apparaten te hangen, maar toen zag ik dat er net een les kickboksen voor beginners begon en koos ervoor om daaraan mee te doen. Tegen de tijd dat het voorbij was, was ik eindelijk weer tot mezelf gekomen. Mijn spieren trilden door precies de juiste hoeveelheid inspanning, en ik wist dat ik als een blok in slaap zou vallen als ik thuiskwam.

'Hé, dat deed je heel goed.'

Ik veegde met een handdoek het zweet van mijn gezicht en keek de jonge man aan die me had aangesproken. Hij was lang, slank en gespierd, had heldere bruine ogen en een perfecte, koffiekleurige huid. Zijn wimpers waren jaloersmakend lang en vol, en zijn hoofd was kaalgeschoren.

'Dank je.' Ik trok een bedroefd gezicht. 'Maar het was wel over-duidelijk mijn eerste keer, hè?'

Hij grijnsde en stak zijn hand uit. 'Parker Smith.'

'Eva Tramell.'

'Je hebt een natuurlijke elegantie, Eva. Met een beetje training kun je letterlijk onweerstaanbaar worden. In een stad als New York is het van levensbelang om jezelf te kunnen verdedigen.' Hij gebaarde naar een prikbord. Dat hing vol met opgeprikte visite-kaartjes en foldertjes. Hij scheurde een reep van de onderkant van een fluorescerend vel papier af, en gaf hem aan mij. 'Ooit van Krav Maga gehoord?'

'Ja, in een film met Jennifer Lopez.'

'Ik geef er les in, en ik zou jou er heel graag les in willen geven. Hier heb je mijn website en het telefoonnummer van de studio.'

Ik bewonderde zijn aanpak. Die was direct, net als zijn blik, en zijn glimlach was echt. Ik vroeg me af of hij naar een afspraakje aan het vissen was, maar hij gedroeg zich zo cool dat ik het niet zeker wist.

Parker deed zijn armen over elkaar, waardoor zijn biceps goed te zien waren. Hij droeg een zwart mouwloos shirt en een ber-muda. Zijn Converse-sportschoenen zagen er lekker afgetrapt uit, en boven zijn boord piepten tribal-tattoos uit. 'Op mijn web-site staan de lestijden. Kom eens langs om te kijken of het wat voor jou is.'

'Ik zal erover nadenken.'

'Doe dat.' Hij stak zijn hand opnieuw uit, en zijn greep was vast en zelfverzekerd. 'Ik hoop dat ik je nog eens zie.'

Toen ik thuiskwam, rook het heerlijk in het appartement en Adele was *Chasing Pavements* aan het croonen via de sur-round sound-luidsprekers. Ik keek door de woonkamer de keuken in en zag Cary op de muziek wiegen, terwijl hij in iets op het fornuis aan het roeren was. Er stonden een fles wijn en twee wijnglazen op de bar, waarvan er één half gevuld was met rode wijn.

'Hé,' riep ik toen ik dichterbij kwam. 'Wat ben je aan het ma-ken? En heb ik nog tijd om eerst even te douchen?'

Hij schonk wijn in het andere glas en schoof het met een sierlijke beweging over de bar naar me toe. Niemand die hem zo bezig zag, zou vermoeden dat hij in zijn jeugd voortdurend heen en weer was geslingerd tussen zijn aan drugs verslaafde moeder en pleeggezinnen, gevolgd door een puberteit in jeugdgevangenissen en ontwenningsklinieken. 'Pasta met bolognesesaus. En wacht maar even met douchen, want het eten is klaar. Leuk gehad?'

'Toen ik eenmaal op de sportschool was wel, ja.' Ik trok een van de teakhouten barkrukken naar me toe en ging zitten. Ik vertelde over het kickboksen en Parker Smith. 'Ga je mee?'

'Krav Maga?' Cary schudde zijn hoofd. 'Nee joh, dat is hardcore. Dan zit ik straks onder de blauwe plekken en loop ik opdrachten mis. Maar ik wil best met je meegaan om eens te kijken, voor als het een mafkees blijkt te zijn.'

Ik keek toe hoe hij de pasta in een klaarstaand vergiet schudde. 'Een mafkees?'

Mijn vader had me aardig goed geleerd hoe ik mannen kon lezen, en daardoor wist ik dat de god in het maatpak gevaarlijk was. Normale mensen glimlachen obligaat naar elkaar als ze elkaar helpen, gewoon om eventjes contact te maken en de zaken soepel te laten verlopen.

Maar ja, ik had ook niet beleefd naar hem gelachen.

'Meisje van me,' zei Cary, en hij pakte een paar kommen uit het kastje, 'je bent een prachtige, sexy vrouw. Ik heb zo mijn twijfels bij iedere man die het lef niet heeft om jou direct mee uit te vragen.'

Ik trok een gezicht naar hem.

Hij zette een kom voor me neer. Er zaten dunne noedels in, bedekt met een dun laagje tomatensaus met brokken gehakt en groene erwten. 'Je zit ergens over te piekeren. Voor de dag ermee.'

Hm... Ik pakte de lepel die rechtop in de kom stond en besloot maar niets over het eten te zeggen. 'Ik geloof dat ik de meest opwindende man op aarde ben tegengekomen. Misschien wel de meest opwindende man in de hele geschiedenis van de aarde.'

'O? Ik dacht dat ik dat was. Vertel.' Cary bleef aan de andere kant van de bar staan. Hij stond liever tijdens het eten.

Ik keek toe hoe hij een paar happen van zijn eigen brouwsel nam, voordat ik zelf de moed had om het te proberen. 'Er is niet zoveel te vertellen, eigenlijk. Ik kwam languit op mijn kont terecht in de hal van het Crossfiregebouw, en hij hielp me overeind.'

'Lang of kort? Blond of donker? Stevig of slank? Wat voor kleur ogen?'

Ik spoelde mijn tweede hap met wat wijn weg. 'Lang. Donker. Slank én stevig. Blauwe ogen. Stinkend rijk, te oordelen naar zijn kleren en accessoires. En hij was waanzinnig sexy. Je kent dat wel: sommige knappe kerels doen niks met je hormonen, terwijl sommige onaantrekkelijke kerels een enorm sexappeal hebben. Deze kerel had het gewoon allebei.'

Ik kreeg weer kriebels in mijn buik, net als toen de Donkere Adonis me had aangeraakt. In gedachten zag ik zijn adembenemende gezicht glashelder voor me. Het zou verboden moeten zijn voor een man om er zo fantastisch uit te zien. Ik was nóg aan het bijkomen van de aanslag op mijn hersencellen.

Cary zette zijn ellebogen op de bar en leunde voorover, zijn lange pony viel voor een van zijn heldere groene ogen. 'En wat gebeurde er nadat hij je overeind had geholpen?'

Ik haalde mijn schouders op. 'Niks.'

'Niks?'

'Ik ging weg.'

'Hoe kan dat nou? Heb je niet met hem geflirt?'

Ik nam nog een hap. Zo vies was het eigenlijk niet. Of ik had gewoon razende honger. 'Hij was niet het soort man waar je mee flirt, Cary.'

'Er bestaan geen mannen waar je niet mee kan flirten. Zelfs gelukkig getrouwde mannen houden wel van een beetje onschuldig geflirt op zijn tijd.'

'Er was helemaal niets onschuldigs aan deze man,' zei ik droog.

'Aha, zo een.' Cary knikte wijs. 'Je kunt best lol hebben met foute mannen, zolang je ze maar niet te dichtbij laat komen.'

Hij kon het weten natuurlijk; mannen en vrouwen van alle leeftijden vielen als een blok voor hem. Toch wist hij op een of andere manier altijd de verkeerde te kiezen. Hij had partners gehad die hem hadden gestalkt, die hem hadden bedrogen, die hadden gedreigd met zelfmoord vanwege hem, en partners die er nog een ander op nahielden zonder het hem te vertellen... Hij had echt alles wel gehad wat je maar kon bedenken.

'Ik kan me niet voorstellen dat je lol kunt hebben met deze vent,' zei ik. 'Daarvoor was hij veel te intens. Maar ik wil wedden dat hij fantastisch is in bed met al die intensiteit van hem.'

'Zo mag ik het horen. Vergeet hem zoals hij echt is. Gebruik gewoon zijn gezicht voor je fantasieën en maak hem daarin perfect.'

Ik wou hem liever helemaal uit mijn hoofd hebben, dus veranderde ik van onderwerp. 'Heb je nog afspraken morgen?'

'Tuurlijk.' Cary begon de details van zijn schema voor de volgende dag door te nemen. Het waren reclames voor spijkerbroeken, zonnebanken, ondergoed en aftershave.

Ik zette al het andere uit mijn hoofd en focuste op hem en zijn groeiende succes. De vraag naar Cary Taylor werd met de dag groter, en hij was bezig bij fotografen en vaste klanten een reputatie van professionaliteit en stiptheid op te bouwen. Ik was dolblij voor hem, en heel erg trots. Hij was van heel ver gekomen en had zoveel meegemaakt.

Pas na het eten merkte ik dat er twee grote, mooi ingepakte dozen naast de bank stonden.

'Wat zijn dat?'

'Dat,' zei Cary, die bij me in de woonkamer kwam zitten, 'is het summum.'

Ik wist meteen dat ze van Stanton en mijn moeder waren. Geld was voor mijn moeder een eerste levensbehoefte, en ik was blij dat Stanton, echtgenoot nummer drie, niet alleen in die behoefte, maar ook in haar vele andere behoeftes kon voorzien. Ik had vaak gewenst dat het daarbij zou blijven, maar mijn moeder vond het moeilijk te accepteren dat ik niet net zo naar geld keek als zij. 'Wat is het deze keer?'

Cary sloeg zijn arm om mijn schouders, wat hij met het grootste gemak kon doen, omdat hij een kop groter was. 'Wees nou niet zo ondankbaar. Hij houdt van je moeder. Hij houdt ervan om je moeder te verwennen, en je moeder houdt ervan om jou te verwennen. Hoe vervelend je het ook vindt, hij doet het niet voor jou, hij doet het voor je moeder.'

Zuchtend gaf ik hem gelijk. 'Wat zit er dan in?'

'Chique outfits voor het benefietdiner van die liefdadigheidsorganisatie aanstaande zaterdag. Een supersexy jurk voor jou en een smoking van Brioni voor mij, want cadeaus voor mij kopen is iets wat hij doet voor jou. Jij bent beter te pruimen als ik erbij ben om al je gezeur aan te horen.'

'Zo is het maar net. Gelukkig weet hij dat.'

'Tuurlijk weet hij dat. Stanton zou geen multimiljonair zijn als hij niet alles wist.' Cary greep mijn hand en trok me mee. 'Kom, moet je eens kijken.'

De volgende ochtend om tien voor negen liep ik door de draaideur van het Crossfire de hal binnen. Omdat ik een zo goed mogelijke indruk wilde maken op de eerste dag, had ik gekozen voor een eenvoudige kokerjurk in combinatie met zwarte pumps, die ik in de lift omhoog aandeed, in plaats van mijn gewone schoenen. Mijn blonde haar zat in een kunstige chignon in de vorm van een acht, met dank aan Cary. Ik was hopeloos met haar, maar hij kon er echt meesterwerkjes van maken. Ik droeg de parelknopjes die mijn vader me voor mijn afstuderen had gegeven, en de Rolex die ik van Stanton en mijn moeder had gekregen.

Ik zat net te denken dat ik te veel aandacht aan mijn uiterlijk had besteed, maar toen ik de hal in stapte dacht ik er weer aan hoe ik languit op de vloer had gelegen in mijn sportkleren, en was ik blij dat ik er nu niet meer uitzag als dat onelegante meisje. Het leek erop dat de twee beveiligingsmannen de link niet legden toen ik op weg naar de draaihekjes mijn identiteitspasje liet zien.

Negentien verdiepingen hoger kwam ik in de hal van Waters Field & Leaman. Voor me was een wand van kogelvrij glas, met daarin de dubbele deur naar de receptieruimte. De receptioniste achter de halvemaanvormige balie zag de pas die ik voor het glas hield. Ze drukte op de knop om de deuren open te doen en ik stopte mijn pas weg.

'Hoi Megumi,' begroette ik haar toen ik naar binnen stapte, en ik bewonderde haar cranberryrode blouse. Ze was een halfbloed, in elk geval voor een deel Aziatisch, en erg knap. Haar sluike haar was donker en vol, het was in een strakke boblijn geknipt die van achteren kort was en van voren uitliep in twee vlijmscherpe punten. Haar amandelvormige ogen waren bruin en warm, en haar lippen vol en van nature roze.

'Eva, hoi. Mark is er nog niet, maar je weet waar je moet zijn, toch?'

'Absoluut.' Ik zwaaide, en liep de gang aan de linkerkant van de receptiebalie in, helemaal tot het einde, waar ik opnieuw naar links ging en uitkwam in een ruimte die ooit open, maar nu verdeeld in hokjes was. Een daarvan was van mij en ik liep er recht op af.

Ik liet mijn handtasje en de tas waar mijn gewone schoenen in zaten in de onderste la van mijn metalen bureau vallen, en zette de computer aan. Ik had een paar spullen meegenomen om mijn omgeving een beetje persoonlijk te maken, en ik haalde ze tevoorschijn. Het ene was een ingelijste collage van drie foto's: Cary en ik op het strand van Coronado Beach, mijn moeder en Stanton op zijn jacht aan de Franse Rivièra, en mijn vader aan het werk in zijn politiewagen van het korps van Oceanside, Californië. Het andere was een kleurig arrangement van glazen bloemen dat Cary me die ochtend had gegeven als 'eerste dag'-geschenk. Ik zette het naast de foto's, en leunde achterover om te kijken hoe het stond.

'Goedemorgen, Eva.'

Ik stond op om mijn baas te begroeten. 'Goedemorgen Mr. Garrity.'

'Alsjeblieft, noem me maar gewoon Mark. Kom even mee naar mijn kantoor.'

Ik volgde hem naar de overkant van de gang, en bedacht opnieuw hoe goed mijn nieuwe baas eruitzag, met zijn glanzend bruine huid, verzorgde ringbaardje en lachende bruine ogen. Mark had een mooie hoekige onderkaak en een charmante scheve lach. Hij was slank en gespierd, en hij had een zelfverzekerde houding waarmee hij vertrouwen en respect inboezemde.

Hij gebaarde naar een van de twee stoelen die voor zijn bureau van glas en chroom stonden, en wachtte tot ik zat voordat hij zich in zijn Aeron-bureaustoel liet zakken. Tegen de achtergrond van een blauwe lucht en wolkenkrabbers zag Mark eruit als een man die alles al had bereikt. Toch was hij nog maar een junior accountmanager en was zijn kantoor een hok vergeleken met dat van de directeuren en leidinggevenden, maar met het uitzicht was in elk geval niets mis.

Hij leunde achterover en glimlachte. 'Ben je al een beetje gesetteld in je nieuwe appartement?'

Ik was verrast dat hij dat nog wist, maar wel aangenaam verrast. Ik had hem tijdens mijn tweede gesprek ontmoet, en had hem meteen aardig gevonden.

'Grotendeels,' antwoordde ik. 'Nog een paar verdwaalde verhuisdozen hier en daar.'

'Je komt uit San Diego, toch? Leuke stad, maar wel heel anders dan New York. Mis je de palmbomen niet?'

'Ik mis de droge lucht. Aan die vochtigheid hier moet je wel even wennen.'

'Wacht maar tot de zomer begint.' Hij glimlachte. 'Goed... dit is jouw eerste dag, en jij bent mijn eerste assistente, dus we moeten er maar gaandeweg achterkomen hoe het allemaal moet. Ik ben er niet aan gewend om dingen te delegeren, maar ik pik het vast snel op.'

Ik voelde me meteen op mijn gemak. 'Zeg het maar, ik wil graag dingen voor je doen.'

'Dat ik jou nu heb, betekent voor mij een grote stap vooruit, Eva. Ik hoop dat je het leuk zult vinden om hier te werken. Drink je koffie?'

'Koffie vormt een belangrijk onderdeel van mijn dagelijkse voedingspatroon.'

'Ah, een assistente naar mijn hart.' Zijn glimlach werd breder. 'Ik ga je niet vragen koffie voor me te halen, maar ik zou het niet erg vinden als je me zou helpen uit te vogelen hoe die nieuwe eenkopskoffiezetapparaten werken die ze pas in de kantines hebben gezet.'

Ik grijnsde. 'Komt voor elkaar.'

'Het is wel treurig dat ik nu even niets anders voor je heb, hè?' Hij wreef schaapachtig in zijn nek. 'Als ik je nou eens de projecten laat zien waar ik op dit moment aan werk, en dan gaan we van daar verder?'

De rest van de dag ging als in een waas voorbij. Mark had besprekingen met twee klanten en een lange vergadering met het ontwerpteam over conceptideeën voor een vakschool. Het was fascinerend om nu eens van dichtbij mee te maken hoe de verschillende afdelingen het stokje van elkaar overnamen om een reclamecampagne vanaf het eerste voorstel tot de uiteindelijke realisatie tot een goed einde te brengen. Ik zou vast langer zijn gebleven, gewoon om een beter idee te krijgen van hoe de verschillende kantoren waren ingedeeld, maar om tien voor vijf ging mijn telefoon.

'Met het kantoor van Mark Garrity, u spreekt met Eva Tramell.'

'Kom als de sodemieter naar huis zodat we dat drankje kunnen gaan drinken zoals je gisteren hebt beloofd.'

Ik moest glimlachen om de gespeelde strengheid van Cary. 'Oké, oké. Ik kom eraan.'

Ik sloot mijn computer af en vertrok. Toen ik bij de liften kwam, haalde ik mijn mobieltje tevoorschijn om ben onderweg naar Cary te sms'en. Er klonk een zoemer om aan te geven dat de lift er was, en ik ging alvast voor de deur staan. Ik richtte me weer even op mijn mobieltje om op 'verzenden' te drukken. Toen de deuren opengingen, deed ik zonder te kijken een stap vooruit. Pas in de lift keek ik op en blauwe ogen ontmoetten de mijne. Mijn adem stokte.

De seksgod was de enige persoon in de lift.

2

Zijn das was zilverkleurig en zijn overhemd stralend wit. Doordat hij geen enkele kleur droeg, kwamen zijn wonderlijk blauwe ogen nog beter uit. Naar hem kijken, zoals hij daar stond met zijn jasje open en zijn handen losjes in zijn broekzakken, voelde net alsof ik frontaal tegen een muur botste die ik niet had gezien.

Ik stond plotseling stil, mijn blik gefixeerd op de man die zelfs nog aantrekkelijker was dan ik me herinnerde. Ik had nog nooit zulk intens zwart haar gezien. Het glansde en was vrij lang. De punten dwarrelden over zijn kraag. Die sexy haarlengte gaf de succesvolle zakenman een kwajongensachtige aantrekkingskracht, als een toef slagroom op *hot fudge brownie*-ijs. Mijn moeder zou zeggen: 'Alleen schurken en bandieten hebben zulk haar.'

Ik moest in mijn handen knijpen om me ervan te weerhouden zijn haar aan te raken, om te zien of het ook echt aanvoelde als de kostbare zijde waar het op leek.

De deuren gingen bijna dicht. Hij stapte vriendelijk vooruit en drukte een knop op het paneel in om ze open te houden. 'Er is ruimte genoeg voor ons allebei, Eva.'

Het geluid van die raspende, onverbiddelijke stem sleurde me uit mijn bedwelming. Hoe wist hij nou hoe ik heette?

Ik wist het weer: hij had mijn identiteitspasje opgeraapt toen ik dat had laten vallen in de hal. Heel even overwoog ik te zeggen dat ik op iemand wachtte, zodat ik de volgende lift naar beneden kon nemen, maar mijn hersenen begonnen opeens weer te functioneren.

Wat was er in godsnaam met me aan de hand? Goed, blijkbaar werkte hij in het Crossfire. En wat dan nog? Ik kon hem toch moeilijk elke keer dat ik hem zag ontwijken, en waarom zou ik ook eigenlijk? Als ik mezelf zover wilde krijgen dat ik naar hem kon kijken terwijl zijn aantrekkelijkheid me koud zou laten, moest ik hem gewoon zo vaak tegenkomen dat hij bij het meubilair zou gaan horen.

Ja hoor! Alsof dát ooit zou gebeuren.

Ik stapte de lift in. 'Dank u wel.'

Hij liet de knop los en stapte weer achteruit. De deuren gingen dicht en de lift ging naar beneden.

Ik had er onmiddellijk alweer spijt van dat ik had besloten toch bij hem in de lift te stappen.

Ik was me zo bewust van hem dat ik over mijn hele huid de kriebels kreeg. Hij vulde de ruimte met zijn aanwezigheid. Hij straalde een tastbare energie en seksuele aantrekkingskracht uit die me onrustig heen en weer liet schuifelen. Mijn ademhaling werd al net zo onregelmatig als mijn hartslag. Ik voelde me opnieuw onverklaarbaar tot hem aangetrokken, alsof hij in stilte iets eiste waarop ik instinctief en willoos moest ingaan.

'Goeie eerste dag gehad?' vroeg hij. Daar schrok ik van.

Zijn galmende stem vloeide in een verleidelijk ritme over me heen. Hoe wist hij nou weer dat het mijn eerste dag was?

'Ja, hoor,' antwoordde ik vlak. 'En u?'

Ik voelde zijn blik over mijn profiel glijden, maar bleef mijn aandacht op de geborsteld aluminium liftdeuren richten. Mijn hart klopte als een bezetene en mijn maag tolde. Ik voelde me verward en geheel van mijn stuk gebracht.

'Nou, voor mij was het niet de eerste,' antwoordde hij geamuseerd. 'Maar hij was geslaagd. En hij wordt steeds beter.'

Ik knikte en perste er een glimlach uit, maar ik had geen flauw idee waar hij op doelde. De lift remde af bij de elfde verdieping, drie mensen stapten in en begonnen enthousiast met elkaar te praten. Ik deed een stap terug om plaats voor hen te maken en me in de hoek van de lift tegenover de Donkere Adonis terug te kunnen trekken. Alleen... hij stapte ook opzij, zodat hij naast me kwam staan. Opeens stonden we nog dichter bij elkaar dan daarvoor.

Hij schikte zijn perfect geknoopte das een beetje en zijn arm raakte daarbij de mijne. Ik zoog een diepe teug lucht naar binnen en probeerde mijn intense bewustzijn van hem te negeren door me te concentreren op het gesprek dat voor onze neus plaatsvond. Dat was niet te doen. Hij was gewoon zo aanwezig. Zoals hij daar stond. Totaal volmaakt en adembenemend, en hij rook goddelijk.

Mijn gedachten gingen op de loop. Ik fantaseerde hoe hard zijn lichaam onder zijn pak zou zijn, hoe het zou aanvoelen als hij het tegen me aan drukte, of hij wel of niet fors geschapen was...

Toen de lift de hal bereikte, kreunde ik bijna van opluchting. Ik kon niet wachten tot de lift was leeggestroomd en zodra ik kon, deed ik een stap vooruit. Hij legde zijn hand stevig op mijn onderrug en liep met me mee, me de lift uit loodsend. Zijn aanraking op zo'n kwetsbare plek stuurde golfjes door me heen.

Bij de draaihekjes haalde hij zijn hand van mijn onderrug, waarna ik me wonderlijk verlaten voelde. Ik keek naar hem, probeerde hem te doorgronden, maar ook al keek hij me aan, uit zijn gezicht viel niets af te lezen.

'Eva!'

Op het moment dat ik Cary zag, die nonchalant tegen een marmeren zuil in de hal leunde, veranderde het hele plaatje. Hij droeg een spijkerbroek waarin zijn lange benen prachtig uitkwamen, en een zachtgroene oversized sweater die bij de kleur van zijn ogen paste. Iedereen in de hal keek naar hem. Ik ging langzamer lopen toen ik bijna bij hem was en de seksgod liep ons voorbij, ging door de draaideur en gleed vloeiend achter in de zwarte Bentley suv met chauffeur die ik de avond ervoor bij de stoeprand had zien staan.

Cary floot toen de auto optrok. 'Zo zo. Als ik zie hoe je naar hem keek, was dat vast de man waar je het laatst over had, toch?'

'O, absoluut. Dat was hem.'

'Werken jullie soms samen?' Cary haakte zijn arm in de mijne en trok me door de gewone deur mee naar de straat.

'Nee.' Ik bleef op de stoep stilstaan om mijn platte schoenen aan te trekken en leunde op Cary terwijl de mensenmenigte langs ons heen stroomde. 'Hij vroeg me of ik een goeie eerste dag had gehad. Hij weet blijkbaar wie ik ben, terwijl ik helemaal niet weet wie hij is. Daar moet ik dus maar eens achter zien te komen.'

'Juist ja...' Hij grijnsde en ondersteunde me bij mijn elleboog, terwijl ik verre van charmant van de ene voet op de andere hinkte. 'Ik kan me niet voorstellen dat iemand nog kan werken als hij in de buurt is. Mijn hersenen sloegen echt op tilt.'

'Ach, dat hebben we allemaal toch weleens?' Ik ging rechtop staan. 'Kom, laten we gaan. Ik kan wel een borrel gebruiken.'

De volgende ochtend werd ik wakker met een licht dreunend gevoel achter in mijn schedel. Het was net alsof dat gedreun me uitlachte omdat ik een paar glazen wijn te veel had gedronken. Toch had ik, toen ik met de lift naar de negentiende verdieping ging, niet zoveel spijt van de kater als ik eigenlijk had moeten hebben. Ik kon kiezen tussen te veel alcohol drinken of met mijn vibrator in de weer gaan, en ik vertikte het om een door batterijen aangedreven orgasme te hebben waar de Donkere Adonis de hoofdrol in speelde. Niet dat hij daar achter zou komen of dat het hem zelfs kon schelen dat hij me zo geil maakte dat ik niet meer wist wat ik deed, maar zelf zou ik het wel weten en ik gunde zijn fantasieversie dat plezier niet.

Ik propte mijn spullen in de onderste la van mijn bureau en toen ik zag dat Mark er nog niet was, haalde ik een kop koffie en ging terug naar mijn hokje om mijn favoriete blogs over de reclamewereld te lezen.

'Eva!'

Ik schrok toen hij opeens naast me stond, met zijn grijns van witte tanden tegen een gladde donkere huid. 'Goeiemorgen Mark.'

'Zeg dat wel. Volgens mij breng je mij geluk. Kom eens mee naar mijn kantoor? En neem je tablet mee. Vind je het erg om vanavond over te werken?'

Ik ging met hem mee en werd al net zo enthousiast als hij. 'Tuurlijk niet.'

'Ik hoopte al dat je dat zou zeggen.' Hij ging zitten.

Ik nam de stoel die ik de dag ervoor ook had genomen en opende snel een Notepad-programma.

'Zo,' zei hij, 'we hebben een offerteaanvraag voor Kingsman Wodka gekregen en daar hebben ze expliciet mijn naam in genoemd. Dat is voor het eerst!'

'Gefeliciteerd!'

'Dankjewel, maar laten we daar nog maar even mee wachten tot we de opdracht ook echt binnen hebben. We zullen nog steeds moeten bieden als we het stadium van de offerteaanvraag hebben gehaald en ze willen me morgenavond ontmoeten.'

'Wauw. Is dat de gebruikelijke procedure?'

'Nee, meestal wachten ze tot we de offerteaanvraag hebben afgerond voordat ze met ons afspreken, maar Cross Industries heeft Kingsman net overgenomen en C.I. heeft tientallen dochtermaatschappijen. Dat is goeie business als we daartussen kunnen komen. Dat weten ze natuurlijk en daarom zetten ze ons zo onder druk, om te beginnen met die afspraak met mij.'

'Gewoonlijk zou je er een team op zetten, toch?'

'Ja, dan zouden we ons als groep presenteren. Maar zij weten wel hoe het gaat: ze weten dat een senior executive meestal de pitch doet, maar dat ze uiteindelijk een junior als ik toegewezen krijgen, en dus hebben ze me gewoon zelf al uitgekozen en willen ze me helemaal binnenstebuiten keren. Maar eerlijk is eerlijk: de offerteaanvraag geeft ook veel meer informatie dan ze ervoor terugvragen. Het is praktisch een resumé, dus kan ik ze er eigenlijk niet van beschuldigen dat ze onredelijk veeleisend zijn, alleen maar gedetailleerd. Dat is de gebruikelijke procedure wanneer je met Cross Industries te maken hebt.'

Hij streek met zijn hand over zijn dichte krullenbos, waardoor je kon zien dat hij gespannen was. 'Wat vind jij van Kingsman Wodka?'

'Eh... nou eh... eerlijk gezegd heb ik er nog nooit van gehoord.'

Mark leunde lachend achterover in zijn stoel. 'Gelukkig maar. Ik dacht al dat ik de enige was. Nou ja, pluspunt is dat er geen slechte reputatie is die we moeten bijstellen. Geen nieuws is soms goed nieuws.'

'Oké, hoe kan ik je helpen? Behalve door allerlei soorten wodka te onderzoeken en over te werken?'

Hij tuitte even zijn lippen en dacht erover na. 'Schrijf dit maar op...'

We werkten door tijdens de lunchpauze en lang nadat het kantoor verlaten was, terwijl we de eerste gegevens van de strategen doornamen. Het was even na zevenen toen Marks smartphone ging. Ik schrok. Opeens was de stilte verbroken.

Mark zette de luidspreker aan en ging door met werken. 'Hé, schat!'

'Heb je die arme meid al te eten gegeven?' vroeg een warme, mannelijke stem aan de andere kant van de lijn.

Mark keek naar mij door zijn glazen kantoorwand en zei: 'O jee... vergeten.'

Ik keek snel opzij en beet op mijn onderlip om een glimlach te onderdrukken.

Er was duidelijk gesnuif te horen aan de andere kant. 'Ze werkt er nog maar twee dagen en je laat haar nu al overwerken en van de honger omkomen. Straks neemt ze nog ontslag.'

'Shit, je hebt gelijk. Steve, lieverd...'

'Hou op met je "Steve, lieverd". Houdt ze van chinees?'

Ik stak mijn duim omhoog naar Mark.

Hij grijnsde. 'Ja hoor.'

'Mooi. Ik ben er over twintig minuten. Laat je de beveiliging even weten dat ik kom?'

Vrijwel precies twintig minuten later drukte ik op de knop om Steven Ellison uit de wachtruimte binnen te laten. Hij was een kleerkast van een vent, gekleed in een donkere spijkerbroek, versleten werkschoenen en een keurig gestreken traditioneel overhemd. Hij had rood haar en vrolijke blauwe ogen, en zag er al net zo goed uit als zijn partner, alleen op een totaal andere manier. We zaten met zijn drieën rond Marks bureau en stortten kung pao-kip en biefstuk met broccoli op papieren bordjes, schepten er kleverige witte rijst bij op en vielen aan met eetstokjes.

Ik ontdekte dat Steven aannemer was en dat hij en Mark al sinds de middelbare school een stel waren. Ik zag hoe ze met elkaar omgingen, en voelde bewondering en een steekje jaloezie. Hun relatie was zo prachtig functioneel dat het een plezier was om met hen om te gaan.

'Jezus, meid,' zei Steven toen ik voor de derde keer opschepte, en hij floot. 'Wat kun jij eten. Waar laat je het allemaal?'

Ik haalde mijn schouders op. 'Ik laat het achter in de sportschool. Dat helpt wel.'

'Let maar niet op hem, hoor,' zei Mark grijnzend. 'Steven is gewoon jaloers. Hij moet zelf op zijn meisjesachtige figuur letten.'

'Godsamme.' Steven keek een beetje zuur naar zijn partner. 'Ik moet haar eens meenemen naar het schaften met de mannen. Ik kan nog een hoop geld verdienen als ik erom wed hoeveel ze kan eten.'

Ik lachte. 'Dat lijkt me wel wat.'

'Ha! Ik wist wel dat jij een wilde was. Ik zie het aan je lach.'

Ik keek naar mijn eten en weigerde terug te denken aan de tijd dat ik inderdaad nogal wild was, tijdens mijn rebelse, zelfdestructieve fase.

Mark schoot me te hulp. 'Joh, laat mijn assistente eens met rust. En wat weet jij trouwens over wilde vrouwen?'

'Ik weet dat sommige vrouwen het leuk vinden om met homo's om te gaan. Ze houden wel van ons perspectief.' Hij grijnsde. 'Ik weet ook nog een paar andere dingen. Hé... nou moeten jullie niet zo gechoqueerd kijken. Ik wilde alleen maar weten of heteroseks echt zo goed was als de hype beweerde.'

Dit was duidelijk nieuw voor Mark, maar aan het trekje rond zijn lippen kon je zien dat hij zeker genoeg van hun relatie was om de hele uitwisseling amusant te vinden. 'O ja?'

'En wat vond je er dan van?' vroeg ik dapper.

Steven haalde zijn schouders op. 'Ik zal niet zeggen dat het overschat wordt, want ik ben duidelijk de verkeerde doelgroep en ik heb ook maar een zeer beperkte steekproef gedaan, maar ik kan wel zonder.'

Ik vond het nogal veelzeggend dat Steven zijn verhaal vertelde in termen die Mark op zijn werk gebruikte. Ze vertelden elkaar duidelijk veel over hun werk en luisterden naar elkaar, ook al werkten ze in een totaal andere sector.

'Je huidige woonsituatie in ogenschouw nemend,' zei Mark tegen hem, terwijl hij een stukje broccoli oppakte met zijn eetstokjes, 'zou ik zeggen dat dat maar goed is ook.'

Tegen de tijd dat we klaar waren met eten was het acht uur en kwamen de schoonmakers binnen. Mark stond erop om een taxi voor me te bellen.

'Zal ik morgen wat vroeger komen?' vroeg ik.

Steven stootte met zijn schouders tegen die van Mark. 'Je hebt vast in een vorig leven iets goed gedaan dat je deze hebt gescoord.'

'Ik denk dat jou in dit leven verdragen ook wel in aanmerking komt,' zei Mark droogjes.

'Hé,' protesteerde Steven, 'ik ben zindelijk, hoor. En ik doe de wc-bril omlaag.'

Mark keek me aan met een geërgerde blik waar heel veel genegenheid voor zijn partner uit straalde. 'Ja, en wat hebben wij daaraan?'

Mark en ik werkten donderdag de hele dag keihard om alles af te hebben voor de afspraak om vier uur met het team van Kingsman. Tijdens de lunch wisselden we heel veel informatie uit met de twee ontwerpers die hun bijdrage aan de pitch zouden leveren, als het tot dat stadium in het proces kwam; daarna namen we de aantekeningen door over hoe Kingsman zich op internet presenteerde en hoe het bedrijf met social media omging.

Tegen halfvier werd ik een beetje zenuwachtig omdat ik wist dat het buiten spitsuur was, maar Mark bleef rustig doorwerken toen ik hem erop had gewezen hoe laat het was. Het was al kwart voor vier toen hij lachend zijn kantoor uit stuiterde, zich ondertussen in zijn jasje hijsend. 'Kom, ga met me mee, Eva.'

Vanachter mijn bureau keek ik hem aan en knipperde met mijn ogen. 'Meen je dat?'

'Hé, je hebt hard gewerkt om me te helpen met de voorbereidingen. Wil je dan niet zien hoe het verder gaat?'

'Ja, absoluut.' Ik sprong op. Omdat ik wist dat hoe ik eruitzag iets zou zeggen over mijn baas, streek ik mijn zwarte kokerrok en de manchetten van mijn zijden blouse met lange mouwen glad. Bij prachtig toeval paste mijn dieprode blouse perfect bij Marks das. 'Dankjewel.'

We gingen naar de lift en ik was even van mijn stuk toen we naar boven gingen in plaats van naar beneden. Toen we de bovenste verdieping bereikten, zag ik dat de wachtruimte waar we binnenstapten aanzienlijk groter en luxueuzer was dan die van de negentiende verdieping. Hangmandjes met varens en lelies verspreidden een heerlijke geur en op de veiligheidspoort van melkglas was met vette, mannelijke letters *Cross Industries* gezandstraald.

Er ging een zoemer en we mochten naar binnen, waarna ons werd gevraagd even te wachten. We sloegen allebei het aanbod van water of koffie af, en na minder dan vijf minuten nadat we waren binnengekomen werden we naar een besloten vergaderruimte geleid.

Mark keek me met fonkelende ogen aan terwijl de receptioniste de deurknop vastpakte. 'Ben je er klaar voor?'

Ik glimlachte. 'Helemaal.'

De deur ging open en ik werd het eerst naar binnen gewenkt. Ik zorgde ervoor dat ik een stralende glimlach had toen ik binnenstapte... maar die glimlach verstarde op mijn gezicht toen ik de man zag die opstond op het moment dat ik binnenkwam.

Omdat ik plotseling stilstond, versperde ik de ingang en botste Mark tegen mijn rug op, waardoor ik voorover struikelde. De Donkere Adonis ving me op bij mijn middel, trok me omhoog en tegen zijn borst. De lucht ontsnapte uit mijn longen, onmiddellijk gevolgd door elk greintje gezond verstand dat ik nog bezat. Zelfs door de lagen kleding tussen ons in waren zijn biceps als rotsen onder mijn handpalmen, zijn buik als een marmeren plaat van spieren tegen die van mij. Toen hij scherp inademde, voelde ik mijn tepels hard worden, gestimuleerd door de aanraking van zijn brede borstkas.

O nee. Ik was vervloekt. Achter elkaar flitste er een serie voorstellingen door mijn hoofd, met voorbeelden van duizenden manieren waarop ik de komende dagen, weken en maanden voor de voeten van de seksgod kon struikelen, vallen, uitglijden en onderuitgaan.

'Hallo daar!' zei hij, en de trillingen in zijn stem vulden me met verlangen. 'Altijd fijn om je weer te zien, Eva.'

Ik liep rood aan van schaamte en verlangen, en kon me er maar niet toe zetten om me van hem los te rukken, ondanks de aanwezigheid van twee andere mensen bij hem in de kamer. Ook niet echt bevorderlijk was dat zijn aandacht alleen op mij was gericht, terwijl hij met heel zijn harde lichaam een dwingende macht uitstraalde.

'Mr. Cross,' zei Mark achter me. 'Sorry dat we zo bij u komen binnenvallen.'

'Geeft niet. Het was een gedenkwaardige entree.'

Ik stond te wiebelen op mijn stiletto's toen Cross me rechtop zette en mijn knieën waren zwak van het intense lichaamscontact. Hij was weer in het zwart gekleed en zowel overhemd als das waren zachtgrijs. Zoals altijd zag hij er veel te goed uit.

Hoe zou het zijn om er zo fantastisch uit te zien? Overal waar hij kwam, moest hij wel opschudding veroorzaken.

Mark stak zijn handen uit om me overeind te houden en haalde me zachtjes naar hem toe.

Cross bleef naar Marks hand op mijn elleboog kijken tot hij me losliet.

'Goed dan.' Mark herstelde zich. 'Dit is mijn assistente, Eva Tramell.'

'We hebben elkaar ontmoet.' Cross trok de stoel naast die van hem achteruit. 'Eva.'

Ik keek naar Mark om te zien wat hij wilde dat ik deed. Ondertussen was ik nog steeds aan het herstellen van het moment dat ik tegen de seksuele supergeleider in Fioravanti geplakt stond.

Cross boog zich dichter naar me toe en beval rustig: 'Ga zitten, Eva.'

Mark knikte even, maar ik liet me al op bevel van Cross in de stoel zakken. Mijn lichaam gehoorzaamde instinctief voordat mijn geest het in de gaten had en bezwaar kon maken.

Ik probeerde het uur dat volgde rustig te blijven zitten terwijl Mark onder vuur lag van Cross en de twee directeuren van Kingsman, allebei aantrekkelijke brunettes in elegante broekpakken. Degene in frambozenrood was vooral enthousiast de aandacht van Cross aan het trekken, terwijl degene in het roomwit zich aandachtig op mijn baas richtte. Alle drie leken ze onder de indruk van hoe Mark uiteenzette hoe het werk van het bureau aantoonbaar waarde creëerde voor het merk van de klant, en hoe hij het de klant gemakkelijker kon maken.

Ik bewonderde Mark om hoe kalm hij omging met de druk. Druk die Cross uitoefende en waarmee hij als vanzelfsprekend de bijeenkomst overheerste.

'Mooi werk, meneer Garrity.' Cross prees hem losjes toen ze tot de afronding kwamen. 'Ik zie ernaar uit om de offerteaanvraag te bespreken wanneer het zover is. Wat zou jou ertoe aanzetten om Kingsman te proberen, Eva?'

Ik schrok en knipperde met mijn ogen. 'Pardon?'

De intensiteit van zijn blik ging dwars door me heen. Het voelde alsof hij zich volledig op mij richtte, waardoor ik alleen maar meer respect kreeg voor Mark, die wel een uur onder het gewicht van die blik had moeten werken.

De stoel van Cross stond haaks op de lengte van de tafel, zodat hij me recht aan kon kijken. Zijn rechterarm rustte op het gladde houten oppervlak en zijn lange, elegante vingers streelden het ritmisch. Ik zag een glimp van zijn pols aan het eind van zijn manchet en om een of andere gekke reden zorgde de aanblik van dat stukje goudkleurige huid met het dunne laagje donker haar erop dat mijn clitoris om aandacht begon te kloppen. Hij was gewoon zo... mannelijk.

'Welk van de concepten die Mark heeft voorgesteld heeft jouw voorkeur?' vroeg hij nu.

'Ik vind ze allemaal geweldig.'

Op zijn prachtige gezicht was geen emotie te lezen toen hij zei: 'Ik laat iedereen de kamer verlaten om je oprechte mening te horen, als het moet.'

Mijn vingers krulden zich om de uiteinden van de armleuningen van mijn stoel. 'Ik heb u zojuist mijn eerlijke mening gegeven, Mr. Cross, maar als u het echt wilt weten, denk ik dat sexy luxe voor een redelijke prijs de grootste doelgroep zal aanspreken. Maar ik heb niet de...'

'Dat vind ik ook.' Cross stond op en knoopte zijn jasje dicht. 'U weet nu welke richting u op moet, Mr. Garrity. We zien elkaar volgende week weer.'

Ik zat nog in mijn stoel, verdoofd door het moordende tempo waarin alles was gebeurd. Toen keek ik naar Mark, die heen en weer werd geslingerd tussen vreugde en verbijstering.

Ik stond op en nam het initiatief om naar de deur te gaan. Ik was me ervan bewust dat Cross naast me liep. Hoe hij bewoog, met zijn dierlijke gratie en arrogante doeltreffendheid, was enorm opwindend. Ik kon me niet voorstellen dat hij niet goed kon neuken en vermoedde dat hij dominant zou zijn; dat hij nam wat hij wilde, op zo'n manier dat een vrouw het hem dolgraag wilde geven.

Cross bleef de hele weg naar de lift naast me lopen. Hij zei een paar dingen tegen Mark over sport, denk ik, maar mijn aandacht was te veel gericht op hoe ik op hem reageerde om aan smalltalk te doen. Toen de lift aankwam, slaakte ik een zucht van verlichting en stapte haastig met Mark naar voren.

'Wacht even, Eva,' zei Cross uiterst vriendelijk, terwijl hij me met zijn hand op mijn elleboog tegenhield. 'Ze komt zo naar beneden, hoor,' zei hij tegen Mark, terwijl de liftdeuren voor de neus van mijn verbaasde baas dichtgingen.

Cross zweeg tot de lift naar beneden ging. Daarna drukte hij de knop van de lift weer in en vroeg: 'Heb jij iemand met wie je naar bed gaat?'

De vraag werd zo losjes gesteld dat ik even de tijd nodig had om tot me door te laten dringen wat hij gezegd had.

Ik haalde snel en diep adem. 'Wat gaat u dat aan?'

Hij keek naar me en ik zag wat ik de eerste keer dat we elkaar hadden ontmoet had gezien: een enorme macht en een keiharde zelfbeheersing. Daardoor deed ik onwillekeurig een stapje achteruit. Alweer. Maar deze keer viel ik tenminste niet; dat was al een hele vooruitgang.

'Omdat ik je wil neuken, Eva. Ik wil weten of er eventueel iets is wat me in de weg staat.'

Het plotselinge verlangen tussen mijn dijen zorgde ervoor dat ik naar de muur moest grijpen om mijn evenwicht te bewaren. Hij stak een hand uit om me staande te houden, maar ik weerde hem af met opgeheven hand. 'Misschien heb ik gewoon wel geen interesse, Mr. Cross.'

Een zweem van een glimlach verscheen op zijn lippen en maakte hem nog veel prachtiger. O god...

Ik schrok van de bel die de naderende lift aankondigde, zo gespannen was ik. Ik was nog nooit zo opgewonden geweest. Nog nooit zo vurig aangetrokken geweest tot een ander persoon. Nog nooit zo beledigd door iemand die ik begeerde.

Ik stapte de lift in en keek hem aan.

Hij glimlachte. 'Tot de volgende keer, Eva.'

De deuren gingen dicht en ik zakte tegen de koperen handgreep, terwijl ik me probeerde te herstellen. Ik was nog maar net tot mezelf gekomen toen de deuren opengingen en ik Mark daar zag ijsberen in de wachtruimte op onze verdieping.

'Jezus, Eva,' mompelde Mark, die plotseling stilstond. 'Waar ging dat in godsnaam over?'

'Ik heb geen flauw idee.' Ik blies haastig mijn adem uit en ik wilde dat ik Mark over de verwarrende en irritante uitwisseling met Cross kon vertellen, maar ik was me er goed van bewust dat ik mijn hart niet bij mijn baas moest uitstorten. 'Nou ja, wat maakt het ook uit? Je weet toch wel dat hij je de opdracht gaat geven.'

Een grijns verjoeg zijn frons. 'Dat zou best eens kunnen.'

'Zoals mijn huisgenoot altijd zegt: dat zou je moeten vieren. Zal ik voor Steven en jou ergens een tafel reserveren?'

'Ja, waarom niet? Dan wil ik wel naar Pure Food and Wine, om zeven uur, als ze nog plek voor ons hebben. Zo niet, verras ons dan maar.'

We waren nog maar net terug in Marks kantoor toen de leidinggevenden hem in beslag namen: Michael Waters, CEO en president, en Christine Field en Walter Leaman, voorzitter en vicevoorzitter.

Ik sloop zo stilletjes mogelijk langs de vier en glipte mijn hokje in.

Ik belde Pure Food and Wine en bedelde om een tafel voor twee. Ik slijmde en smeekte, en uiteindelijk gaf de gastvrouw zich gewonnen.

Ik liet een bericht achter op Marks voicemail: 'Hé, het is echt je geluksdag vandaag. Je staat erop met een tafel om zeven uur. Veel plezier!'

Daarna klokte ik uit. Ik wilde zo snel mogelijk naar huis.

'Wát heeft ie tegen je gezegd?' Cary zat aan het andere eind van onze witte hoekbank en schudde zijn hoofd.

'Niet te geloven hè?' Ik nam nog een slokje wijn. Het was een frisse, lekker koele sauvignon blanc die ik had gekocht toen ik naar huis liep. 'Dat was ook mijn reactie. Misschien was het hele gesprek wel een hallucinatie, door de overdosis feromonen die ik van hem kreeg.'

'En nu?'

Ik schoof mijn benen onder me op de bank en leunde in de hoek. 'En nu... wat?'

'Je weet heus wel wat, Eva.' Cary pakte zijn laptop van de koffietafel en zette die op zijn gekruiste benen. 'Ga je erop in of niet?'

'Man, ik kén hem niet eens. Ik weet zijn voornaam niet eens en dan laat ie me zo schrikken.'

'Hij wist wel hoe jij heette.' Hij begon wat in te tikken op zijn toetsenbord. 'En hoe zat dat dan met die wodka? Hij vroeg toch specifiek om jouw baas?'

De hand waarmee ik door mijn loshangende haar streek, bleef even steken. 'Ja, maar Mark heeft heel veel talent. Als Cross maar een beetje verstand van zaken heeft, zou hij daar wel achter komen en dat uitbuiten.'

'Nou, verstand van zaken heeft ie zeker.' Cary draaide zijn laptop naar me om en liet me de homepage van Cross Industries zien, waar een indrukwekkende foto van het Crossfire op stond. 'Het is zijn gebouw, Eva. Gideon Cross is eigenaar van dat gebouw.'

Verdomme. Ik sloot mijn ogen. Gideon Cross. Ik vond die naam wel bij hem passen. Hij was net zo sexy en elegant mannelijk als de man zelf.

'Hij heeft mensen in dienst die de marketing voor zijn dochtermaatschappijen doen. Waarschijnlijk wel tientallen mensen die dat voor hem doen.'

'Ach hou toch op, Cary.'

'Hij is lekker, hij is rijk en hij wil met je naar bed. Wat is dan het probleem?'

Ik keek hem aan. 'Het wordt zo'n gedoe als ik hem dan steeds maar tegenkom. En ik wil deze baan graag heel lang houden. Ik vind hem echt leuk. Ik vind Mark echt leuk. Hij heeft me helemaal bij het proces betrokken en ik heb al zoveel van hem geleerd.'

'Weet je nog wat Dr. Travis heeft gezegd over ingecalculeerde risico's? Als je psych zegt dat je die moet nemen, moet je dat gewoon doen. Dat kun jij best wel aan. Cross en jij zijn toch allebei volwassen?' Hij richtte zich weer op zijn zoektocht op internet. 'Wauw. Wist jij dat hij nog twee jaar te gaan heeft voor hij dertig wordt? Denk eens aan wat een uithoudingsvermogen die man moet hebben.'

'Denk eens aan hoe onbeschoft hij is. Ik voel me beledigd door hoe hij het er gewoon maar uitgooide. Ik haat het om me een wandelende vagina te voelen.'

Cary hield zijn mond en keek me aan. Uit zijn ogen sprak medeleven. 'Hé, het spijt me, meis. Jij bent zo sterk, zoveel sterker dan ik. Ik zie gewoon niet dat je dezelfde bagage meesjouwt als ik.'

'Volgens mij doe ik dat ook niet, meestal.' Ik ontweek zijn blik, omdat ik niet wilde praten over wat we in het verleden hadden meegemaakt. 'Niet dat ik nou had gewild dat hij me mee uit vroeg. Maar er moet toch een betere manier zijn om tegen een vrouw te zeggen dat je met haar naar bed wilt?'

'Je hebt gelijk. Hij is een arrogante zak. Laat hem maar naar je verlangen tot zijn ballen blauw uitslaan. Dat zal hem leren.'

Hij maakte me aan het lachen. Wat was hij daar toch goed in. 'Ik betwijfel of die man ooit in zijn leven blauwe ballen heeft gehad, maar het is grappig om erover te fantaseren.'

Cary klapte zijn laptop resoluut dicht. 'Wat gaan we vanavond doen?'

'Ik zat eraan te denken om eens te gaan kijken bij die Krav Maga-studio in Brooklyn.' Ik had er het een en ander over opgezocht nadat ik Parker Smith bij mijn work-out bij de Equinox had ontmoet, en naarmate de week vorderde, werd het idee van zo'n soort rauwe, lichamelijke uitlaatklep voor de stress steeds aantrekkelijker.

Ik wist dat het niets was vergeleken met een stevige neukpartij met Gideon Cross, maar ik had het vermoeden dat het stukken minder gevaarlijk zou zijn voor mijn gezondheid.

3

'Ik weet zeker dat je moeder en Stanton je hier niet een paar keer per week 's avonds naartoe laten gaan,' zei Cary, terwijl hij zijn stijlvolle spijkerjack dichter om zich heen sloeg, ook al was het nauwelijks fris buiten.

Het verbouwde pakhuis dat Parker Smith als studio gebruikte, was een gebouw met een bakstenen gevel, in een voormalig industrieel gebied in Brooklyn waar de stad nu met moeite nieuw leven in probeerde te blazen. Het was een gigantisch grote ruimte, en de enorme metalen rolluiken gaven niets prijs van wat er binnen aan de gang was. Cary en ik zaten op een aluminium tribune te kijken naar een groepje vechtsporters op de matten beneden ons.

'Oef.' Ik kromp ineen toen een jongen een flinke trap in zijn kruis kreeg. Zelfs met beschermstukken moest dat wel zeer doen. 'En hoe zou Stanton daar achter moeten komen, Cary?'

'Omdat je in het ziekenhuis belandt?' Hij keek even naar me. 'Nee, even serieus. Krav Maga is echt bruut. Ze zijn nu alleen nog maar aan het sparren en er is al *full contact*. En zelfs als je blauwe plekken je niet verraden komt je stiefvader er op de een of andere manier toch wel achter. Hij komt er altijd achter.'

'Dat komt door mijn moeder, zij vertelt hem alles. Maar ik ga haar hier niks over vertellen.'

'Waarom niet?'

'Omdat ze het niet zou begrijpen. Ze zou denken dat ik mezelf wil beschermen vanwege wat er gebeurd is, en ze zou zich schuldig gaan voelen en dat zou me verdriet doen. Ze zou niet geloven dat mijn voornaamste drijfveren lichaamsbeweging en stressverlichting zijn.'

Ik zette mijn kin op mijn hand en keek toe hoe Parker met een vrouw de vloer op kwam. Hij was een goede instructeur. Hij was geduldig en grondig, en hij legde alles zo uit dat je het gemakkelijk begreep. Zijn studio stond in een ruige buurt, maar ik vond dat het wel paste bij waar hij les in gaf. Rauwer dan een groot, verlaten pakhuis kon je het niet krijgen.

'Die Parker is wel erg lekker,' mompelde Cary.

'En hij draagt een trouwring.'

'Ik heb het gezien. De besten worden er altijd het eerst uitgepikt.'

Parker kwam na de les bij ons zitten. Zijn donkere ogen straalden en hij lachte breed. 'Hé, wat vind je ervan, Eva?'

'Waar moet ik tekenen?'

Hij glimlachte zo sexy dat Cary mijn hand pakte en het bloed er haast uit kneep.

'Deze kant op.'

De vrijdag begon fantastisch. Mark liep het hele proces van informatie verzamelen voor een offerteaanvraag met me door, en hij vertelde me wat meer over Cross Industries en Gideon Cross, waarbij hij erop wees dat Cross en hij even oud waren.

'Ik moet mezelf daar steeds weer aan herinneren,' zei Mark. 'Je vergeet algauw dat hij zo jong is als hij vlak voor je staat, vind je niet?'

'Ja,' beaamde ik, stiekem teleurgesteld dat ik Cross twee dagen niet zou zien. Hoe ik mezelf ook voorhield dat het niet uitmaakte, ik vond het toch jammer. Ik had me niet gerealiseerd hoe spannend ik het idee vond dat we elkaar elk moment tegen konden komen, totdat die mogelijkheid er niet meer was. Het was gewoon zo'n heerlijk gevoel om bij hem in de buurt te zijn. Plus dat hij verdomd lekker was om naar te kijken. Ik had dat weekend niets wat zelfs maar half zo opwindend was om naar uit te kijken.

Ik was aantekeningen aan het maken in Marks kantoor, toen ik de telefoon op mijn bureau hoorde gaan. Ik verontschuldigde me en haastte me om op te nemen. 'Met het kantoor van Mark Garrity...'

'Eva liefje. Hoe gaat het?'

Ik liet me in mijn stoel zakken bij het geluid van de stem van mijn stiefvader. Stanton klonk voor mij altijd als oud geld: beschaafd, gezaghebbend en arrogant. 'Richard. Is alles goed? Gaat het goed met mam?'

'Ja, alles is prima. Je moeder is geweldig, zoals altijd.'

Zijn toon werd altijd zachter als hij over zijn echtgenote sprak, en daar was ik dankbaar voor. Ik was hem trouwens dankbaar voor een heleboel dingen, maar dat was soms moeilijk te rijmen met het gevoel van ontrouw: ik wist dat mijn vader zich onbehaaglijk voelde over het enorme verschil in inkomen.

'Mooi,' zei ik opgelucht. 'Daar ben ik blij om. Hebben jullie mijn bedankje ontvangen voor de jurk en Cary's smoking?'

'Ja, en het was heel attent van je, maar je weet dat je ons niet hoeft te bedanken voor dat soort dingen. Een momentje.' Hij sprak met iemand, waarschijnlijk zijn secretaresse. 'Eva liefje, ik zou graag met je lunchen vandaag. Ik stuur Clancy om je op te halen.'

'Vandaag? Maar we zien elkaar morgenavond. Kan het niet wachten tot dan?'

'Nee, het moet vandaag.'

'Maar ik heb maar een uur om te lunchen.'

Een klopje op mijn schouder deed me omdraaien, en ik zag Mark bij mijn hokje staan. 'Neem maar twee uur,' fluisterde hij. 'Dat heb je wel verdiend.'

Ik zuchtte en vormde een geluidloos 'dank je' met mijn mond. 'Is twaalf uur oké, Richard?'

'Perfect. Ik kijk ernaar uit om je te zien.'

Ik had zelf geen reden om uit te kijken naar privégesprekjes met Stanton, maar ik vertrok gehoorzaam vlak voor twaalf uur, en zag dat een limousine me op stond te wachten bij de stoep. Clancy, Stantons chauffeur en bodyguard, hield het portier voor me open toen ik hem groette. Toen ging hij achter het stuur zitten en reed richting het centrum. Om tien voor halfeen zat ik aan een vergadertafel in Stantons kantoor, tegenover een prachtig verzorgde lunch voor twee personen.

Stanton kwam vlak nadat ik was aangekomen binnen. Hij zag er verzorgd en gedistingeerd uit. Zijn haar was spierwit en zijn gezicht was getekend, maar toch was hij nog erg knap. Zijn ogen hadden de kleur van afgedragen blauwe spijkerstof, en ze waren scherp en intelligent. Hij was slank en atletisch gebouwd, omdat hij er altijd de tijd voor had genomen om te sporten, zelfs al voordat hij zijn trofee, mijn moeder, in de wacht sleepte.

Ik stond op toen hij naar me toe kwam, en hij boog zich voorover om me een kus op mijn wang te geven. 'Je ziet er prachtig uit, Eva.'

'Dank je.' Ik leek op mijn moeder, die ook blond van zichzelf was. Maar mijn grijze ogen had ik van mijn vader.

Stanton ging in een stoel aan het hoofd van de tafel zitten, zich ervan bewust dat die belangrijke achtergrond, de skyline van New York, achter hem te zien was, en hij maakte gebruik van het indrukwekkende effect.

'Ga eten,' zei hij, met de autoriteit waarmee alle mannen met macht zo gemakkelijk spreken. Mannen als Gideon Cross.

Was Stanton net zo gedreven toen hij zo oud was als Cross?

Ik pakte mijn vork en begon aan een salade met kip, cranberry's, walnoten en feta. Het was heerlijk en ik had honger. Ik was blij dat Stanton niet meteen begon te praten, zodat ik van het eten kon genieten, maar het was van korte duur.

'Eva liefje, ik wou het even hebben over je interesse in Krav Maga.'

Ik verstijfde. 'Pardon?'

Stanton nam een slokje van het gekoelde water en leunde achterover. Zijn kaken waren op elkaar geklemd en ik wist al dat ik niet echt iets leuks zou horen. 'Je moeder was behoorlijk overstuur toen je gisteravond naar die studio in Brooklyn ging. Het duurde even voor ze gekalmeerd was en ik haar ervan wist te overtuigen dat ik kon regelen dat je je liefhebberijen op een veilige manier kon beoefenen. Ze wil niet...'

'Wacht even.' Ik legde voorzichtig mijn vork neer. Mijn eetlust was als sneeuw voor de zon verdwenen. 'Hoe wist ze waar ik was?'

'Ze heeft je mobieltje getraceerd.'

'Nou ja, zeg,' fluisterde ik en ik zakte achterover in mijn stoel. De terloopsheid waarmee hij het zei, alsof het de gewoonste zaak van de wereld was, maakte me misselijk. Mijn maag draaide zich om, plotseling meer geïnteresseerd in het weigeren van mijn lunch dan het verteren ervan. 'Daarom stond ze erop dat ik een van je bedrijfstelefoons gebruikte. Het had niks te maken met geld uitsparen.'

'Dat had er natuurlijk ook wel mee te maken. Maar daarnaast geeft het haar wat gemoedsrust.'

'Gemoedsrust? Haar volwassen dochter bespioneren? Het is niet gezond, Richard. Dat moet je toch inzien? Gaat ze nog steeds naar dokter Petersen?'

Hij had het fatsoen om ongemakkelijk te kijken. 'Ja, natuurlijk.'

'Vertelt ze hem wat ze doet?'

'Dat weet ik niet,' zei hij stijfjes. 'Dat zijn Monica's persoonlijke zaken. Daar bemoei ik me niet mee.'

Nee, dat deed hij inderdaad niet. Hij vertroetelde haar, verwende haar, verpestte haar. En liet toe dat haar obsessie over mijn veiligheid met haar op de loop ging. 'Ze moet het loslaten. Ik heb het toch ook losgelaten?'

'Je was een onschuldig kind, Eva. Ze voelt zich schuldig dat ze je niet heeft beschermd. We moeten haar een beetje speelruimte geven.'

'Speelruimte? Ze stalkt me!' Mijn hoofd gonsde. Hoe kon mijn moeder zomaar zo'n inbreuk op mijn privacy maken? Waarom? Ze maakte zichzelf gek, en mij met haar. 'Hier moet een einde aan komen.'

'Het is heel eenvoudig op te lossen. Ik heb al met Clancy gesproken. Hij rijdt je erheen wanneer je naar Brooklyn wilt. Alles is geregeld. Het wordt allemaal veel gemakkelijker voor je.'

'Probeer het nou niet zo te draaien alsof je het voor mij doet.'

Mijn keel brandde en mijn ogen prikten van de niet-gehuilde tranen van frustratie. Ik haatte het hoe hij sprak over Brooklyn, alsof het een derdewereldland was. 'Ik ben een volwassen vrouw. Ik neem zelf mijn beslissingen. Daar heb ik verdomme recht op!'

'Niet zo'n toontje tegen me aanslaan, Eva. Ik zorg gewoon voor je moeder. En voor jou.'

Ik duwde mijn stoel achteruit. 'Jij zorgt ervoor dat ze dit kan doen. Jij houdt haar ziek en je maakt mij ook ziek.'

'Ga zitten. Je moet wat eten. Monica maakt zich zorgen dat je niet gezond genoeg eet.'

'Ze maakt zich overal zorgen over, Richard. Dat is het hele probleem.' Ik liet mijn servet op tafel vallen. 'Ik moet weer aan het werk.'

Ik draaide me om en liep naar de deur om zo snel mogelijk weg te komen. Ik nam mijn tasje in ontvangst van Stantons secretaresse en liet mijn mobieltje op haar bureau liggen. Clancy, die op me had gewacht bij de receptie, volgde me, en ik wist al dat ik niet hoefde te proberen hem af te poeieren. Hij nam van niemand anders dan Stanton orders aan.

Clancy reed me terug naar mijn werk, terwijl ik kokend van woede op de achterbank zat. Ik kon klagen wat ik wilde, maar uiteindelijk was ik geen haar beter dan Stanton, want ik wist dat ik toch wel zou toegeven. Ik zou bezwijken en mijn moeder haar zin geven, omdat het mijn hart zou breken als ze nog meer zou lijden dan ze al deed. Ze was zo emotioneel en zo kwetsbaar, en ze hield zoveel van me dat ze er bijna aan onderdoor ging.

Ik was nog steeds chagrijnig toen ik bij het Crossfire aankwam. Terwijl Clancy wegreed, stond ik op het trottoir en keek rond op de drukke straat, op zoek naar een drogist voor chocolade, of een telefoonwinkel waar ik een nieuwe telefoon kon kopen.

Uiteindelijk liep ik een half blok om en kocht een stuk of vijf repen bij een Duane Reade-vestiging op de hoek, voordat ik terugliep naar het Crossfire. Ik was nauwelijks een uur weggeweest, maar ik ging het extra uur dat Mark me gegeven had niet gebruiken. Ik moest aan het werk om me af te leiden van mijn gestoorde familie.

Ik nam een lege lift omhoog, scheurde een reep open en beet er hard in. Ik was al een flink eind op weg mijn door mezelf opgelegde chocoladequotum te bereiken voordat ik bij de negentiende verdieping aankwam, toen de lift op de derde verdieping stopte. Ik was blij met de extra tijd die de stop me gaf om te genieten van de pure chocolade met karamel die op mijn tong smolt.

De deuren gingen open, en daar stond Gideon Cross met twee andere heren te praten.

Zoals gewoonlijk stokte mijn adem zodra ik hem zag, wat ervoor zorgde dat mijn irritatie nieuw leven in werd geblazen. Waarom had hij dat effect op me? Wanneer werd ik nou eindelijk eens immuun voor zijn aantrekkingskracht?

Hij keek opzij en toen hij me zag, krulden zijn lippen zich tot een trage glimlach die me bijna een hartstilstand bezorgde.

Geweldig. Dat heb ik weer. Ik was een soort uitdaging geworden.

Cross' glimlach werd een frons. 'We gaan hier later wel mee verder,' mompelde hij tegen zijn metgezellen, zonder zijn blik van mij af te wenden.

Hij stapte in de lift en hield een hand op om hen ervan te weer-houden hem te volgen. Ze knipperden met hun ogen van verba-zing, keken naar mij, toen naar Cross, en toen weer terug.

Ik stapte de lift uit. Ik had besloten dat het voor mijn geestelijke gezondheid veiliger was om een andere lift te nemen.

'Niet zo snel, Eva.' Cross greep me bij mijn elleboog en trok me terug. De deuren gingen dicht en de lift kwam soepel in bewe-ging.

'Wat doe je nou?' snauwde ik. Na dat gedoe met Stanton was nog een dominante man die met me probeerde te sollen wel het laatste waar ik behoefte aan had.

Cross hield me vast bij mijn bovenarmen en keek me met die levendige blauwe ogen onderzoekend aan. 'Hé, er gaat iets niet goed. Wat is er?'

De inmiddels vertrouwde elektriciteit tussen ons tweeën begon weer te vonken en ik had er nog veel meer last van door mijn slechte humeur. 'U.'

'Ik?' Zijn duimen streken over mijn schouders. Hij liet me los, trok een sleutel uit zijn zak en stak hem in het paneel. Alle lamp-jes gingen uit, behalve degene voor de bovenste verdieping.

Hij was weer in het zwart, met een fijn grijs krijtstreepje dit keer. Het was een openbaring om hem eens van achteren te zien. Zijn schouders waren mooi breed zonder log te zijn, en accen-tueerden zijn slanke middel en lange benen. De zijdeachtige lok-ken haar die over zijn boord vielen, probeerden me te verleiden om ze vast te pakken en eraan te trekken. Hard. Ik wou dat hij net zo pissig werd als ik. Ik had zin om te vechten.

'Ik ben nu niet voor u in de stemming, Mr. Cross.'

Hij keek naar de ouderwetse naald boven de deuren die de verdiepingen aanwees. 'Ik kan je wel in de juiste stemming bren-gen.'

'Geen interesse.'

Cross keek over zijn schouder naar me. Zijn overhemd en das waren hetzelfde fantastische azuurblauw als zijn ogen. Het effect was verbluffend. 'Niet tegen me liegen, Eva. Nooit.'

'Ik lieg niet. Wat maakt het uit of ik me tot u aangetrokken voel? Ik neem aan dat de meeste vrouwen dat wel zijn.' Ik frommelde wat er van mijn reep over was weer in de verpakking en stopte hem terug in de plastic zak die in mijn handtasje zat. Ik had geen chocola nodig als ik dezelfde lucht inademde als Gideon Cross. 'Ik heb alleen geen behoefte om er iets mee te doen.'

Toen draaide hij zich langzaam naar me om, en die zweem van een glimlach verzachtte zijn ondeugende mond. Zijn ongedwongenheid en onbekommerdheid joegen me nog verder op stang. 'Aangetrokken is een te tam woord voor' – hij gebaarde naar de ruimte tussen ons in – 'dit.'

'Misschien ben ik een beetje een rare wat dat betreft, maar ik moet iemand wel eerst leuk vinden voordat ik me helemaal uitkleed en zweterige dingen met hem ga doen.'

'Niet raar,' zei hij. 'Maar ik heb gewoon geen tijd en geen zin om te daten.'

'Dat geldt dan voor ons allebei. Blij dat we dat hebben opgehelderd.'

Hij kwam naar me toe en bewoog zijn hand naar mijn gezicht. Ik dwong mezelf om niet opzij te springen of hem de genoegdoening te geven te laten zien dat ik geïntimideerd was. Zijn duim streek over een hoek van mijn mond, en ging toen omhoog naar die van hem. Hij zoog erop en bromde zachtjes: 'Chocola en jij. Heerlijk.'

Er ging een huivering door me heen, gevolgd door een hitsig verlangen tussen mijn benen toen ik me inbeeldde dat ik chocola van zijn dodelijk sexy lichaam likte.

Zijn blik werd donkerder en zijn stem zachter. 'Romantiek zit niet in mijn repertoire, Eva. Maar wel duizend manieren om je te laten klaarkomen. Ik wil ze je laten zien.'

De lift remde af en stopte. Hij haalde de sleutel uit het paneel en de deuren gingen open.

Ik trok me terug in een hoek en weerde hem af met een snelle polsbeweging. 'Ik ben echt niet geïnteresseerd.'

'We zullen het erover hebben.' Cross pakte me bij mijn elleboog en trok me langzaam maar onverbiddelijk naar buiten.

Ik ging erin mee omdat ik genoot van de kick die ik kreeg als ik bij hem in de buurt was, en omdat ik benieuwd was wat hij te zeggen had als ik hem meer dan vijf minuten de tijd gaf.

Hij werd zo snel door de veiligheidsdeur gelaten dat hij zijn pas niet eens in hoefde te houden. Het knappe roodharige meisje achter de receptiebalie ging haastig staan, klaar om hem wat berichten te geven, maar hij schudde ongeduldig zijn hoofd. Haar mond klapte dicht en ze staarde met grote ogen naar mij toen we gehaast voorbijliepen.

De afstand naar het kantoor van Cross was gelukkig maar kort. Zijn assistent stond op toen hij zijn baas zag naderen, maar zei niets toen hij zag dat Cross niet alleen was.

'Geen telefoontjes, Scott,' zei Cross, en hij stuurde me door de open glazen deuren zijn kantoor binnen.

Ondanks mijn irritatie kon ik het niet helpen onder de indruk te zijn van de uitgestrektheid van het commandocentrum van Gideon Cross. Door de ramen van de vloer tot het plafond keek je aan twee zijden uit over de stad en door een glazen wand keek je uit op de rest van de kantoorruimte. De enige ondoorzichtige wand, tegenover het massieve bureau, was bedekt met flatscreens die nieuwszenders van over de hele wereld uitzonden. Er waren drie aparte zithoeken, elk ervan groter dan het hele kantoor van Mark, en een bar met kristallen, met juwelen bezette karaffen, die zorgden voor de enige kleuraccenten in een palet dat verder alleen bestond uit zwart, grijs en wit.

Cross drukte op een knop op zijn bureau waardoor de deuren sloten. Vervolgens drukte hij op nog een andere knop waardoor de doorzichtige glazen wand in één klap van matglas werd, en we feitelijk afgeschermd waren van de blikken van zijn medewerkers. Met de prachtige hemelsblauwe reflecterende folie op de buitenramen was onze privacy gewaarborgd. Hij schudde zich uit zijn jasje en hing het over een verchroomde hanger. Toen keerde hij terug naar waar ik was blijven staan, net binnen de deuren. 'Iets drinken, Eva?'

'Nee, dank u.' Godver. In alleen zijn vest en overhemd was hij nog lekkerder. Ik kon beter zien hoe gespierd hij was. Hoe sterk zijn schouders waren. Hoe prachtig zijn biceps en billen zich aanspanden wanneer hij bewoog.

Hij gebaarde naar een zwartleren sofa. 'Ga zitten.'

'Ik moet terug naar mijn werk.'

'En ik heb een bespreking om twee uur. Hoe sneller we dit hebben uitgewerkt, des te sneller kunnen we allebei weer aan het werk. Dus, ga zitten.'

'Wat denkt u dat we gaan uitwerken?'

Zuchtend pakte hij me als een bruidje op en droeg me naar de sofa. Hij liet me op mijn achterste vallen en ging naast me zitten. 'Je bezwaren. Het wordt tijd dat we het er eens over hebben wat ervoor nodig is om jou onder me te krijgen.'

'Een wonder.' Ik duwde me van hem af en maakte de ruimte tussen ons in groter. Ik trok aan de zoom van mijn smaragdgroene rok en wenste dat ik vandaag een broek aan had getrokken. 'Ik vind uw aanpak lomp en beledigend.'

En ontzettend opwindend, maar dat zou ik nooit toegeven.

Hij keek me nadenkend aan, met zijn ogen samengeknepen. 'Het is dan misschien lomp, maar wel eerlijk. Jij komt op mij niet over als een vrouw die liever gelul en gevlei heeft dan de waarheid.'

'Wat ik wil, is dat ik word gezien als iemand die meer te bieden heeft dan een opblaaspop.'

Cross' wenkbrauwen schoten omhoog. 'Nou nou.'

'Zijn we klaar?' Ik stond op.

Hij omvatte mijn pols met zijn vingers en trok me weer omlaag. 'We zijn nog maar net begonnen. We zijn het al over een paar dingen eens: we voelen een intense seksuele aantrekkingskracht voor elkaar en we willen allebei niet daten. Dus wat wil je dan wel, precies? Verleiding, Eva? Wil je verleid worden?'

Ik was even gefascineerd als onthutst door het gesprek. En inderdaad, ook in verleiding gebracht. Het was ook niet zo eenvoudig om niet in de verleiding te komen, als je tegenover zo'n fantastische, viriele man zat die vastbesloten was om spannende, zweterige dingen met je te doen. Maar toch overheerste mijn afkeer. 'Seks die wordt gepland als een zakelijke transactie is voor mij een afknapper.'

'Ja, maar als je van tevoren de voorwaarden vaststelt, zorgt dat voor minder overtrokken verwachtingen, en minder teleurstellingen aan het eind.'

'U maakt zeker een geintje?' sneerde ik. 'Luister nou eens naar wat u zegt. Waarom zou u het zelfs nog neuken noemen? Waarom bent u dan niet helemaal duidelijk en noemt u het niet gewoon een ejaculatie in een van tevoren goedgekeurde opening?'

Hij maakte me nijdig door zijn hoofd achterover te gooien en in lachen uit te barsten. Het volle, schorre geluid vloeide over me heen als een stroom warm water. Mijn bewustzijn van hem groeide zo sterk dat het pijn deed. Zijn aardse plezier zorgde ervoor dat hij minder seksgod werd, en meer mens. Een echt mens.

Ik ging staan en deed een stap naar achteren, zodat ik buiten zijn bereik was. 'Vrijblijvende seks hoeft heus niet gepaard te gaan met wijn en rozen, maar godallemachtig, wat het dan ook is, seks moet wel persoonlijk zijn. Vriendelijk zelfs. Met wederzijds respect op zijn allerminst.'

Hij hield op met lachen en stond op, en zijn ogen werden donker. 'In mijn privéaangelegenheden zijn er geen dubbele boodschappen. Jij wilt dat ik die grens laat vervagen. Ik kan geen goede reden bedenken waarom ik dat zou doen.'

'U hoeft helemaal geen reet voor me te doen. U hoeft me alleen weer naar mijn werk te laten gaan.' Ik beende naar de deur en trok aan de deurkruk. Ik vloekte zachtjes toen er geen beweging in zat. 'Laat me gaan, Cross.'

Ik voelde hoe hij van achteren naar me toe liep. Hij drukte zijn handpalmen plat tegen het glas aan weerskanten van mijn schouders, waardoor ik ingesloten was. Ik stond niet voor mezelf in als hij zo dichtbij was.

De kracht en de dwingendheid van zijn wil straalden een bijna tastbaar krachtveld uit. Als hij maar dichtbij genoeg kwam, werd ik erdoor omringd en werd ik met hem ingesloten. Alles buiten dat krachtveld hield op te bestaan, terwijl erbinnen mijn hele lichaam naar dat van hem toe werd gezogen. Dat hij zo'n diepgaand lichamelijk effect op me had terwijl hij tegelijkertijd zo verdomd irritant was, deed mijn hoofd tollen. Hoe kon ik zo opgewonden raken door een man die dingen zei waar ik volkomen op af zou moeten knappen?

'Draai je om, Eva.'

Ik deed mijn ogen dicht om de golf van opwinding die ik voelde bij zijn autoritaire toon, af te houden. God, wat rook hij lekker. Zijn krachtige lichaam straalde hitsigheid en honger uit, en spoorde mijn eigen wilde verlangen naar hem nog verder aan. De onwillekeurige reactie werd nog versterkt doordat de frustratie over Stanton nog steeds doorzeurde en daarna nog was verergerd door Cross zelf.

Ik wilde hem. Heel erg. Maar hij was niet goed voor me. Geloof me, ik kon mijn leven zelf wel de vernieling in draaien, daar had ik geen hulp bij nodig.

Mijn koortsige voorhoofd raakte het door de airconditioning gekoelde glas. 'Hou daarmee op, Cross.'

'Oké dan. Je bent me te lastig.' Met zijn lippen streek hij langs mijn oor. Hij drukte een van zijn handen plat tegen mijn buik, zijn vingers gespreid om me weer tegen hem aan te drukken. Hij was net zo opgewonden als ik was, zijn pik hard en dik tegen de onderkant van mijn rug. 'Draai je maar om en zeg me gedag.'

Teleurgesteld en met spijt in mijn hart draaide ik me om in zijn greep, en liet me tegen de deur zakken om mijn verhitte rug af te koelen. Hij stond over me heen gebogen, met zijn weelderige haar rond zijn prachtige gezicht, en hij drukte zijn onderarm tegen de deur om dichterbij te kunnen komen. Ik had bijna geen ruimte om te ademen. De hand die hij tegen mijn buik had gehouden rustte nu op de ronding van mijn heup en kneep in een reflex samen, waardoor ik bijna gek werd. Hij staarde naar me, met een intens vurige blik.

'Kus me,' zei hij schor. 'Geef me dan ten minste een kus.'

Zachtjes hijgend bevochtigde ik mijn droge lippen. Hij kreunde, hield zijn hoofd schuin, en drukte zijn mond op de mijne. Ik was geschokt hoe zacht zijn stevige lippen waren en hoe teder de druk was die hij uitoefende. Ik zuchtte en zijn tong gleed naar binnen. Langzaam likkend proefde hij van mij. Zijn kus was zelfverzekerd, bedreven, en precies agressief genoeg om me wild van opwinding te maken.

Ik registreerde dat ergens in de verte mijn handtasje de vloer raakte, en toen zaten mijn handen in zijn haar. Ik trok aan de zijdeachtige lokken en gebruikte ze om zijn mond naar de mijne te sturen. Hij gromde, kuste me dieper en streelde mijn tong met lange halen. Ik voelde zijn hart als een razende tegen mijn borstkas kloppen, het bewijs dat ik in mijn koortsige fantasie niet een onbereikbaar ideaal had verzonnen, maar dat hij echt was.

Hij duwde zich van de deur af. Hij legde de achterkant van mijn hoofd in zijn ene hand en de ronding van mijn billen in de andere hand, en tilde me op. 'Ik wil je, Eva. Of je nou lastig bent of niet, ik kan hier niet mee stoppen.'

Hij drukte me met mijn hele lijf tegen hem aan en ik was me vol verlangen bewust van elke hete, harde centimeter van hem. Ik kuste hem terug alsof ik hem op wilde eten. Mijn huid was vochtig en geprikkeld, mijn borsten zwaar en gevoelig. Mijn clitoris klopte om aandacht en bonsde in hetzelfde tempo als mijn razende hartslag.

Ik was me er vaag van bewust dat er iets bewoog en toen voelde ik de sofa tegen mijn rug. Cross hing over me heen gebogen met een knie op een kussen en de andere voet op de vloer. Zijn linkerarm ondersteunde zijn bovenlichaam terwijl zijn rechterhand de achterkant van mijn knie greep en hij hem in een krachtige, bezitterige glijdende beweging omhoogschoof langs mijn dij.

Hij ademde sissend uit toen hij het punt bereikte waar mijn jarretel aan de bovenkant van mijn kous vastzat. Hij rukte zijn blik weg van mijn gezicht en keek omlaag. Hij duwde mijn rok omhoog om me vanaf mijn middel te ontbloten.

'Jezus, Eva.' Een laag gerommel vibreerde in zijn borst en het primitieve geluid bezorgde me kippenvel. 'Het is maar goed dat je baas homo is.'

In een waas zag ik Cross' lichaam naar dat van mij toe zakken, en mijn benen gleden uit elkaar om ruimte te maken voor de breedte van zijn heupen. Mijn spieren spanden zich in de drang me naar hem toe op te richten, om sneller contact te maken, waar ik al naar hunkerde sinds ik hem voor het eerst had gezien. Hij boog zijn hoofd en drukte zijn mond weer met een vleug van geweld op die van mij, zodat mijn lippen er zeer van deden.

Plotseling rukte hij zich van me los en struikelde overeind.

Ik lag daar hijgend en nat, zo gewillig en zo bereid. Toen besefte ik waarom hij zo heftig had gereageerd.

Er stond iemand achter hem.

4

Verstijfd van schrik door de plotselinge inbreuk op onze privacy krabbelde ik overeind tegen de armleuning, en rukte mijn rok omlaag.

'... afspraak van twee uur is er.'

Het duurde heel lang voor ik eindelijk in de gaten had dat Cross en ik nog steeds alleen in de kamer waren, en dat de stem die ik had gehoord door een speaker kwam. Cross stond aan de andere kant van de sofa, verhit en met een stuurse blik, terwijl zijn borst krachtig op en neer bewoog. Zijn das hing los en de gulp van zijn pantalon stond strak tegen een zeer imposante erectie.

Ik had een nachtmerrieachtig visioen van hoe ik er wel niet uit moest zien. En ik kwam te laat terug op mijn werk.

'Jezus.' Hij ging met allebei zijn handen door zijn haar. 'Het is godverdomme midden op de dag. In mijn kantoor, verdomme!'

Ik stond op en probeerde mijn uiterlijk een beetje te fatsoeneren.

'Hier.' Hij kwam naar me toe en rukte mijn rok weer omhoog.

Woedend om wat ik bijna had laten gebeuren terwijl ik op mijn werk had moeten zijn, sloeg ik zijn handen weg. 'Hou op. Laat me met rust.'

'Hou je mond, Eva,' zei hij grimmig. Hij pakte mijn zijden blouse bij de zoom vast en trok haar recht, zodat de knoopjes weer een rechte rij tussen mijn borsten vormden. Toen trok hij mijn rok weer omlaag en streek hem met kalme, vakkundige handen glad. 'Doe je staartje goed.'

Cross pakte zijn jas en trok hem aan voordat hij zijn das recht trok. We bereikten op hetzelfde moment de deur, en toen ik me bukte om mijn tasje op te rapen, bukte hij ook.

Hij pakte mijn kin en dwong me naar hem te kijken. 'Hé,' zei hij zacht. 'Gaat het?'

Mijn keel brandde. Ik was opgewonden en kwaad en voelde me ontzettend opgelaten. Ik had me nog nooit van mijn leven op zo'n manier laten gaan. En ik haatte het dat ik dat had gedaan bij hem, een man die zo klinisch met seksuele intimiteit omging dat ik al depressief werd als ik eraan dacht.

Ik rukte mijn kin weg. 'Zie ik eruit alsof het gaat?'

'Je ziet er prachtig en neukbaar uit. Ik wil je zo graag dat het pijn doet. Ik ben gevaarlijk dicht bij de neiging om je naar de sofa te dragen en je te laten klaarkomen tot je me smeekt te stoppen.'

'Je kan er niet echt van worden beschuldigd dat je een fluwelen tong hebt,' mompelde ik, me ervan bewust dat ik niet beledigd was. De rauwheid van zijn honger werkte zelfs als een behoorlijk sterk lustopwekkend middel. Ik pakte het hengsel van mijn tasje en ging op mijn trillende benen staan. Ik moest bij hem vandaan. En als mijn werkdag erop zat, moest ik alleen zijn met een groot glas wijn.

Cross stond met mij op. 'Ik ben om vijf uur klaar, en dan kom ik je ophalen.'

'Nee, daar komt niks van in. Dit verandert helemaal niets aan de zaak.'

'Natuurlijk doet dat het wel.'

'Wees nou niet zo arrogant, Cross. Ik was eventjes mijn verstand kwijt, maar ik wil nog steeds niet wat u wilt.'

Zijn vingers krulden om de deurkruk. 'Jawel, dat wil je wel. Je wilt het alleen niet zoals ik het aan je wil geven. Dus moeten we nog eens naar de plannen kijken en die aanpassen.'

Nog meer businesspraatjes. Standaardformuleringen. Ik rechtte mijn rug.

Ik legde mijn hand op die van hem, gaf een ruk aan de deurkruk en glipte onder zijn arm door de deur uit. Zijn assistent stond gauw op, met open mond, net als de vrouw en de twee mannen die op Cross aan het wachten waren. Ik hoorde hem achter me iets zeggen.

'Scott zal u naar binnen laten. Ik ben zo terug.'

Hij haalde me in bij de receptie, en sloeg zijn arm om de onderkant van mijn rug om me bij mijn heup te pakken. Omdat ik geen scène wilde trappen, wachtte ik tot we bij de liften waren voor ik me lostrok.

Hij stond kalm te wachten en drukte op het knopje. 'Vijf uur, Eva.'

Ik staarde naar het verlichte knopje. 'Dan kan ik niet.'

'Morgen dan.'

'Ik kan het hele weekend niet.'

Hij ging voor me staan en vroeg nijdig: 'Wat ga je doen dan?'

'Dat gaat u niks...'

Zijn hand bedekte mijn mond. 'Niet doen. Zeg me dan wanneer. En voordat je "nooit" zegt, moet je even goed naar me kijken en zeggen of je een man voor je ziet die zich makkelijk laat afpoeieren.'

Zijn gezicht was hard, met samengeknepen ogen en een vastberaden blik. Ik huiverde. Ik was er niet zo zeker van dat ik een gevecht in wilskracht van Gideon Cross zou winnen.

Ik slikte en wachtte tot hij zijn hand weg zou halen. Toen zei ik: 'Ik denk dat we allebei even moeten afkoelen. Een paar dagen moeten nemen om na te denken.'

Hij hield vol. 'Maandag na het werk.'

De lift stopte en ik stapte erin. Ik draaide me naar hem toe en antwoordde: 'Maandag om lunchtijd.'

Dan hadden we maar een uur, een gegarandeerde ontsnappingsroute.

Vlak voor de deuren dichtgingen, zei hij: 'Het gaat gebeuren, Eva.'

Het klonk eerder als een dreigement dan als een belofte.

'Maak je niet druk, Eva,' zei Mark toen ik bijna een kwartier na tweeën bij mijn bureau aankwam. 'Je hebt niets gemist. Ik had een late lunch met meneer Leaman. Ik ben zelf net terug.'

'Dank je.' Wat hij ook zei, ik voelde me nog steeds vreselijk. Mijn geweldige vrijdagochtend leek wel dagen geleden.

We werkten gestaag door tot vijf uur. We overlegden over een klant in de fastfood-business en we dachten na over een paar mogelijke aanpassingen aan een advertentie voor een keten biologische groentewinkels.

'Over bizarre combinaties gesproken,' had Mark opgemerkt, terwijl hij zich er niet van bewust was hoe toepasselijk dat was met betrekking tot mijn privéleven.

Ik had net mijn computer uitgezet en was bezig mijn tasje uit de la te halen, toen mijn telefoon ging. Ik keek op de klok, zag dat het precies vijf uur was, en dacht erover niet op te nemen omdat mijn werkdag er officieel op zat.

Maar omdat ik me nog steeds rottig voelde om mijn te lange lunchpauze, beschouwde ik het als boetedoening en nam op. 'Met het kantoor van Mark Garrity...'

'Eva liefje. Richard vertelde dat je je mobieltje was vergeten op zijn kantoor.'

Ik blies mijn adem uit en liet me in mijn stoel zakken. Ik zag zo voor me hoe mijn moeder haar zakdoek in haar hand frommelde, wat gewoonlijk gepaard ging met dit specifieke ongeruste toontje in haar stem. Ik werd er gek van, maar het was ook hartverscheurend. 'Hoi mam. Hoe gaat het?'

'O, met mij gaat het prima, dank je.' Mijn moeder had een stem die tegelijkertijd meisjesachtig en zwoel was, als een soort kruising tussen Marilyn Monroe en Scarlett Johansson. 'Clancy heeft je telefoon achtergelaten bij de conciërge van je flat. Je moet echt niet weggaan zonder dat je hem bij je hebt, hoor schat. Je weet maar nooit wanneer je nog eens iemand moet bellen...'

Ik had erover nagedacht of het haalbaar zou zijn om de telefoon gewoon te houden en de oproepen door te schakelen naar een nieuw nummer dat ik niet aan mijn moeder zou geven, maar daar maakte ik me niet het meest zorgen om. 'Wat vindt dokter Petersen ervan dat je mijn telefoon laat traceren?'

De stilte aan de andere kant verraadde veel. 'Dokter Petersen weet wel dat ik me zorgen om je maak.'

Ik kneep in de brug van mijn neus en zei: 'Ik geloof dat we nog maar eens met z'n tweeën een afspraakje met hem moeten maken, mam.'

'O... natuurlijk. Hij zei wel iets over dat hij je nog eens wilde zien.'

Waarschijnlijk omdat hij vermoedt dat je hem niet alles vertelt. Ik veranderde van onderwerp. 'Ik heb het ontzettend naar mijn zin in mijn nieuwe baan, mam.'

'Dat is geweldig, Eva! Behandelt je baas je goed?'

'Ja, hij is super. Ik kon me geen betere wensen.'

'Is hij knap?'

Ik glimlachte. 'Ja, nou. En hij is bezet.'

'Hè verdikkeme. Dat zijn de besten altijd.' Ze lachte en mijn glimlach werd breder.

Ik vond het heerlijk als ze blij was. Ik zou willen dat ze vaker blij was. 'Ik kan niet wachten tot ik je morgen op het benefietdiner van de stichting zie.'

Monica Tramell Barker Mitchell Stanton was in haar element op feestjes van de beau monde, een sierlijke, stralende schoonheid die nooit te klagen had gehad over aandacht van mannen.

'Laten we er een dagje van maken,' zei mijn moeder een beetje gespannen. 'Jij, ik en Cary. Dan gaan we naar een wellnesscentrum, laten we ons verwennen en verzorgen. Het lijkt me dat je wel een massage kan gebruiken nadat je zo hard hebt gewerkt.'

'Ik sla het niet af in elk geval. En ik weet zeker dat Cary het heerlijk zal vinden.'

'O, ik heb er zo'n zin in! Zal ik om een uur of elf een auto bij je langs sturen?'

'Wij zullen klaarstaan.'

Toen ik had opgehangen leunde ik achterover in mijn stoel en ademde uit. Ik had een bad en een orgasme nodig. Als Gideon Cross er op een of andere manier achter kwam dat ik masturbeerde terwijl ik aan hem dacht, kon me dat niet schelen ook. Als ik me seksueel gefrustreerd voelde, verzwakte dat mijn positie, en ik wist dat hij die zwakte niet had. Hij had voor het eind van de dag ongetwijfeld wel een van tevoren goedgekeurde opening voor hem klaarliggen.

Toen ik mijn hakken uitdeed om mijn loopschoenen aan te doen, ging mijn telefoon opnieuw. Ik wist dat mijn moeder meestal snel weer ging piekeren nadat ik haar had afgeleid. De vijf minuten sinds we ons gesprek hadden beëindigd was ongeveer precies de tijd die ze nodig had om te beseffen dat de kwestie van het mobieltje nog steeds niet opgelost was. Weer dacht ik erover niet op te nemen, maar ik had ook geen zin om problemen mee naar huis te nemen.

Ik nam op met mijn gebruikelijke begroeting, maar deze keer klonk ik niet zo pittig.

'Ik denk nog steeds aan je.'

Het fluwelen gerasp van Cross' stem overspoelde me met zo'n

gevoel van opluchting, dat ik besefte dat ik had gehoopt hem nog een keer te horen. Vandaag nog.

Mijn god. Mijn hunkering was zo intens dat ik wist dat hij een drug voor mijn lichaam was geworden, de voornaamste bron voor een paar zeer intense kicks.

'Ik voel je nog steeds, Eva. Ik proef je nog. Ik heb nog steeds een stijve, ondanks twee vergaderingen en een videogesprek. Het lijkt erop dat jij gaat winnen, dus noem je eisen maar.'

'Ah,' mompelde ik. 'Laat me eens denken.'

Ik liet hem wachten, en moest glimlachen toen ik aan Cary's opmerking over blauwe ballen dacht. 'Hm... Ik kan zo gauw niets bedenken. Maar ik kan je wel wat vriendelijk advies geven. Breng maar wat tijd door met een vrouw die aan je voeten ligt te kwijlen en die je als een god laat voelen. Neuk haar tot jullie allebei niet meer kunnen lopen. Als je me dan maandag ziet, ben je er wel overheen en keert je leven terug naar zijn normale obsessief-compulsieve toestand.'

Ik hoorde gekraak van leer door de telefoon en ik zag voor me hoe hij achteroverleunde in zijn bureaustoel. 'Oké, dat was je enige vrijbrief, Eva. De volgende keer dat je een loopje met me neemt, leg ik je over de knie.'

'Ik hou niet van dat soort dingen.' Maar toch had de waarschuwing, met de klank van die stem, me opgewonden. Een Donkere Adonis, absoluut.

'Daar zullen we het nog over hebben. Vertel in de tussentijd maar waar je wel van houdt.'

Ik stond op. 'Je hebt absoluut een goede stem voor telefoonseks, maar ik moet gaan. Ik heb een afspraak met mijn vibrator.'

Toen had ik op moeten hangen om hem het volle effect van de afwimpeling mee te geven, maar ik kon me er niet van weerhouden om te onderzoeken of hij zich zo zou verlustigen als ik verwachtte. Bovendien vermaakte ik me wel met hem.

'O, Eva.' Cross sprak mijn naam uit met een decadent gegrom. 'Je bent vastbesloten me op de knieën te dwingen, hè? Wat is ervoor nodig om je te verleiden tot een triootje met jouw Tarzan?'

Ik negeerde beide vragen, pakte mijn tas en slingerde mijn handtasje over mijn schouder, dankbaar dat hij niet kon zien hoe mijn hand trilde. Ik ging het echt niet over vibrators hebben met

Gideon Cross. Ik had nog nooit openlijk met een man over masturberen gesproken, laat staan met een man die eigenlijk een vreemde voor me was. 'Tarzan en ik hebben een heel goede verstandhouding: als we klaar zijn met elkaar, weten we precies wie van ons beiden zich gebruikt kan voelen, en dat ben ik niet. Goedenavond, Gideon.'

Ik hing op en nam de trap. Ik besloot dat de afdaling van negentien verdiepingen een tweeledig doel had: als ontwijkingsmanoeuvre en ter vervanging van een bezoek aan de sportschool.

Ik was zo blij weer thuis te zijn na zo'n dag dat ik bijna de deur van mijn appartement door danste. Ik riep uitgelaten: 'Mijn god, wat is het lekker om weer thuis te zijn!' en maakte een pirouette. Dat was blijkbaar zo heftig dat het stel op de bank ervan schrok.

'O,' zei ik, ineenkrimpend van schaamte om mijn onnozelheid. Cary zat dan wel niet met zijn gast in een compromitterende positie verwikkeld, maar ze zaten wel zo dicht bij elkaar dat er een schijn van intimiteit was.

Met een vervelend gevoel dacht ik aan Gideon Cross, die liever alle intimiteit vermeed bij de meest intieme handeling die ik me voor kon stellen. Ik had zelf ook onenightstands gehad, en vriendjes voor de seks, en niemand wist beter dan ik dat 'seks' en 'de liefde bedrijven' twee totaal verschillende dingen waren, maar ik dacht niet dat ik seks ooit zou kunnen zien alsof het net zoiets was als elkaar een hand geven. Ik vond het treurig dat Cross dat wel deed, ook al was hij niet een man die medelijden opriep.

'Hé, meissie,' riep Cary, en hij stond op. 'Ik hoopte al dat je terug zou zijn voordat Trey weg moest.'

'Ik heb over een uur les,' verklaarde Trey, en hij liep om de koffietafel heen terwijl ik mijn tas op de vloer liet vallen en mijn handtasje op een barkruk bij de bar zette. 'Maar ik vind het leuk je toch nog even gezien te hebben voor ik wegga.'

'Ik ook.' Ik schudde de hand die hij naar me uitstak en nam hem met een snelle blik op. Hij was ongeveer even oud als ik, leek me. Gemiddelde lengte en lekker gespierd. Hij had wild, blond haar, zachte bruine ogen, en een neus die duidelijk een keer gebroken was geweest.

'Is het goed als ik een glas wijn neem?' vroeg ik. 'Ik heb een lange dag gehad.'

'Ga je gang,' antwoordde Trey.

'Ik neem er ook een.' Cary kwam bij ons staan bij de bar. Hij droeg een wijde zwarte spijkerbroek en een zwarte trui die een schouder bloot liet. Het zag er lekker casual en elegant uit, en paste fantastisch bij zijn donkerbruine haar en smaragdgroene ogen.

Ik liep naar de wijnkoelkast en pakte er een fles uit, zonder te kijken welke.

Trey stopte zijn handen in de zakken van zijn spijkerbroek, schommelde heen en weer op zijn hielen, en praatte zachtjes met Cary terwijl ik de fles ontkurkte en inschonk.

De telefoon ging en ik pakte de hoorn van de muur. 'Hallo?'

'Hé, Eva? Met Parker Smith.'

'Parker, hoi.' Ik leunde met mijn heup tegen de bar. 'Hoe gaat het?'

'Ik hoop dat je het niet erg vindt dat ik je bel. Je stiefvader heeft me je nummer gegeven.'

Pff. Ik had wel genoeg Stanton gehad voor één dag. 'Nee joh, prima. Zeg het eens.'

'Echt niet? Het gaat allemaal gesmeerd. Je stiefvader lijkt de goede fee wel. Hij investeert in een paar veiligheidsvoorzieningen in de studio, en in nog een paar verbeteringen die hard nodig waren. Daarom bel ik ook. De studio is de rest van de week gesloten. De lessen beginnen aanstaande maandag weer.'

Ik deed mijn ogen dicht en onderdrukte met moeite een vlaag van ergernis. Nou ja, Parker kon er ook niets aan doen dat Stanton en mijn moeder overbezorgde controlfreaks waren. Ze zagen er duidelijk de ironie niet van in dat ze me probeerden te beschermen terwijl ik omringd was door mensen die er nou juist in getraind waren om dat te doen. 'Klinkt goed. Ik kan niet wachten. Ik heb echt zin om met je te gaan trainen.'

'Ik heb er ook zin in. Ik ga je hard laten werken, Eva. Je ouders zullen waar voor hun geld krijgen.'

Ik zette een vol glas voor Cary neer en nam een flinke slok uit dat van mij. Ik zou me altijd blijven verbazen over hoeveel medewerking je kon kopen met geld. Maar nogmaals, dat was niet Parkers fout. 'Mij hoor je niet klagen.'

'We beginnen meteen volgende week. Je chauffeur heeft het rooster.'

'Prima. Tot dan.' Ik hing op en zag nog net hoe Trey naar Cary keek terwijl hij dacht dat we geen van beiden keken. Dat was zacht en vol zoet verlangen en het deed me eraan denken dat mijn problemen wel even konden wachten. 'Jammer dat ik je op weg naar buiten tref, Trey. Heb je woensdagavond tijd voor pizza? Ik zou wel meer tegen je willen zeggen dan alleen hoi en tot ziens.'

'Dan heb ik les.' Hij glimlachte spijtig en keek even opzij naar Cary. 'Maar ik kan dinsdag wel langskomen.'

'Ja, prima. Dan laten we eten komen en maken we er een film-avondje van.'

'Lijkt me leuk.'

Ik werd beloond met een kus die Cary naar me blies toen hij naar de deur liep om Trey uit te zwaaien. Toen hij in de keuken terugkwam, pakte hij zijn wijn en zei: 'Oké, voor de dag ermee, Eva. Je ziet er gestrest uit.'

'Ben ik ook,' zei ik. Ik pakte de fles en liep naar de woonkamer.

'Het is Gideon Cross, hè?'

'Nou en of. Maar ik wil het niet over hem hebben.' Gideons zoektocht was erg opwindend, maar waar hij naar op zoek was, was klote. 'Laten we het liever over jou en Trey hebben. Hoe hebben jullie elkaar ontmoet?'

'Ik kwam hem tegen tijdens een klus. Hij werkt parttime als assistent van een fotograaf. Vind je hem niet sexy?' Zijn ogen straalden en hij zag er gelukkig uit. 'En een echte heer. Van de oude stempel.'

'Ik wist niet dat die nog bestonden,' mompelde ik voordat ik mijn eerste glas leegdronk.

'Wat bedoel je daar nou weer mee?'

'Ach, niks. Sorry, Cary, ga door. Hij lijkt me geweldig, en hij valt duidelijk op je. Studeert hij fotografie?'

'Nee, diergeneeskunde.'

'Wauw. Dat is geweldig.'

'Vind ik ook. Maar laten we Trey maar even vergeten. Zeg nou eens wat je dwarszit. Gooi het eruit.'

Ik zuchtte. 'Mijn moeder. Ze is achter mijn interesse voor

Parkers studio gekomen en nu gaat ze helemaal over de rooie.'

'Wat? Hoe is ze daarachter gekomen? Ik heb niks verteld, ik zweer het je.'

'Weet ik toch? Kwam zelfs niet bij me op.' Ik pakte de fles van tafel en schonk mijn glas weer vol. 'Moet je horen. Ze heeft mijn mobieltje getraceerd.'

Cary's wenkbrauwen gingen omhoog. 'Nee, dat meen je niet! Dat is... griezelig.'

'Precies, dat vind ik ook. En dat zei ik ook tegen Stanton, maar hij wil er niks van weten.'

'Nou ja, zeg!' Hij haalde een hand door zijn lange pony. 'En wat ga je nu doen?'

'Een nieuwe telefoon kopen. En een afspraak maken met dokter Petersen, kijken of hij haar een beetje tot rede kan brengen.'

'Goed plan. Laat haar psych het maar oplossen. Enne... is alles oké op je werk? Vind je het nog steeds leuk?'

'Super.' Ik liet mijn hoofd tegen de kussens vallen en deed mijn ogen dicht. 'Mijn werk en jij zijn wat me nu op de been houdt.'

'En die jonge geile multi-biljonair die jou wil pakken? Kom op, Eva, je weet dat ik sterf van nieuwsgierigheid. Wat is er gebeurd?'

Ik vertelde het hem, natuurlijk. Ik wou zijn visie op wat er allemaal gebeurd was weleens weten. Maar toen ik klaar was, bleef het stil. Ik keek op om te zien hoe hij reageerde, en zag dat hij met glanzende ogen op zijn lip aan het bijten was.

'Cary? Waar denk je aan?'

'Ik word een beetje opgewonden van dat verhaal.' Hij lachte, en dat warme, mannelijke geluid spoelde een hele hoop irritatie weg. 'Hij moet ongelooflijk in de war zijn op dit moment. Ik zou er wat voor over hebben gehad om zijn gezicht te zien toen je hem om de oren sloeg met die opmerking waarvoor hij je over de knie wou leggen.'

'Ik kan maar niet geloven dat hij dat heeft gezegd.' Toen ik terugdacht aan Cross' stem toen hij dat dreigement uitte, werden mijn handpalmen zo warm en vochtig dat mijn glas ervan besloeg. 'Van wat voor rare spelletjes houdt hij eigenlijk?'

'Spanking is niet raar. Trouwens, hij wou gewoon de missionarishouding op de bank doen, dus hij is ook niet vies van de grondbeginselen.' Hij liet zich achterovervallen op de bank, met een stralende glimlach op zijn knappe gezicht. 'Je vormt een enorme uitdaging voor een vent die daar duidelijk van smult. En hij is bereid om concessies te doen om je te krijgen, en ik wil wedden dat hij dat niet gewend is. Zeg hem gewoon wat je wilt.'

Ik verdeelde het laatste beetje wijn tussen ons tweeën, en voelde me al wat beter door de alcohol in mijn aderen. Tja, wat wilde ik eigenlijk? Behalve wat voor de hand lag? 'We passen absoluut niet bij elkaar.'

'Ondanks dat wat er op zijn bank is gebeurd?'

'Ach kom, Cary. Wat is er nou helemaal gebeurd? Eerst plukte hij me van de grond in de hal en vervolgens vroeg hij of ik wilde neuken. Dat is alles eigenlijk. Zelfs een kerel die ik oppik in een café heeft nog wel meer te bieden dan dat. "Hé, hoe heet je? Kom je hier vaak? Hoe heet je vriendin? Wat wil je drinken? Wil je dansen? Werk je hier in de buurt?"'

'Oké, oké, ik heb het door.' Hij zette zijn glas op tafel. 'Laten we uitgaan. Een kroeg pakken. Dansen tot we erbij neervallen. Misschien een paar kerels tegenkomen die je proberen te versieren.'

'Of me tenminste wat te drinken aanbieden.'

'Maar Cross heeft je toch wat aangeboden in zijn kantoor?'

Ik schudde mijn hoofd en stond op. 'Whatever. Ik ga even douchen en dan gaan we.'

Ik wierp me op het nachtleven alsof het mijn laatste kans was en het morgen niet meer zou bestaan. Cary en ik stuiterden van club naar club, van Tribeca tot East Village, betaalden belachelijk veel entreegeld en hadden een fantastische avond. Ik danste tot mijn voeten aanvoelden alsof ze eraf gingen vallen, maar ik hield vol totdat Cary begon te klagen over zijn laarzen.

We waren net een techno-popclub uit gestommeld en waren van plan teenslippers voor me te gaan kopen bij een Walgreens in de buurt, toen we een propper tegenkwamen die reclame maakte voor een loungebar die een paar straten verderop gevestigd was.

'Prima plek om even te zitten,' zei hij, zonder de gebruikelijke snelle glimlach of het overdreven enthousiasme dat de meeste proppers gebruikten. Zijn kleren, een zwarte spijkerbroek en een coltrui, waren ook chiquer, en dat intrigeerde me. En hij had geen flyers of kaartjes. Wat hij me wel gaf, was een visitekaartje van papyrus, bedrukt met een verguld lettertype dat het licht van de elektrische borden om ons heen weerkaatste. Ik maakte een aantekening in mijn hoofd dat ik het moest bewaren als een fantastisch voorbeeld van gedrukte reclame.

Een stroom voetgangers bewoog gehaast om ons heen. Cary kneep zijn ogen half dicht om de belettering te kunnen bestuderen. Hij had een paar drankjes meer op dan ik. 'Ziet er chic uit.'

'Laat dat kaartje zien,' raadde de propper aan. 'Dan hoef je geen entree te betalen.'

'Cool.' Cary haakte zijn arm in die van mij en trok me mee. 'Laten we gaan. Misschien vind je wel een goede vent in een chique tent.'

Mijn voeten deden heel veel pijn tegen de tijd dat we de club hadden gevonden, maar ik stopte met zeuren toen ik de aantrekkelijke entree zag. De rij voor de ingang was lang, en liep van de ingang over straat tot om de hoek. De soulvolle stem van Amy Winehouse was door de open deur te horen, en er kwamen goedgeklede klanten met een brede glimlach op hun gezicht de deur uit lopen.

Zoals de propper al had gezegd, was het visitekaartje een magische sleutel die ons onmiddellijk en gratis toegang verleende. Een prachtige hostess leidde ons naar boven naar een rustiger vipbar van waaruit je op het podium en de dansvloer neer kon kijken. We werden naar een klein zitgedeelte bij het balkon geleid en gingen zitten aan een tafel met twee halvemaanvormige fluwelen sofa's eromheen. Ze zette een drankenkaart in het midden en zei: 'Jullie drankjes zijn van het huis. Plezierige avond.'

'Wauw.' Cary floot. 'Boffen wij even.'

'Ik denk dat die propper je herkende van een advertentie.'

'Zou dat niet gaaf zijn?' Hij grijnsde. 'Jezus, wat een goeie avond. Ik ben uit met mijn beste vriendin en ik ben verliefd aan het worden op een nieuwe bink in mijn leven.'

'O?'

'Ik geloof dat ik heb besloten om maar eens te kijken waar het schip strandt met Trey.'

Dat maakte me blij. Het leek net alsof ik al mijn hele leven aan het wachten was tot hij eindelijk iemand vond die goed voor hem was. 'Heeft hij je al uitgevraagd?'

'Nee, maar ik denk niet dat dat is omdat hij het niet wil.' Hij haalde zijn schouders op en streek zijn kunstzinnig gescheurde T-shirt glad. In combinatie met een zwartleren broek en spike-armbanden zag hij er sexy en wild uit. 'Ik denk dat hij er eerst achter probeert te komen wat ik met jou heb. Hij werd gek toen ik vertelde dat ik samenwoonde met een vrouw en dat ik helemaal naar de andere kant van het land ben verhuisd om bij jou te zijn. Hij is bang dat ik misschien bi ben en was stiekem geobsedeerd door je. Daarom wou ik dat jullie elkaar zouden ontmoeten vandaag, zodat hij kon zien hoe jij en ik met elkaar omgaan.'

'Het spijt me, Cary. Ik zal proberen hem gerust te stellen.'

'Daar kun jij niks aan doen. Maak je er geen zorgen over. Het komt wel goed. Als het zo moest zijn, moest het zo zijn.'

Ik voelde me niet echt gerustgesteld en probeerde te bedenken hoe ik hem kon helpen.

Twee jongens bleven bij onze tafel staan. 'Mogen we erbij komen zitten?' vroeg de langste.

Ik keek even naar Cary, en toen weer terug naar de jongens. Ze zagen eruit alsof ze broers waren, en ze waren erg aantrekkelijk. Ze glimlachten allebei en waren zelfverzekerd, met een losse en nonchalante houding.

Ik wilde net 'Tuurlijk' zeggen, toen er een warme hand op mijn blote schouder werd gelegd die me stevig kneep. 'Deze is bezet.'

Aan de overkant zat Cary met open mond te kijken toen Gideon Cross om de sofa heen liep en zijn hand naar hem uitstak. 'Taylor. Gideon Cross.'

'Cary Taylor.' Hij schudde Gideons hand met een brede glimlach. 'Maar dat wist je al. Leuk je te ontmoeten. Ik heb veel over je gehoord.'

Ik kon hem wel vermoorden. Ik zat er serieus over te denken.

'Goed om te weten.' Gideon ging naast me zitten en legde zijn arm achter me neer op de sofa, zodat hij zijn vingertoppen terloops en bezitterig over mijn arm op en neer kon laten glijden. 'Misschien is er nog hoop voor me.'

Ik draaide mijn bovenlichaam naar hem toe en fluisterde vinnig: 'Wat doe je?'

Hij gaf me een harde blik. 'Wat er maar nodig is.'

'Ik ga dansen.' Cary stond op met een ondeugende grijns. 'Ben zo terug.'

Mijn beste vriend negeerde mijn smekende blik en blies een kushandje naar me. De jongens volgden hem. Ik keek hoe ze allemaal wegliepen, terwijl mijn hart als een razende tekeerging. Na nog een minuut werd het te belachelijk om Gideon nog langer te negeren. En onmogelijk.

Ik liet mijn blik over hem glijden. Hij had een grafietgrijze pantalon en een zwarte V-halstrui aan, en het geheel had een uitstraling van achteloos raffinement. Ik vond het hem geweldig staan en voelde me aangetrokken door de zachtheid die het hem gaf, ook al wist ik dat dat maar een illusie was. Hij was een harde man, in vele opzichten.

Ik haalde diep adem, en had het gevoel dat ik mijn best moest doen om een praatje met hem te maken. Was dat tenslotte niet mijn grootste bezwaar? Dat hij het stadium van elkaar leren kennen over wilde slaan en meteen het bed in wilde duiken?

'Je ziet er...' Ik stopte. Fantastisch. Geweldig. Verbluffend. Zo verdomd sexy... Uiteindelijk koos ik maar voor het tamme: 'Je ziet er leuk uit.'

Hij trok een wenkbrauw op. 'Ah, er is iets wat je leuk aan me vindt. Is dat "leuk" in het algemeen, het hele plaatje? Of alleen de kleren? Alleen de trui? Of misschien de broek?'

Het scherpe randje in zijn toon streek me tegen de haren in. 'En als ik nou eens zou zeggen dat het alleen de trui is?'

'Dan koop ik er tien en doe ze elke godvergeten dag aan.'

'Dat zou zonde zijn.'

'Vind je het dan geen mooie trui?' Hij was pissig en zijn woorden kwamen afgemeten en snel.

Ik kneep rusteloos in mijn handen in mijn schoot. 'Ik vind het een prachtige trui, maar ik vind de pakken ook prachtig.'

Hij staarde me een minuut aan en knikte toen. 'Hoe was je afspraakje met Tarzan?'

O shit. Ik keek weg. Het was een stuk makkelijker om aan de telefoon over masturberen te praten. Erover praten terwijl je ineenkromp onder de starende blik van die indringende blauwe ogen was om je dood te schamen. 'Ik praat niet over mijn veroveringen.'

Hij streek met de bovenkant van zijn vingers over mijn wang en mompelde: 'Je bloost.'

Ik hoorde hoe vermakelijk hij dat vond en veranderde snel van onderwerp. 'Kom je hier vaak?'

Shit. Waar kwam dat clichézinnetje nou weer vandaan?

Zijn hand viel in mijn schoot en pakte mijn hand, zijn vingers gekruld in mijn palm. 'Als het nodig is.'

Ik verstijfde door een plotselinge steek van jaloezie. Ik keek hem boos aan, ook al was ik razend op mezelf dat het me iets kon schelen. 'Wat bedoel je daarmee? Als je op de versiertoer bent?'

Gideons mond vormde zich tot een echte glimlach die hard aankwam. 'Als er belangrijke beslissingen over geld genomen moeten worden. Ik ben de eigenaar van deze club, Eva.'

Ja, natuurlijk was hij dat. Jemig.

Een knappe serveerster zette twee roze drankjes in vierkante glazen met ijsklontjes erin op tafel. Ze keek naar Gideon en gaf hem een flirterige blik. 'Alstublieft, Mr. Cross. Twee Stoli Elites met cranberry. Wilt u nog iets hebben?'

'Dat is het voorlopig. Dank je.'

Je kon duidelijk zien dat ze op de lijst van goedgekeurde openingen wilde komen en mijn haar ging er recht van overeind staan. Toen werd ik afgeleid door wat ze ons had geserveerd. Dit drankje koos ik altijd als ik uitging en ik had het de hele avond al gedronken. Mijn zenuwen tintelden. Ik zag hoe hij een slok nam, ermee in zijn mond speelde alsof het een goede wijn was, en hem toen doorslikte. De beweging van zijn keel wond me op, maar dat was niets vergeleken bij wat de intensiteit van zijn blik met me deed.

'Niet slecht,' mompelde hij. 'Zeg eens of we hem goed gemaakt hebben.'

Hij kuste me. Hij bewoog snel, maar ik zag hem aankomen en wendde me niet af. Zijn mond was koud en smaakte naar cranberry met een vleug alcohol. Heerlijk. Alle chaotische emoties en energie die binnen in me aan het rondzingen waren, werden plotseling te veel om te beheersen. Ik stak mijn hand in zijn weelderige haar en hield het stevig vast, en ik hield hem stil terwijl ik op zijn tong zoog. Zijn kreun was het meest erotische geluid dat ik ooit had gehoord, en het vlees tussen mijn benen trok er wild van samen.

Geschokt door mijn woeste reactie wrikte ik me hijgend los.

Gideon volgde me, wreef met zijn neus tegen de zijkant van mijn gezicht, zijn lippen tegen mijn oor. Hij was ook zwaar aan het ademen en het geluid van de ijsklontjes in zijn glas rammelde tegen mijn verhitte zintuigen.

'Ik moet in je zijn, Eva,' fluisterde hij ruw. 'Ik hunker naar je.'

Ik keek naar mijn drankje op de tafel en mijn gedachten maalden in mijn hoofd, een hele klerezooi van indrukken, herinneringen en verwarring. 'Hoe wist je dat?'

Zijn tong volgde het randje van mijn oorschelp en ik huiverde. Het voelde aan alsof elke cel in mijn lichaam naar dat van hem hunkerde. Er was ongelooflijk veel energie voor nodig om hem te weerstaan en ik raakte erdoor uitgeput.

'Hoe wist ik wat?'

'Wat mijn favoriete drankje is? Hoe Cary heet?'

Hij haalde diep adem en ging overeind zitten. Hij zette zijn glas neer en ging anders op de sofa zitten. Hij legde een knie op het kussen tussen ons in zodat hij me recht aankeek. Zijn arm hing weer over de rugleuning van de sofa en met zijn vingertoppen trok hij cirkels over de ronding van mijn schouder. 'Jullie zijn eerder op de avond in een andere club van mij geweest. Je hebt je creditcard gebruikt en jullie drankjes zijn geregistreerd. En Cary Taylor staat op het huurcontract van je appartement.'

De ruimte begon te draaien. Het is niet waar... Mijn mobieltje. Mijn creditcard. Mijn appartement, verdomme. Ik kon niet ademen. Ik voelde me claustrofobisch, ingeklemd tussen mijn moeder en Gideon.

'Eva. Jezus. Je ziet lijkbleek.' Hij stopte een glas in mijn hand. 'Drink.'

Het was de Stoli met cranberry. Ik pakte het glas aan en sloeg hem achterover. Mijn maag draaide even en kalmeerde toen. 'Ben jij eigenaar van het gebouw waar ik woon?' hijgde ik.

'Ja, gek hè?' Hij ging tegenover me op de tafel zitten, zijn benen aan weerskanten van die van mij. Hij nam mijn glas uit mijn hand en zette het weg; toen verwarmde hij mijn koude handen met die van hem.

'Ben jij gek of zo, Gideon?'

Zijn mond werd strak. 'Is dat een serieuze vraag?'

'Ja. Ja, dat is het zeker. Mijn moeder stalkt me ook en zij loopt bij een psychiater. Heb jij een psychiater?'

'Op het moment niet, maar als je me zo gek blijft maken wordt dat wel een mogelijkheid om rekening mee te houden.'

'Dus dit gedrag is niet normaal voor jou?' Mijn hart bonsde. Ik kon het bloed langs mijn trommelvliezen horen stromen. 'Of wel soms?'

Hij haalde een hand door zijn haar om orde te scheppen in de lokken die ik in de war had gemaakt toen we aan het kussen waren. 'Ik heb mezelf toegang verschaft tot informatie die jij vrijwillig aan me beschikbaar hebt gesteld.'

'Niet aan jou! Niet voor waar je het voor gebruikt hebt! Er moet hier een of andere privacywet geschonden zijn.' Ik staarde hem aan, verwarder dan ooit. 'Waarom doe je dat nou?'

Hij had nu tenminste wel het fatsoen om knorrig te kijken. 'Zodat ik erachter kan komen wie je bent, verdomme.'

'Waarom vraag je me dat niet gewoon, Gideon? Is dat godverdomme zo moeilijk tegenwoordig?'

'Bij jou wel.' Hij pakte zijn drankje van tafel en sloeg het grootste deel ervan achterover. 'Ik kan je nooit meer dan een paar minuutjes voor mezelf krijgen.'

'Omdat het enige waar je over wilt praten is wat je moet doen om me het bed in te krijgen!'

'Jezus, Eva,' siste hij en hij kneep in mijn hand. 'Niet zo hard!'

Ik bestudeerde hem en nam elke lijn, elk detail van zijn gezicht in me op. Helaas werd mijn ontzag voor hem er niet minder door. Ik begon te geloven dat ik altijd door zijn uiterlijk begoocheld zou blijven.

En ik was niet de enige. Ik had gezien hoe andere vrouwen om hem heen reageerden. En hij was belachelijk rijk, iets wat zelfs oude, kale en dikbuikige mannen aantrekkelijk maakte. Geen wonder dat hij eraan gewend was dat hij maar met zijn vingers hoefde te knippen om een orgasme te scoren.

Hij bestudeerde mijn gezicht. 'Waarom kijk je zo naar me?'

'Ik ben aan het denken.'

'Waarover?' Zijn kaak werd strak. 'En ik waarschuw je, als je iets zegt over openingen, van tevoren goedkeuren of zaadlozingen, sta ik niet in voor mijn daden.'

Daar moest ik bijna van glimlachen. 'Ik wil een paar dingen ophelderen, want misschien heb ik je toch niet helemaal recht gedaan.'

'Ik zou ook wel een paar dingen willen ophelderen,' mompelde hij.

'Ik neem aan dat je met de "Ik wil met je neuken"-benadering een hoog scoringspercentage bereikt.'

Gideons gezicht verstrakte tot een ondoorgrondelijke uitdrukkingsloosheid. 'Daar geef ik geen antwoord op, Eva.'

'Oké. Je wilt uitvogelen wat ervoor nodig is om me in je bed te krijgen. Ben je daarom nu hier in deze club? Vanwege mij? En ga nou niet zeggen wat je denkt dat ik wil horen.'

Zijn blik was helder en vast. 'Ik ben hier voor jou, ja. Dat heb ik zo geregeld.'

Plotseling snapte ik waarom die propper zulke kleren aan had gehad. We waren erin geluisd door iemand die op de loonlijst van Cross Industries stond. 'En je dacht dat als je me hier wist te krijgen, je me ook wel in bed zou krijgen?'

Zijn mond vertrok van onderdrukte geamuseerdheid. 'De hoop is er altijd, maar ik verwachtte wel dat er meer voor nodig zou zijn dan een toevallige ontmoeting en een paar drankjes.'

'Dat heb je goed gezien. Dus waarom zou je dat doen? Waarom zou je niet wachten tot maandag tijdens de lunch?'

'Omdat je op mannenjacht bent. Aan Tarzan kan ik niks veranderen, maar ik kan er wel voor zorgen dat je niet een of andere eikel oppikt in een kroeg. Als je wilt scoren, Eva; ik ben hier.'

'Ik ben niet op mannenjacht. Ik probeer de spanning van een stressvolle dag kwijt te raken.'

'Je bent niet de enige.' Hij zat met zijn vingers aan een van mijn zilveren oorbellen. 'Dus als jij gespannen bent, ga je drinken en dansen. Ik probeer juist het probleem dat de spanning veroorzaakt aan te pakken.'

Zijn stem was zachter geworden en maakte een onrustbarend verlangen in me wakker. 'Is dat wat ik ben? Een probleem?'

'Absoluut.' Maar er was een zweem van een glimlach om zijn lippen.

Ik wist dat dat voor hem een groot deel van de aantrekkingskracht was. Gideon Cross zou niet zijn waar hij nu was, op zo jonge leeftijd, als hij gemakkelijk 'nee' accepteerde. 'Wat is jouw definitie van daten?'

Een frons ontsierde de ruimte tussen zijn wenkbrauwen. 'Langdurige tijd doorgebracht met een vrouw tijdens welke we niet daadwerkelijk aan het neuken zijn.'

'Hou je niet van het gezelschap van vrouwen?'

De frons veranderde in een stuurse blik. 'O zeker, zolang er maar geen overtrokken verwachtingen zijn, of buitensporige aanspraken op mijn tijd gedaan worden. Ik ben erachter gekomen dat de beste manier om daarvan gevrijwaard te blijven, is om seksuele relaties en vriendschappen te hebben die niet overlappen.'

Daar waren die ellendige 'overtrokken verwachtingen' weer. Dat was duidelijk een pijnpunt bij hem. 'Dus, heb je vriendinnen?'

'Natuurlijk.' Zijn benen sloten zich om die van mij, zodat hij me gevangen hield. 'Waar gaat dit heen?'

'Jij scheidt seks van de rest van je leven. Je scheidt het van vriendschap, werk... alles.'

'Daar heb ik goede redenen voor.'

'Vast wel. Oké, dit is hoe ik erover denk.' Het was moeilijk om me te concentreren als ik zo dicht bij Gideon was. 'Ik heb je gezegd dat ik niet met je wou daten, en dat is ook zo. Mijn baan heeft de hoogste prioriteit, en mijn privéleven – als alleenstaande vrouw – komt daar vlak achter. Ik wil niets van die tijd opofferen aan een relatie, en er blijft gewoon niet genoeg over om er ook nog een vaste relatie in te proppen.'

'Tot zover ga ik helemaal met je mee.'

'Maar ik hou wel van seks.'

'Prima. Die kun je met mij hebben.' Zijn glimlach was een erotische uitnodiging.

Ik duwde tegen zijn schouder. 'Er moet een persoonlijke band zijn met de mannen met wie ik naar bed ga. Hij hoeft niet intens of diep te zijn, maar seks moet wel meer zijn dan een emotieloze transactie.'

'Waarom?'

Ik kon zien dat hij niet aan het dollen was. Hoe bizar hij dit gesprek ook moest vinden, Gideon nam het wel serieus. 'Noem het maar een van mijn eigenaardigheden. En dat zeg ik niet zomaar. Ik kan er niet tegen om me gebruikt te voelen voor seks. Dan voel ik me niet gewaardeerd.'

'Kun je niet proberen het zo te zien dat jij mij gebruikt voor seks?'

'Niet met jou.' Daarvoor was hij te dwingend, te veeleisend.

Hij kreeg een vurige, roofdierachtige flikkering in zijn ogen toen ik mijn zwakheid aan hem blootlegde.

'Trouwens,' ging ik snel verder, 'dat zijn maar woorden. Voor mij is er gelijkwaardigheid nodig in een seksuele relatie. Of ik moet de overhand hebben.'

'Oké.'

'Oké? Dat zei je wel verdomd snel, zeker gezien het feit dat ik je net vertel dat ik twee dingen moet combineren waarvan jij juist zo je best doet om ze te vermijden.'

'Ik vind het niet prettig en ik zal niet beweren dat ik het begrijp, maar ik begrijp wel dat het belangrijk voor je is. Het is een probleem. Vertel me maar hoe ik het kan oplossen.'

Ik blies mijn adem uit. Dat had ik niet verwacht. Hij was een man die ongecompliceerde seks wilde, en ik was een vrouw die seks gecompliceerd vond, maar hij gaf het niet op. Nog niet.

'We moeten vrienden worden, Gideon. Niet beste maatjes of elkaars vertrouwelingen, maar twee mensen die meer van elkaar weten dan alleen hun anatomie. Voor mij betekent dat dat we tijd samen moeten doorbrengen waarin we niet daadwerkelijk aan het neuken zijn. En ik ben bang dat we tijd met elkaar zullen moeten doorbrengen waarin we niet daadwerkelijk aan het neuken zijn op plaatsen waar we gedwongen zijn ons in te houden.'

'Is dat niet wat we nu aan het doen zijn?'

'Ja. En kijk, dat bedoel ik nou. Dat had ik niet achter je gezocht. Oké, je had het wel op een wat minder griezelige manier kunnen doen' – ik legde mijn vingers op zijn lippen toen hij probeerde me te onderbreken – 'maar ik geef toe dat je hebt geprobeerd te regelen dat we met elkaar zouden praten en ik ben ook niet erg behulpzaam geweest.'

Hij hapte met zijn tanden in mijn vingers, zodat ik een gil gaf en mijn hand wegtrok.

'Hé. Waarom doe je dat nou?'

Hij tilde mijn mishandelde hand naar zijn mond en kuste de

pijn weg, en zijn tong schoot naar buiten om het te verzachten. En om me op te winden.

Uit zelfbescherming trok ik mijn hand weer terug in mijn schoot. Ik was er nog steeds niet helemaal van overtuigd dat we alles opgelost hadden. 'En om je ervan te overtuigen dat er geen overtrokken verwachtingen zijn: als jij en ik tijd met elkaar doorbrengen zonder daadwerkelijk te neuken, zal ik dat niet beschouwen als een date. Oké?'

'Oké, daar kan ik mee leven.' Gideon glimlachte en ik had mijn besluit genomen om met hem te zijn. Zijn lach was als de bliksem in het donker; verblindend en prachtig en mysterieus, en ik verlangde zo naar hem dat het gewoon pijn deed.

Hij liet zijn handen naar beneden glijden om ze om de achterkant van mijn dijen te leggen. Hij kneep zachtjes en trok me een stukje dichter naar zich toe. De zoom van mijn korte zwarte halterjurkje gleed bijna onfatsoenlijk ver omhoog, en zijn blik was gefixeerd op het vlees dat hij ermee had blootgelegd. Zijn tong maakte zijn lippen nat in een handeling die zo zinnelijk en suggestief was, dat ik de liefkozing bijna op mijn huid kon voelen.

Beneden begon Duffy *Mercy* te zingen en haar stem steeg op vanaf de dansvloer. Er kwam een ongewenst verlangen in mijn borstkas op en ik wreef erover.

Ik had al genoeg gehad, maar ik hoorde mezelf zeggen: 'Ik heb nog een drankje nodig.'

5

Zaterdagochtend had ik een gemene kater, maar die had ik wel verdiend, vond ik. Ik vond het dan wel vreselijk hoe hardnekkig Gideon bleef proberen om met me over seks te onderhandelen alsof het om een bedrijfsovername ging, maar uiteindelijk had ik net zo goed met hem onderhandeld. Omdat ik zo naar hem verlangde dat ik een ingecalculeerd risico wilde nemen en mijn eigen regels wilde overtreden.

Ik troostte me met de gedachte dat hij zelf ook wel wat van zijn eigen regels brak.

Na een lange, hete douche trof ik Cary op de bank in de woonkamer met zijn laptop aan, en hij zag er fris en alert uit. Ik rook koffie in de keuken en schonk de grootste mok vol die ik kon vinden.

'Goeiemorgen, lachebekje,' riep Cary.

Ik hield mijn broodnodige dosis cafeïne met twee handen vast en ging naast hem op de bank zitten.

Hij wees naar een doos op het bijzettafeltje. 'Kijk eens? Die werd hier afgeleverd toen je onder de douche stond.'

Ik zette mijn mok op de koffietafel en pakte de doos. Er zat bruin papier omheen, bij elkaar gehouden met touw, en mijn naam stond diagonaal op de bovenkant geschreven met sierlijk krullende gekalligrafeerde letters. Er zat een amberkleurige glazen fles in waar in een wit ouderwets lettertype *Katerremedie* op geschilderd was. Met raffia was er een kaartje aan de hals bevestigd waarop stond: 'Drink mij.' Gideons visitekaartje lag half verscholen tussen het beschermende zijdepapier.

Ik bekeek het presentje en vond het wel toepasselijk. Sinds ik Gideon had ontmoet, had ik het idee dat ik net als Alice in Wonderland door het konijnenhol omlaaggetuimeld was naar een fascinerende en verleidelijke wereld waar maar weinig van de gebruikelijke regels van toepassing waren. Ik was op onbekend terrein en dat was spannend, maar ook wel een beetje eng.

Ik keek naar Cary, die met een twijfelachtige blik naar de fles keek.

'Daar gaat ie dan.' Ik wrikte de kurk eraf en dronk de inhoud op zonder er verder nog over na te denken. Het smaakte als misselijkmakend zoete hoestsiroop. Mijn maag draaide zich even walgend om en werd toen warm. Ik veegde mijn mond af met de rug van mijn hand en propte de kurk weer terug in de lege fles.

'Wat was dat?' vroeg Cary.

'Afgaand op het branderige gevoel was het een borrel tegen de kater, denk ik.'

Hij trok zijn neus op. 'Effectief, maar niet erg aangenaam.'

Maar het werkte wel. Ik voelde me al iets steviger.

Cary pakte de doos en viste Gideons kaartje eruit. Hij draaide het om, en hield het voor mijn neus. Op de achterkant had Gideon in overtuigende hanenpoten *Bel me* geschreven, en er een nummer onder gezet.

Ik pakte het kaartje en krulde mijn hand eromheen. Zijn cadeau was het bewijs dat hij aan me dacht. Zijn vasthoudendheid was verleidelijk. En vleiend.

Het was duidelijk dat ik me op gevaarlijk terrein begaf met Gideon. Ik verlangde terug naar het gevoel dat hij me gaf toen hij me aanraakte, en ik vond het heerlijk hoe hij reageerde toen ik hem aanraakte. Ik probeerde te bedenken wat ik er níét voor over zou hebben om zijn handen weer op me te voelen, maar ik kon niet zoveel verzinnen.

Cary probeerde me de telefoon te geven, maar ik schudde mijn hoofd. 'Nee, doe nog maar niet. Ik moet mijn hoofd erbij houden als ik met hem te maken heb, en ik voel me nog steeds wazig.'

'Jullie hadden het gisteravond wel heel gezellig met z'n tweeën, niet? Hij wil duidelijk iets van je.'

'En ik wil duidelijk iets van hem.' Ik rolde me op in een hoekje van de bank, duwde mijn wang in het kussen en drukte mijn benen stevig tegen mijn borstkas. 'We gaan met elkaar om, leren elkaar kennen, hebben onbeduidende-maar-lichamelijk-intense seks en laten elkaar verder volkomen vrij. Geen binding, geen verwachtingen, geen verantwoordelijkheden.'

Cary drukte een toets op zijn laptop in en de printer aan de andere kant van de kamer begon papier uit te spugen. Daarna klapte hij de computer dicht, legde hem op de koffietafel en gaf me zijn volle aandacht. 'Misschien wordt het wel een serieuze relatie.'

'Misschien ook wel niet,' zei ik spottend.

'Wat cynisch.'

'Ik ben niet op zoek naar "nog lang en gelukkig", Cary, en al helemaal niet met zo'n megamogol als Cross. Ik heb gezien wat het voor mijn moeder heeft betekend om gekoppeld te zijn aan machtige mannen. Het is een volledige baan met een parttime partner. Mijn moeder is tevreden met het geld, maar voor mij zou dat niet genoeg zijn.'

Mijn vader was dol op mijn moeder geweest. Hij had haar ten huwelijk gevraagd en wilde zijn leven met haar delen. Ze had hem afgewezen omdat hij niet het gewichtige portfolio en de aanzienlijke bankrekening had die ze van een echtgenoot eiste. Liefde was volgens Monica Stanton geen vereiste voor een huwelijk en omdat haar sensuele oogopslag en hese stem voor de meeste mannen onweerstaanbaar waren, had ze het ook nooit voor minder hoeven doen dan wat ze wilde. Helaas wilde ze mijn vader niet voor de langere termijn.

Ik zag op de klok dat het halfelf was. 'Ik moest maar eens in actie komen.'

'Ik ben dol op een dagje wellness met je moeder.' Cary glimlachte en dat joeg de paar donkere wolken weg die nog boven mijn stemming hingen. 'Ik voel me altijd een god als we daar zijn geweest.'

'Ik ook. Nou ja, een godin dan.'

We stonden zo te popelen om weg te gaan dat we alvast naar beneden gingen om op de auto te wachten in plaats van te wachten tot we door de receptie werden gebeld.

De portier moest glimlachen toen we naar buiten stapten: ik in mijn sandalen met hoge hakken en een maxi-jurk, en Cary in strakke spijkerbroek en een T-shirt met lange mouwen.

'Goedemorgen, Miss Tramell, Mr. Taylor. Hebt u vandaag een taxi nodig?'

'Nee bedankt, Paul. We worden zo opgehaald.' Cary grijnsde. 'Het is wellnessdag bij Perrini's!'

'Ah, Perrini's!' Paul knikte zwaarwichtig. 'Ik heb mijn vrouw voor onze trouwdag een cadeaubon gegeven. Ze vond het zo heerlijk dat ik denk dat ik daar een traditie van ga maken.'

'Dat heb je goed gedaan, Paul,' zei ik. 'Dat raakt nooit uit de mode: een vrouw verwennen.'

Er kwam een zwarte limousine voorrijden en Clancy zat achter het stuur. Paul opende het achterste portier voor ons en wij klommen in de auto. We gilden toen we een doos Chocopologie van Knipschildt op de achterbank aantroffen. We zwaaiden naar Paul, en gingen met piepkleine hapjes zitten snoepen van de truffels, die het waard waren om heel langzaam opgegeten te worden.

Clancy reed ons rechtstreeks naar Perrini's, waar de spanning van je afviel zodra je binnenstapte. Over de drempel stappen was alsof je naar het andere eind van de wereld op vakantie ging. Elke deur werd omlijst door weelderige, kleurig gestreepte zijden stoffen, terwijl met juwelen bewerkte kussentjes elegante Franse stoelen en enorme fauteuils sierden.

Vogels kwetterden vanuit gouden kooitjes die aan het plafond hingen en potplanten vulden elk hoekje met groen gebladerte. Decoratieve fonteintjes zorgden voor het geluid van stromend water, terwijl een zacht strijkmuziekje de kamer in kabbelde via vernuftig verborgen speakers. De lucht was gearomatiseerd met een mengsel van exotische specerijen en parfums, waardoor ik het gevoel kreeg dat ik de wereld van Duizend-en-een-nacht was binnengestapt.

Het was op het randje, maar het bleef net binnen de perken. Perrini's was exotisch en luxueus, echt verwennerij voor wie het zich kon veroorloven. Zoals mijn moeder, die net uit een melken-honingbad was gestapt toen we aankwamen.

Ik bestudeerde het overzicht van de behandelingen die je kon kiezen en besloot mijn gebruikelijke 'krijgsvrouw' maar eens over te slaan en te gaan voor 'hartstochtelijk verwennen'. Ik was de week daarvoor al geharst, maar de rest van de behandeling – 'ontworpen om u seksueel onweerstaanbaar te maken' – leek precies waar ik behoefte aan had.

Eindelijk was het me gelukt met mijn gedachten weer naar de veilige zone van werk terug te keren toen ik Cary's stem vanaf de pedicurestoel naast die van mij hoorde zeggen: 'Mevrouw Stanton, hebt u Gideon Cross weleens ontmoet?'

Ik staarde hem aan. Hij wist dondersgoed dat mijn moeder uit haar dak ging van nieuwtjes rond mijn romantische – en afhankelijk van de omstandigheden niet zo romantische – verwikkelingen.

Mijn moeder, die in de stoel aan de andere kant van me zat, leunde naar voren met haar gebruikelijke meisjesachtige opwinding over een rijke, knappe man. 'Ja, natuurlijk! Hij is een van de rijkste mannen ter wereld. Nummer 25 of zo op de Forbes-lijst, als ik me niet vergis. Een zeer gedreven jongeman, uiteraard, en een gulle weldoener voor veel van de stichtingen voor kinderen waar ik me voor inzet. Hij is zeer begerenswaardig, natuurlijk, maar het spijt me, Cary, volgens mij is hij geen homo. Hij heeft een beetje de reputatie van een rokkenjager.'

'Hè, wat jammer nou.' Cary grijnsde en negeerde mijn fervente hoofdschudden. 'Maar het zou sowieso een hopeloze zaak zijn, want hij heeft zijn zinnen op Eva gezet.'

'Eva! Dat wist ik helemaal niet. Waarom heb je me daar niets over verteld?'

Ik keek naar mijn moeder, met haar gescrubde gezicht dat jong en rimpelloos was, en heel erg op het mijne leek. Ik was overduidelijk het kind van mijn moeder, tot aan mijn achternaam aan toe. De enige concessie die ze aan mijn vader had gedaan was mij naar zijn moeder vernoemen.

'Er valt niks te vertellen,' zei ik beslist. 'We zijn gewoon... vrienden.'

'Dat zullen we dan nog weleens zien,' zei Monica, met een berekenende blik waarvan de schrik me om het hart sloeg. 'Ik had het kunnen weten: je werkt natuurlijk in hetzelfde gebouw als hij. Ik weet zeker dat hij verkocht was zodra hij je zag. Hoewel hij erom bekendstaat dat hij liever brunettes heeft... hm... nou ja, hoe dan ook. Hij staat ook bekend om zijn uitstekende smaak. Dat heeft bij jou duidelijk de doorslag gegeven.'

'Ja, maar zo zit het helemaal niet. Ga je er nou alsjeblieft niet mee bemoeien, mam. Je zet me nog voor schut.'

'Ach, welnee. Als er iemand is die weet wat je met een man moet doen, dan ben ik het wel.'

Ik kromp in elkaar. Mijn schouders kropen omhoog tot onder mijn oren. En toen het eindelijk tijd was voor mijn massageafspraak, had ik die hard nodig. Ik ging op de tafel liggen en sloot mijn ogen, met het plan om een dutje te doen om de lange avond vol te kunnen houden.

Net als alle meisjes vond ik het heerlijk om me mooi aan te kleden en er leuk uit te zien, maar liefdadigheidsevenementen waren echt een hoop werk. De hele tijd over koetjes en kalfjes praten was best vermoeiend. Je kaken gingen pijn doen van die voortdurende glimlach en gesprekken over bedrijven en mensen die ik niet kende, waren saai. Voor Cary was het een mooie gelegenheid om zichzelf onder de aandacht te brengen, maar anders had ik tegengestribbeld om erheen te gaan.

Ik zuchtte. Dacht ik nou echt dat ik er niet heen zou hoeven gaan? Mijn moeder en Stanton steunden organisaties die zich inzetten voor misbruikte kinderen omdat ik dat een belangrijk goed doel vond. Als dat inhield dat ik zo nu en dan naar een saai evenement moest, was dat een kleine prijs voor wat het me opleverde.

Ik haalde diep adem en ontspande me bewust. Ik nam me voor mezelf eraan te herinneren om mijn vader te bellen zodra ik thuis was en dacht na over hoe ik Gideon met een briefje zou kunnen bedanken voor de katerremedie. Misschien kon ik wel een e-mail sturen naar het adres dat op zijn visitekaartje stond, maar dat had weinig stijl. Bovendien wist ik niet wie zijn e-mails allemaal lazen.

Ik zou hem gewoon wel bellen als ik thuiskwam. Waarom niet? Hij had het me tenslotte gevraagd, nee, opgedragen: hij had het bevel op zijn visitekaartje geschreven. En dan kon ik zijn goddelijke stem tenminste weer horen.

De deur ging open en de masseuse liep binnen. 'Hallo, Eva. Ben je d'r klaar voor?'

Nog niet helemaal. Maar wel bijna.

Na vele heerlijke uurtjes in het wellnesscentrum zetten mijn moeder en Cary me af bij het appartement. Daarna gingen ze op pad om nieuwe manchetknopen voor Stanton te kopen. Nu ik alleen was, kon ik mooi Gideon bellen. Maar zelfs nu ik de nodige privacy had, toetste ik zijn telefoonnummer nog wel vijf keer gedeeltelijk in voordat ik ook echt verbinding maakte.

Hij nam al na één keer overgaan op. 'Eva.'

Ik was heel even van mijn stuk omdat hij blijkbaar kon zien dat ik het was die hem belde. Hoe kwamen mijn naam en nummer nou in zijn bellijst? 'O, eh... hallo, Gideon.'

'Ik ben een paar straten bij je vandaan. Laat de receptie weten dat ik eraan kom.'

'Wat?' Ik had het gevoel dat ik een deel van het gesprek had gemist. 'Waar aankom?'

'Bij jou. Ik ben nu bij je in de straat. Bel de receptie, Eva.'

Hij verbrak de verbinding en ik keek naar de telefoon. Ik probeerde tot me te laten doordringen dat Gideon over een paar seconden weer bij me zou zijn. Enigszins verdoofd ging ik naar de intercom en sprak met de receptie. Ik liet hen weten dat ik hem verwachtte en terwijl ik dat zei, liep hij de hal in. Even later stond hij al bij mij voor de deur.

Pas op dat moment besefte ik dat ik alleen maar een zijden kamerjas aanhad die tot op mijn dijen kwam, en dat mijn gezicht en haar waren opgemaakt voor het diner. Wat voor indruk moest dat wel niet bij hem wekken?

Ik trok de ceintuur van mijn kamerjas strakker aan voordat ik hem binnenliet. Het moest maar zo. Het was nou niet alsof ik hem had uitgenodigd om hem te verleiden.

Gideon bleef lang in de gang staan, en nam me op van mijn kruin tot aan mijn tenen met *french manicure*. Ik was al net zo onder de indruk van zijn verschijning. Hoe hij eruitzag, met zijn versleten spijkerbroek en een T-shirt, maakte dat ik hem met mijn tanden uit wilde kleden.

'Helemaal de moeite waard om je zo aan te treffen, Eva.' Hij stapte binnen en deed de deur achter zich op slot. 'Hoe voel je je?'

'Goed. Dankzij jou. Dankjewel!' Mijn maag trilde omdat hij hier was, bij mij, waardoor ik me bijna... duizelig voelde. 'Maar dat is vast niet de reden dat je langskomt.'

'Ik kwam omdat het te lang duurde voordat je me belde.'

'O, ik wist niet dat ik een deadline had.'

'Ik moet je iets vragen wat nogal tijdgevoelig is, maar ik vond het nog belangrijker om te weten of het wel goed met je ging na gisteravond.' Zijn ogen waren donker terwijl ze over me heen gleden en zijn adembenemende gezicht werd omlijst door die zwierige franje van inktzwart haar. 'God, wat zie je er prachtig uit, Eva. Ik kan me niet herinneren dat ik ooit iets zo graag heb gewild.'

Die eenvoudige paar woorden maakten me geil en behoeftig. En veel te kwetsbaar. 'Waar heb je dan zo'n haast mee?'

'Ga vanavond met me mee naar het liefdadigheidsdiner.'

Ik deed een stapje achteruit, omdat ik verrast en opgewonden was door het verzoek. 'Ga jij daar dan heen?'

'Ja, en jij ook. Ik heb het gecheckt, omdat ik wist dat je moeder erheen zou gaan. Laten we samen gaan.'

Ik greep naar mijn keel. Ik werd heen en weer geslingerd tussen verbazing over het wonderlijke gegeven dat hij zoveel over mij wist en bezorgdheid over wat hij van me vroeg. 'Dat is niet wat ik bedoelde toen ik zei dat we tijd met elkaar zouden moeten doorbrengen.'

'Waarom niet?' Die eenvoudige vraag was een pure uitdaging. 'Wat is er nou mis mee als we samen naar een evenement gaan waar we afzonderlijk toch al van plan waren heen te gaan?'

'Nou, het is niet bepaald discreet. Het is een evenement dat nogal in de schijnwerpers staat.'

'Ja, en?' Gideon kwam dichterbij en liet een van mijn lokken om zijn vinger krullen.

Er zat een gevaarlijke trilling in zijn stem die een rilling door me heen liet lopen. Ik voelde de warmte van zijn grote, harde lichaam en rook de overdonderend mannelijke geur van zijn huid. Ik begon me door hem betoverd te voelen, en dat werd met de minuut erger.

'Mensen zullen conclusies trekken, vooral mijn moeder. Ze heeft je vrijgezellenbloed al geroken.'

Gideon liet zijn hoofd zakken om zijn lippen tegen de kromming van mijn nek te duwen. 'Het kan me niet schelen wat mensen denken. Wij weten toch waar we mee bezig zijn? En laat je moeder maar aan mij over.'

'Als je denkt dat je dat kunt,' zei ik, naar adem snakkend, 'je kent haar niet zo goed.'

'Ik kom je om zeven uur ophalen.' Zijn tong volgde de wild kloppende ader in mijn keel en ik smolt over hem heen. Mijn lichaam werd slap terwijl hij me naar zich toe trok.

Toch lukte het me nog om te zeggen: 'Ik heb nog geen ja gezegd, hoor.'

'Maar je gaat ook geen nee zeggen.' Hij greep mijn oorlelletje vast met zijn tanden. 'Dat laat ik niet gebeuren.'

Ik deed mijn mond open om te protesteren en hij sloot zijn lippen op de mijne. Door die zwoele vochtige kus hield ik mijn mond wel. Zijn tong gleed zo langzaam genietend naar binnen, dat ik ernaar verlangde dat hij hetzelfde tussen mijn benen zou doen. Ik bracht mijn handen naar zijn haar, en liet ze erdoor glijden en eraan trekken. Toen hij zijn armen om me heen strengelde, kromde ik mijn rug en welfde me zo in zijn handen.

Net als eerder in zijn kantoor lag ik al op mijn rug op de bank voordat ik in de gaten kreeg dat hij me had gedragen, en hij legde zijn mond op de mijne toen ik verrast even ophield met ademen. Mijn kamerjas voegde zich naar zijn behendige vingers; daarna had hij mijn borsten in zijn handen, en hij kneedde ze met zachte, ritmische kneepjes.

'Gideon...'

'Sst.' Hij zoog op mijn onderlip en hij rolde mijn gevoelige tepels tussen zijn vingers en trok eraan. 'Ik werd wild zodra ik wist dat je naakt was onder je kamerjas.'

'Je kwam naar me toe zonder... O! O, god...'

Zijn mond lag om het topje van mijn borst en een vlaag van hitte zorgde voor een dun laagje zweet op mijn huid.

Mijn blik schoot paniekerig naar de klok op het kabelkastje. 'Gideon, doe dat nou niet.'

Hij tilde zijn hoofd op en keek me aan met stormachtige blauwe ogen. 'Het is krankzinnig, ik weet het. Ik weet niet... ik kan het niet uitleggen, Eva, maar ik moet je gewoon laten komen. Daar loop ik al dagenlang de hele tijd aan te denken.'

Hij duwde een hand tussen mijn benen. Ik liet ze schaamteloos uit elkaar vallen en mijn lichaam was zo opgewonden dat ik overal bloosde en bijna koortsig aanvoelde. Met zijn andere hand bleef hij mijn borsten stevig vastpakken, waardoor ze zwaar en ondraaglijk gevoelig werden.

'Je wordt nat van me,' mompelde hij, terwijl zijn blik langs mijn lichaam omlaaggleed naar waar hij me met zijn vingers uiteenspreidde. 'Ook hier ben je heerlijk. Dat weelderige roze. Zo zacht. Je bent toch niet vandaag geharst, hè?'

Ik schudde met mijn hoofd.

'Gelukkig. Ik denk niet dat ik het tien minuten zou hebben volgehouden zonder je aan te raken, laat staan tien uur.' Hij liet voorzichtig een vinger in me glijden.

Ik sloot mijn ogen vanwege de ondraaglijke kwetsbaarheid van met gespreide benen naakt liggen en gevingerd worden door een man van wie de bekendheid met de regels van het Braziliaans harsen een intieme kennis over vrouwen verried. Een man die nog steeds al zijn kleren aanhad en op de vloer naast me knielde.

'Je bent zo lekker nauw.' Gideon trok zijn vinger terug en stootte hem daarna zachtjes weer bij me naar binnen. Mijn rug kromde zich terwijl ik hem enthousiast binnen probeerde te houden. 'En zo gretig. Hoe lang is het geleden dat jij geneukt bent?'

Ik moest even slikken. 'Ik heb het nogal druk gehad. Mijn scriptie, op zoek naar een baan, de verhuizing...'

'Wel een tijdje geleden dus.' Hij trok zich weer terug en duwde deze keer twee vingers naar binnen. Ik kon een kreun van genot niet tegenhouden. De man had begaafde handen. Ze waren zelfverzekerd en behendig, en hij pakte ermee wat hij wilde.

'Gebruik je een voorbehoedsmiddel, Eva?'

'Ja.' Met mijn handen greep ik de kussentjes vast. 'Natuurlijk.'

'Ik zal je bewijzen dat ik schoon ben. Jij doet dat ook en dan laat je me in jou klaarkomen.'

'Jezus, Gideon.' Ik hijgde voor hem, mijn heupen kromden zich schaamteloos naar zijn stotende vingers toe. Ik had het gevoel alsof ik spontaan in brand zou vliegen als hij me niet liet komen.

Ik was in mijn hele leven nog nooit zo opgewonden geweest. Ik werd bijna gek van het verlangen naar een orgasme. Als Cary op dat moment onze woonkamer binnen was gekomen terwijl Gideon me zo aan het vingerneuken was, denk ik niet dat het me iets had kunnen schelen.

Ook Gideon was aan het hijgen. Op zijn gezicht lag een blos door de lust. Vanwege mij. Terwijl ik niets anders had gedaan dan hulpeloos op hem reageren.

De hand die op mijn borst lag ging naar mijn wang en streek eroverheen. 'Je bloost. Ik heb je gechoqueerd.'

'Inderdaad.'

Zijn glimlach was zowel ondeugend als opgetogen, en maakte mijn borstkas gespannen. 'Ik wil mijn sperma in je voelen als ik je met mijn vingers neuk. Ik wil dat jij mijn sperma in je voelt, zodat je denkt aan hoe ik eruitzag en de geluiden die ik maakte toen ik het in je pompte. En terwijl je daaraan denkt, kijk je ernaar uit dat ik het steeds maar weer doe.'

Mijn geslacht golfde om zijn strelende vingers heen en zijn brute woorden dreven me tot vlak bij een orgasme.

'Ik ga je vertellen op welke manieren je mij moet behagen, Eva, en je zult het allemaal doen... allemaal slikken, en we gaan explosieve, primitieve, taboeloze seks hebben. Dat weet je toch wel, hè? Je voelt al hoe het tussen ons zal zijn.'

'Ja,' hijgde ik, en ik hield mijn borsten vast om het diepe verlangen dat ik in mijn harde tepels voelde, een beetje te sussen. 'Toe, Gideon.'

'Sst... ik heb je vast.' Met zijn duim wreef hij langzaam cirkeltjes over mijn clitoris. 'Kijk naar me als je voor me klaarkomt.'

Alles in mij trok zich samen. De spanning bouwde zich op terwijl hij mijn clitoris masseerde en zijn vingers in een stabiel, ongehaast ritme in me heen en weer bewoog.

'Geef je aan me over, Eva,' beval hij. 'Nu.'

Ik kwam klaar met een benauwde gil. Met mijn handen kneep ik in de kussens terwijl mijn heupen tegen zijn hand aan pompten. Schaamte en verlegenheid kende ik niet meer. Mijn blik was op die van hem gefixeerd. Ik kon niet wegkijken, alsof ik was betoverd door de vurige mannelijke triomf die in zijn ogen brandde. Op dat moment was ik zijn bezit. Ik zou alles doen wat hij me vroeg. En dat wist hij.

Een verzengend genot golfde door me heen. Door het ruisen van het bloed in mijn oren dacht ik dat ik hem schor iets hoorde zeggen, maar ik werd afgeleid doordat hij een van mijn benen over de rugleuning van de bank legde en mijn spleetje met zijn mond bedekte.

'Nee...' Ik duwde zijn hoofd met mijn handen weg. 'Dat gaat niet.'

Ik was nog te gezwollen, te gevoelig. Maar toen zijn tong mijn clitoris aanraakte en eroverheen fladderde, begon mijn verlangen weer te groeien. Nog intenser dan de eerste keer. Hij rimde mijn trillende spleetje, plaagde me en tergde me met de belofte van nog een orgasme, terwijl ik wist dat ik er niet zo snel nog een kon krijgen.

Toen duwde hij zijn tong als een speer bij me naar binnen en ik beet op mijn lip om een gil binnen te houden. Ik kwam opnieuw klaar. Mijn lichaam sidderde hevig en mijn gevoelige spieren trokken zich wanhopig samen rond zijn decadent likkende tong. Hij gromde, en dat voelde ik door mijn hele lichaam. Ik had de kracht niet om hem weg te duwen toen hij weer naar mijn clitoris ging en zachtjes zoog... onvermoeibaar... tot ik weer tot een climax kwam en zijn naam hijgend uitsprak.

Ik hing slap op de bank toen hij mijn been strekte, en was nog steeds buiten adem toen hij me kuste, van mijn buik omhoog naar mijn borsten. Hij likte een voor een mijn tepels en schoof me toen omhoog terwijl hij me met zijn armen achter mijn rug ondersteunde. Ik hing slap en plooibaar in zijn armen terwijl hij me met nauwelijks beheerst geweld op mijn mond kuste. Mijn lippen deden er pijn van. Ik kon merken dat hij zich maar net kon inhouden.

Hij strikte mijn kamerjas weer om me heen. Daarna ging hij staan en keek op me neer.

'Gideon...?'

'Zeven uur, Eva.' Hij boog zich voorover en raakte mijn enkel aan. Met zijn vingertoppen streelde hij de diamanten enkelband die ik voor die avond had omgedaan. 'En hou deze aan. Ik wil je neuken terwijl je niets anders aanhebt.'

6

'Hé pap. Je bent thuis.' Ik pakte de hoorn anders vast en trok een kruk naar me toe aan de bar. Ik miste mijn vader. De laatste vier jaar hadden we zo dicht bij elkaar gewoond dat we elkaar minstens één keer per week zagen. Nu was zijn huis in Oceanside aan de andere kant van het continent. 'Hoe gaat het?'

Hij zette het geluid van de tv zachter. 'Beter, nu je me belt. Hoe was je eerste week op je werk?'

Ik vertelde over mijn dagen van maandag tot en met vrijdag, waarbij ik alle delen met Gideon oversloeg. 'Ik heb echt een heel leuke baas, Mark,' besloot ik. 'En de sfeer van het bureau is heel energiek en een beetje eigenzinnig. Ik heb elke dag zin om naar mijn werk te gaan en vind het jammer als het tijd is om naar huis te gaan.'

'Ik hoop dat het zo blijft. Maar je moet er wel voor zorgen dat je ook wat vrije tijd overhoudt. Ga uit, wees jong, maak plezier. Maar niet te veel plezier, hè?'

'Ja, vannacht had ik een beetje te veel. Cary en ik zijn uit geweest en ik werd wakker met een flinke kater.'

'Shit, dat moet je me niet vertellen.' Hij kreunde. 'Soms word ik 's nachts badend in het zweet wakker en denk ik aan jou in New York. Ik hou het alleen maar vol doordat ik tegen mezelf zeg dat je wel zo slim bent om geen risico's te nemen, met dank aan twee ouders die veiligheidsvoorschriften in je DNA hebben gehamerd.'

'Dat is waar,' zei ik lachend. 'Dat doet me eraan denken... Ik ga beginnen met Krav Maga-training.'

'Echt waar?' Er viel een bedachtzame stilte. 'Een van de jongens in het korps is er heel enthousiast over. Misschien ga ik weleens kijken en kunnen we aantekeningen vergelijken als ik je kom opzoeken.'

'Kom je naar New York?' Ik kon mijn opwinding niet verbergen. 'O pap, ik zou het heerlijk vinden als je dat doet. Hoeveel ik

Californië ook mis, Manhattan is echt geweldig. Ik denk dat je het leuk zult vinden.'

'Ik vind elke plek op de wereld leuk, als jij er maar bent.' Hij wachtte even en vroeg toen: 'Hoe is het met je moeder?'

'Tsja... ze is... mam. Mooi, charmant en obsessief-compulsief.'

Mijn borstkas deed pijn en ik wreef erover. Ik had het idee dat mijn vader misschien nog steeds van mijn moeder hield. Hij was nooit getrouwd. Dat was een van de redenen dat ik hem nooit had verteld wat er met me gebeurd was. Als politieagent zou hij erop hebben gestaan een aanklacht in te dienen, en het schandaal zou mijn moeder hebben verwoest. Ik was ook bang dat hij haar niet meer zou respecteren of het haar zelfs kwalijk zou nemen, ook al was het niet haar schuld geweest. Zodra ze erachter kwam wat haar stiefzoon met me deed, had ze haar echtgenoot, met wie ze gelukkig was, verlaten en een scheiding aangevraagd.

Ik bleef praten en zwaaide naar Cary toen hij binnenkwam met een klein blauw tasje van Tiffany & Co. 'We hebben een dagje in een wellnessresort gedaan vandaag. Een leuke manier om de week af te sluiten.'

Ik kon de glimlach in zijn stem horen toen hij zei: 'Ik ben blij dat het jullie lukt samen tijd door te brengen. Wat zijn je plannen voor de rest van het weekend?'

Ik omzeilde het liefdadigheidsgebeuren, omdat ik wist dat dat hele gedoe met rode lopers en astronomisch geprijsde diners de kloof tussen het leven van mijn vader en dat van mijn moeder alleen maar zou benadrukken. 'Cary en ik gaan uit eten en ik ben van plan morgen lekker thuis te blijven. Uitslapen, de hele dag in mijn pyjama rondlopen, misschien wat films en eten laten komen of zo. Een beetje vegeteren voor de nieuwe werkweek begint.'

'Klinkt zalig. Misschien doe ik je wel na als mijn volgende vrije dag aanbreekt.'

Ik keek op de klok en zag dat het over zessen was. 'Ik moet me nu gaan voorbereiden. Voorzichtig op je werk, oké? Ik maak me ook zorgen om jou.'

'Doe ik. Dag liefje.'

Door het vertrouwde afscheidszinnetje miste ik hem zo erg dat mijn keel er pijn van deed. 'O wacht! Ik krijg een nieuw mobieltje. Ik sms je het nummer zodra ik het heb.'

'Alweer? Je hebt net een nieuwe genomen toen je verhuisde.'

'Ach, dat is een lang en saai verhaal.'

'Hm... Stel het niet uit. Ze zijn handig voor je veiligheid en om Angry Birds te spelen.'

'Dat speel ik niet meer!' Ik lachte en er ging een warm gevoel door me heen toen ik hem ook hoorde lachen. 'Ik bel je over een paar dagen. Zul je braaf zijn?'

'Hé, dat hoor ik te zeggen.'

We hingen op. Ik zat een tijdje in de stilte die volgde, met het gevoel dat alles in mijn wereldje oké was, wat nooit lang duurde. Daar zat ik een tijdje op te broeden tot Cary Hinder opzette in zijn slaapkamer. Dat bracht me weer in beweging.

Ik haastte me naar mijn kamer om me klaar te maken voor een avond met Gideon.

'Wel of geen ketting?' vroeg ik aan Cary toen hij mijn kamer binnenkwam. Hij zag er echt fantastisch uit. In zijn nieuwe smoking van Brioni was hij tegelijkertijd nonchalant en stijlvol, en hij zou zeker de aandacht op zich vestigen.

'Hm.' Hij hield zijn hoofd scheef terwijl hij me bestudeerde. 'Hou nog eens omhoog?'

Ik hield de choker van gouden munten tegen mijn hals. De jurk die mijn moeder me had gestuurd was brandweerautorood en in de stijl van een Griekse godin. Hij hing over één schouder, liep diagonaal over mijn decolleté, had ruches tot bij de heup en dan een split van de bovenkant van mijn rechterheup helemaal langs mijn been naar beneden. Er was geen noemenswaardige achterkant, behalve een smalle strook bergkristallen die de ene kant met de andere verbond, zodat de voorkant er niet af viel. Verder werd de rug tot vlak boven mijn bilspleet bloot gelaten, in een gewaagde V-vorm.

'Geen ketting,' zei hij. 'Ik zat te denken aan de gouden hangers, maar nu denk ik: diamanten ringen. De grootste die je hebt.'

'Wat! Echt?' Ik fronste naar onze spiegelbeelden in mijn staande spiegel en keek toe hoe hij naar mijn juwelenkistje liep en erin begon te zoeken.

'Deze.' Hij bracht ze naar me toe en ik bekeek de ringen van vijf centimeter doorsnee die mijn moeder me voor mijn achttiende verjaardag had gegeven. 'Geloof me, Eva. Probeer ze eens.'

Ik probeerde ze en zag dat hij gelijk had. Het was een heel andere look dan de gouden choker, minder glitter en meer prikkelende sensualiteit. En de oorringen pasten goed bij de diamanten enkelband aan mijn rechterbeen die ik na Gideons opmerking nooit meer in hetzelfde licht zou zien. Met mijn haar in een waterval van dikke, met opzet slordige krullen zag ik eruit alsof ik net had geneukt, wat nog werd versterkt door mijn donkergrijze oogschaduw en lippen met alleen lipgloss.

'Wat zou ik zonder jou moeten, Cary Taylor?'

'Meisje,' hij legde zijn handen op mijn schouders en drukte zijn wang tegen de mijne, 'dat zul je nooit weten.'

'Je ziet er fantastisch uit, trouwens.'

'Ja, hè?' Hij knipoogde en deed een stap achteruit, om zich uit te sloven. Op zijn manier kon Cary Gideon flink partij geven, wat uiterlijk betreft dan. Cary had fijnere trekken, was bijna schattig vergeleken met de woeste schoonheid van Gideon, maar ze waren allebei opvallende mannen waar je je hoofd voor omdraaide en dan naar bleef staren in hebberige verrukking.

Toen ik hem voor het eerst zag, was Cary verre van perfect. Hij was verslaafd en uitgemergeld geweest. Maar ik had me tot hem aangetrokken gevoeld en zorgde ervoor dat ik tijdens groepstherapie naast hem kwam te zitten. Uiteindelijk had hij me bot een oneerbaar voorstel gedaan, omdat hij ervan uitging dat de enige reden dat mensen met hem omgingen was omdat ze seks met hem wilden. Toen ik duidelijk en zonder voorbehoud weigerde, maakten we pas echt contact en werden we heel goede vrienden. Hij was de broer die ik nooit had gehad.

De zoemer van de intercom ging en ik schrok, waardoor ik besefte hoe zenuwachtig ik was. Ik keek naar Cary. 'Ik ben vergeten aan de receptie te zeggen dat hij terug zou komen.'

'Ik haal hem wel.'

'Vind je het wel oké om er met Stanton en mijn moeder heen te rijden?'

'Tuurlijk! Ze zijn gek op me.' Zijn glimlach stierf weg. 'Begin je te twijfelen of je wel met Cross uit moet gaan?'

Ik haalde diep adem en dacht aan waar ik eerder op de dag was geweest: op mijn rug in een multi-orgastische storm. 'Niet echt, nee. Alles gaat alleen zo snel en zoveel beter dan ik had verwacht of dan ik me had gerealiseerd dat ik dat wilde...'

'Je vraagt je af wat erachter zit.' Hij stak een arm uit en tikte mijn neus aan met een vingertop. 'Hij zit erachter, Eva. En hij wil jou. Geniet ervan.'

'Dat probeer ik.' Ik was dankbaar dat Cary me begreep en wist hoe mijn hoofd in elkaar zat. Het was gewoon zo fijn om bij hem te zijn en te weten dat hij in kon vullen wat ik niet kon uitleggen.

'Ik heb vanochtend zijn hele hebben en houwen onderzocht en alles uitgeprint wat nieuw en interessant was. Het ligt op je bureau, als je even wilt kijken.'

Ik herinnerde me dat hij iets had uitgeprint voor we ons klaarmaakten om naar het wellnessresort te gaan. Ik ging op mijn tenen staan en kuste hem op zijn wang. 'Je bent geweldig. Ik hou van je.'

'En ik van jou, meisje.' Hij liep naar buiten. 'Ik ga naar beneden naar de receptie en neem hem mee naar boven. Neem je tijd, hij is toch tien minuten te vroeg.'

Ik keek glimlachend toe hoe hij de hal in wandelde. De deur was achter hem dichtgevallen toen ik naar de kleine woonkamer liep die aan mijn slaapkamer vastzat. Op de ontzettend onpraktische secretaire die mijn moeder had uitgezocht lag een map met artikelen en foto's. Ik ging in de stoel zitten en verdiepte me in de geschiedenis van Gideon Cross.

Het was alsof ik naar de resten van een treinongeluk zat te kijken toen ik las dat hij de zoon was van Geoffrey Cross, voormalig directeur van een bedrijf in beleggingsverzekeringen waarvan later bekend werd dat het een dekmantel was voor een gigantisch piramidespel. Gideon was nog maar vijf jaar toen zijn vader zelfmoord pleegde door zich een kogel door het hoofd te jagen, omdat hij absoluut niet de gevangenis in wilde. O Gideon. Ik probeerde me hem zo jong voor de geest te halen en zag een klein jongetje voor me met donker haar en mooie blauwe ogen vol verwarring en verdriet. Het deed me pijn in het hart. Wat moesten zijn vaders zelfmoord en de omstandigheden eromheen, verschrikkelijk zijn geweest, zowel voor hem als voor zijn moeder. De stress en de spanningen van zo'n moeilijke tijd moesten enorm zijn geweest, vooral voor een kind van die leeftijd.

Daarna trouwde zijn moeder met Christopher Vidal, een muziekuitgever, en kreeg ze nog twee kinderen, Christopher Vidal Jr. en Ireland Vidal, maar het leek alsof een groter gezin en de financiële stabiliteit te laat waren gekomen om Gideon te helpen een evenwicht te vinden nadat er zoveel was gebeurd in zijn leven. Hij sloot zich zo af dat hij er pijnlijke emotionele littekens aan overhield.

Met een kritische en nieuwsgierige blik bestudeerde ik de vrouwen die met Gideon op de foto stonden, en dacht aan zijn mening over daten, met mensen omgaan en seks. Ik zag dat mijn moeder gelijk had gehad: het waren allemaal brunettes. De vrouw die het vaakst met hem op de foto stond, had duidelijk een Latijns-Amerikaanse achtergrond. Ze was langer dan ik, en ze was slank en had weinig rondingen.

'Magdalene Perez,' mompelde ik en ik moest met tegenzin toegeven dat ze een beauty was. Haar houding had het soort flamboyante nonchalance dat ik bewonderde.

'Oké, tijd is om,' onderbrak Cary me met een zachte toon, waaruit ik kon opmaken dat hij het wel grappig vond. Hij stond in de deuropening van mijn woonkamer en leunde arrogant tegen de deurpost.

'Meen je dat nou?' Ik was er zo in verzonken geweest dat ik me niet realiseerde hoeveel tijd er al verstreken was.

'Ik schat dat je nog een minuut hebt voordat hij naar je op zoek gaat. Hij kan zich nauwelijks inhouden.'

Ik deed de map dicht en stond op.

'Interessant wel, hè?'

'Erg interessant.' Welke invloed had Gideons vader – of liever gezegd: de zelfmoord van zijn vader – op zijn leven gehad?

Ik wist dat het antwoord op al mijn vragen in de kamer ernaast op me wachtte. Ik verliet mijn slaapkamer en liep door de gang naar de woonkamer. Ik pauzeerde even op de drempel, mijn blik gefixeerd op de rug van Gideon die voor de ramen stond en over de stad uitkeek. Mijn hart ging sneller kloppen. Zijn spiegelbeeld liet zien dat hij in gepeins verzonken was. Zijn blik was ongericht en zijn mond stond grimmig. Zijn gekruiste armen verraadden dat hij zich niet op zijn gemak voelde, alsof hij niet in zijn element was. Hij zag er afstandelijk uit, een man die eigenlijk altijd alleen was.

Hij voelde mijn aanwezigheid, of misschien voelde hij mijn hunkering. Hij draaide om zijn as en werd toen helemaal stil. Ik maakte van de gelegenheid gebruik om hem helemaal in me op te nemen en liet mijn blik over zijn hele lichaam glijden. Hij zag er op en top uit als een machtige magnaat. Zo sensueel en knap dat mijn ogen begonnen te branden door alleen maar naar hem te kijken. Het elegante zwarte haar dat om zijn gezicht viel, zorgde ervoor dat mijn vingers zich samentrokken van de impuls om het aan te raken. En hoe hij naar me keek... mijn hart sloeg een tel over.

'Eva.' Hij kwam naar me toe met sierlijke, krachtige passen. Hij pakte mijn hand en bracht hem naar zijn mond. Zijn blik was intens; intens heet, intens gefocust.

Ik kreeg kippenvel op mijn arm van zijn lippen op mijn huid en dat bracht de herinnering van die schaamteloze mond op andere delen van mijn lichaam terug. Ik was op slag opgewonden. 'Hoi.'

Zijn ogen werden warm van plezier. 'Hoi. Je ziet er fantastisch uit. Ik kan niet wachten om met je te pronken.'

Ik ademde door de verrukking heen die ik bij zijn compliment voelde. 'Laten we hopen dat ik je eer aandoe.'

Een lichte frons verscheen tussen zijn wenkbrauwen. 'Heb je alles wat je nodig hebt?'

Cary verscheen naast me met mijn zwarte fluwelen shawl en operahandschoenen. 'Alsjeblieft. Ik heb je lipgloss in je tasje gedaan.'

'Je bent geweldig, Cary.'

Hij knipoogde naar me, wat betekende dat hij de condooms had gezien die ik in het binnenste vakje had gedaan. 'Ik loop met jullie mee naar beneden.'

Gideon nam de shawl van Cary over en drapeerde hem om mijn schouders. Hij trok mijn haar eronderuit en het gevoel van zijn handen in mijn nek leidde me zo af dat ik er nauwelijks aandacht aan schonk toen Cary mijn handschoenen in mijn handen drukte.

De rit met de lift naar beneden was een oefening in seksuele spanning overleven. Niet dat Cary het leek op te merken. Hij stond links van me met zijn handen in zijn zakken te fluiten. Aan de andere kant van me straalde Gideon een ongelooflijke kracht uit. Hij bewoog zich niet en maakte geen geluid, maar ik kon de geladen energie voelen die hij uitstraalde. Mijn huid tintelde van de magnetische aantrekkingskracht tussen ons, en mijn ademhaling was kort en snel. Ik was opgelucht toen de deuren opengingen en ons uit de afgesloten ruimte bevrijdden.

Twee vrouwen stonden te wachten om naar binnen te gaan. Hun monden vielen open toen ze Gideon en Cary zagen. Dat verlichtte mijn stemming en toverde een glimlach op mijn gezicht.

'Dames,' groette Cary, met een glimlach die gewoon niet eerlijk meer was. Ik kon bijna zien hoe hun hersencellen kortsluiting maakten.

In contrast daarmee gaf Gideon een kort knikje en leidde me uit de lift met zijn hand op de onderkant van mijn rug, huid tegen huid. Het contact was elektrisch en zond een golf van hitsigheid door me heen.

Ik kneep Cary in zijn hand. 'Dans je ook een keer met mij?'

'Altijd. Zie je zo.'

Een limousine wachtte bij de stoeprand en de chauffeur opende het portier toen Gideon en ik naar buiten stapten. Ik gleed over de achterbank naar de andere kant en trok mijn jurk recht. Toen Gideon naast me ging zitten en de deur dichtging, werd ik me acuut bewust van hoe lekker hij rook. Ik ademde zijn geur in en nam me streng voor me te ontspannen en van zijn gezelschap te genieten. Hij pakte mijn hand en streek met zijn vingertoppen over de palm. De simpele aanraking ontstak een wilde lust in me. Ik schudde mijn shawl af, omdat ik het te warm kreeg om hem te dragen.

'Eva.' Hij drukte op een knop en het privacyglas achter de chauffeur begon omhoog te schuiven. Het volgende moment werd ik op zijn schoot gesleurd en was zijn mond op de mijne. Hij kuste me woest.

Ik deed wat ik al had willen doen sinds ik hem in mijn woonkamer had zien staan: ik stak mijn handen in zijn haar en kuste hem terug. Ik vond het heerlijk hoe hij me kuste, alsof hij me wel móést kussen, alsof hij gek zou worden als hij het niet deed, en al bijna te lang had gewacht. Ik zoog op zijn tong, omdat ik had gemerkt hoe lekker hij dat vond, omdat ik had gemerkt hoe lekker ík dat vond, hoe het ervoor zorgde dat ik op een ander deel van zijn lichaam wilde zuigen met dezelfde gretigheid.

Zijn handen gleden over mijn naakte rug en ik kreunde. Ik voelde zijn erectie tegen mijn heup prikken. Ik verschoof, zodat ik op hem kwam te zitten en schoof de rok van mijn jurk opzij. Ik maakte een aantekening in mijn hoofd om mijn moeder te bedanken voor de jurk, die zo'n handige split had. Met mijn knieën aan weerszijden van zijn heupen vouwde ik mijn armen om zijn schouders en maakte de kus nog intenser. Ik likte zijn mond, knabbelde op zijn onderlip, streelde met mijn tong langs die van hem...

Gideon greep me bij mijn middel en duwde me weg. Hij leunde achterover in de zitting, zijn nek gekromd zodat hij in mijn gezicht kon kijken. Zijn borstkas ging op en neer. 'Wat doe je me aan?'

Ik ging met mijn handen over zijn borst en voelde door zijn overhemd heen hoe meedogenloos hard zijn spieren waren. Mijn vingers volgden de randen van zijn buik en mijn geest vormde zich een beeld van hoe hij er naakt uit moest zien. 'Ik raak je aan. En ik geniet met volle teugen van je. Ik wil je, Gideon.'

Hij pakte mijn polsen vast en hinderde me in mijn bewegingen. 'Later. We zitten midden in Manhattan.'

'Niemand kan ons zien.'

'Daar gaat het niet om. Dit is niet het moment en de plaats om ergens aan te beginnen wat we de eerstkomende uren niet af kunnen maken. Ik word al helemaal gek van vanmiddag.'

'Laten we dan zorgen dat we het nu afmaken.'

Zijn greep werd pijnlijk strak. 'Dat kan hier niet.'

'Waarom niet?' Toen had ik een verrassende gedachte. 'Heb je soms nog nooit seks gehad in een limousine?'

'Nee.' Zijn kaak verstijfde. 'Jij wel dan?'

Ik keek weg zonder antwoord te geven, en zag het verkeer en de voetgangers om ons heen zich verdringen. We zaten op slechts een paar centimeter afstand van honderden mensen, maar het verduisterende glas verborg ons en zorgde ervoor dat ik me daar geen zorgen over maakte. Ik wilde hem behagen. Ik wilde weten of ik in staat was om het binnenste van Gideon Cross te bereiken en er was niets wat me kon tegenhouden behalve hijzelf.

Ik bewoog mijn heupen heen en weer tegen hem en streelde mezelf met de hele lengte van zijn harde pik. Zijn adem siste door zijn op elkaar geklemde tanden.

'Ik moet je bezitten, Gideon,' zei ik buiten adem. Ik inhaleerde zijn geur, die rijker was nu hij opgewonden was. Ik had het gevoel alsof ik een beetje aangeschoten was, alleen maar van de opwindende geur van zijn huid. 'Je maakt me gek.'

Hij liet mijn polsen los en nam mijn gezicht in zijn handen. Zijn lippen drukten hard tegen die van mij. Ik reikte naar de gulp van zijn pantalon en maakte de twee knopen los die toegang gaven tot de verborgen rits. Hij verstijfde.

'Ik heb dit nodig,' fluisterde ik tegen zijn lippen. 'Geef het me nou.'

Hij ontspande zich niet, maar deed ook geen verdere pogingen om me tegen te houden. Toen hij zwaar in mijn handen viel, kreunde hij, een geluid dat zowel gepijnigd als erotisch was. Ik kneep zachtjes in hem, met opzettelijk tedere aanrakingen, terwijl ik hem met mijn handen beetpakte. Hij was zo hard als steen, en warm. Ik gleed met allebei mijn vuisten over de hele lengte van de wortel tot de kop en mijn adem stokte toen hij onder me huiverde.

Gideon greep mijn dijen en zijn handen gleden omhoog onder de rand van mijn jurk totdat zijn duimen het rode kant van mijn string vonden. 'Je kut is zo heerlijk,' mompelde hij in mijn mond. 'Ik wil je openspreiden en likken tot je smeekt om mijn pik.'

'Als je wilt, smeek ik nu al.' Met mijn ene hand streelde ik hem en met de ander reikte ik naar mijn handtasje. Ik klikte hem open om een condoom te pakken.

Een van zijn duimen gleed onder de rand van mijn broekje en zijn kussentje gleed door de glibberigheid van mijn verlangen. 'Ik heb je nog nauwelijks aangeraakt,' fluisterde hij, met glinsterende ogen die naar me opkeken in de schaduw van de achterbank, 'en je bent al klaar voor me.'

'Ik kan er niks aan doen.'

'Ik wil ook niet dat je er iets aan doet.' Hij duwde zijn duim bij me naar binnen en beet op zijn onderlip toen ik hem hulpeloos omklemde. 'Dat zou ook niet eerlijk zijn, want ik kan niet tegenhouden wat jij bij mij doet.'

Ik scheurde de folie met mijn tanden open en hield het voor hem met de ring van het condoom uit het pakje. 'Ik ben hier niet goed in.'

Zijn hand krulde zich om die van mij. 'Ik breek al mijn regels voor jou.'

De ernst van zijn lage toon stuurde een explosie van warmte en vertrouwen door me heen. 'Regels zijn er om gebroken te worden.'

Ik zag zijn tanden wit opflikkeren. Toen drukte hij op een knop en zei: 'Blijf rijden tot ik zeg dat je moet stoppen.'

Mijn wangen werden warm. Het licht van de koplampen van een andere auto doorboorde het donkere glas en gleed over mijn gezicht, en verraadde mijn gêne.

'Nou zeg, Eva,' zei hij poeslief, terwijl hij het condoom vakkundig omdeed. 'Je hebt me verleid om seks in mijn limousine te hebben, maar je moet blozen als ik de chauffeur vertel dat hij me niet moet storen terwijl je het met me doet?'

Zijn plotselinge speelsheid zorgde ervoor dat ik hem wanhopig graag wilde hebben. Ik zette mijn handen op zijn schouders om me in balans te houden en ging op mijn knieën zitten. Ik tilde mezelf op om hoog genoeg te komen zodat ik boven het topje van Gideons pik kon hangen. Zijn hand vormde zich tot een vuist bij mijn heupen en ik hoorde iets knappen toen hij mijn broekje kapot scheurde. Het abrupte geluid en de gewelddadigheid van de handeling die erachter zat, bracht mijn verlangen tot het kookpunt.

'Doe het langzaam aan,' beval hij hees en hij bracht zijn heupen omhoog om zijn broek verder omlaag te duwen.

Zijn erectie streek tussen mijn benen toen hij bewoog, en ik jammerde, zo smachtend en leeg was ik, alsof de orgasmes die hij me eerder had bezorgd mijn hunkering alleen maar dieper en niet minder hadden gemaakt.

Hij zette zich schrap toen ik mijn vingers om hem heen vouwde en hem in positie bracht door de brede helm tegen de verzadigde vouwen van mijn gleuf te zetten. De geur van onze lust hing zwaar en vochtig in de lucht, een verleidelijke mix van behoefte en feromonen die elke cel in mijn lichaam wakker maakte. Mijn huid was koortsig en tintelde, mijn borsten zwaar en gevoelig.

Dit is wat ik had gewild vanaf het eerste moment dat ik hem

zag: hem bezitten, in zijn geweldige lichaam klimmen en hem diep in me nemen.

'Jezus, Eva,' hijgde hij toen ik me over hem heen liet zakken. Zijn handen openden en sloten zich rusteloos op mijn dijen.

Ik sloot mijn ogen, ik voelde me te kwetsbaar. Ik had intimiteit met hem gewild, maar dit leek te intiem. We zaten oog in oog, centimeters van elkaar, ingesloten in een kleine ruimte terwijl de rest van de wereld om ons heen voorbij stroomde. Ik kon zijn onrust voelen, wist dat hij zich net zo vreemd voelde als ik.

'Je bent zo strak.' Zijn hijgende woorden hadden een hint van zalige kwelling in zich.

Ik nam meer van hem in me door hem dieper naar binnen te laten glijden. Ik zoog een volle teug adem in en voelde me op een heerlijke manier uitgerekt worden. 'Hij is zo groot.'

Hij drukte de palm van zijn hand plat tegen mijn onderbuik en raakte mijn kloppende clitoris aan met het kussentje van zijn duim. Toen begon hij hem te masseren in langzame, aangenaam zachte cirkels. Alles in mijn binnenste werd strak en kneep zich samen, en zoog hem verder naar binnen. Ik deed mijn ogen open en keek vanonder zware oogleden naar hem. Hij was zo mooi zoals hij onder me lag uitgestrekt in zijn elegante smoking, zijn machtige lichaam gespannen in de primitieve drang om te paren.

Zijn nek kromde zich, zijn hoofd hard tegen de rug de de zitting alsof hij zich verzette tegen onzichtbare boeien. 'O mijn god,' hijgde hij met knarsende tanden. 'Ik ga keihard komen.'

De donkere belofte wond me op. Het zweet parelde op mijn huid. Ik werd zo nat en heet dat ik gemakkelijk over zijn pik naar beneden gleed tot ik hem bijna helemaal in me had. Een ademloze kreet ontsnapte me voor ik hem helemaal tot de wortel in me had. Hij zat zo diep in me dat ik het bijna niet meer uithield. Het dwong me heen en weer te bewegen om te proberen het onverwachte ongemak te verzachten. Maar mijn lichaam leek het niet te kunnen schelen dat hij te groot was. Ik golfde om hem heen, persend, trillend op het randje van een orgasme.

Gideon vloekte en greep mijn heup met zijn vrije hand. Hij dwong me achterover terwijl zijn borstkas op en neer ging in verwoede ademteugen. Door deze positie gleed ik op een andere manier naar beneden en ik werd nog verder opengesperd, totdat ik hem helemaal in me had. Meteen steeg zijn lichaamstemperatuur. Zijn bovenlichaam straalde een wellustige hitte uit door zijn kleren heen. Het zweet stond op zijn bovenlip.

Ik leunde voorover en gleed met mijn tong langs die prachtig gevormde ronding, en likte het zout op met een zacht gemurmel van genot. Zijn heupen bewogen ongeduldig heen en weer. Ik kwam voorzichtig een paar centimeter omhoog, voor hij me tegenhield met die keiharde greep op mijn heup.

'Langzaam,' waarschuwde hij nogmaals, met een autoritair randje dat een golf lust door me heen stuurde.

Ik zakte omlaag en nam hem weer in me, en ik voelde een vreemde zinnelijke pijn toen hij net over mijn grenzen heen ging. Onze ogen haakten zich in elkaar vast toen het genot zich verspreidde vanaf het punt waar we aan elkaar vastzaten. Het viel me toen pas op dat we allebei helemaal gekleed waren, behalve de meest intieme delen van ons lichaam. Dat vond ik vreselijk opwindend, net als de geluiden die hij maakte, alsof het genot voor hem net zo extreem was als voor mij.

Ik was belust op hem en drukte mijn mond tegen de zijne, mijn vingers in de wortels van zijn haar dat nat was van het zweet. Ik kuste hem terwijl ik met mijn heupen heen en weer ging. Ik reed op zijn duim die in gekmakende cirkels bewoog, en voelde het orgasme zich opbouwen met elke stoot van zijn lange, dikke penis in mijn smeltende binnenste.

Ik verloor mijn verstand ergens onderweg, toen het primitieve instinct de regie overnam totdat mijn lichaam de volledige controle had. Ik kon me nergens anders op concentreren dan op de dwingende drang om te neuken, de woeste noodzaak om zijn pik te berijden tot de spanning tot ontlading kwam en me zou bevrijden van deze nijpende honger.

'Het is zo lekker,' snikte ik, zonder dat hij het kon horen. 'Je voelt... O mijn god, het is te lekker.'

Met beide handen gaf Gideon het ritme voor me aan en hield hij me schuin onder een hoek waardoor de grote helm van zijn pik tegen een gevoelig, schrijnend plekje binnen in me wreef. Ik verstrakte en schudde heen en weer, en ik realiseerde me dat ik daarvan ging klaarkomen, van alleen het vakkundige stoten van hem in mij. 'Gideon.'

Hij greep me in mijn nek toen het orgasme door me heen joeg, beginnend met extatische spasmes in mijn binnenste, en naar buiten uitstralend tot ik over mijn hele lichaam trilde. Hij keek toe hoe ik mijn zelfbeheersing verloor en hield mijn blik vast terwijl ik liever mijn ogen dicht had gedaan. Bezeten door zijn starende blik kreunde ik en kwam harder klaar dan ik ooit had gedaan, mijn lichaam schokkend bij elke scheut van genot.

'Fuck, fuck, fuck,' gromde hij. Hij stootte zijn heupen omhoog tegen me aan en duwde mijn heupen naar beneden om zijn keiharde stoten te beantwoorden. Hij ramde met elke diepe stoot tegen mijn bodem, en beukte in me. Ik voelde hoe hij nog steeds harder en dikker werd.

Ik keek begerig naar hem. Ik moest het zien als hij voor mij over het randje ging. Zijn ogen werden wild van verlangen en verloren hun focus toen zijn controle minder werd, zijn prachtige gezicht verwrongen door de brute jacht naar een climax.

'Eva!' Hij kwam klaar met een dierlijk geluid van wilde extase, een grauwende ontlading die me fascineerde door de woestheid ervan. Hij schudde heen en weer toen het orgasme hem verscheurde en heel even werden zijn trekken zachter, met een onverwachte kwetsbaarheid.

Ik nam zijn gezicht in mijn handen en ging met mijn lippen over de zijne om hem te steunen terwijl de krachtige uitbarstingen van zijn gehijg tegen mijn wangen sloegen.

'Eva.' Hij sloeg zijn armen om me heen en kneep me tegen zich aan. Hij drukte zijn vochtige gezicht in de holte van mijn nek.

Ik wist precies hoe hij zich voelde. Ontmanteld. Blootgelegd.

We bleven lange tijd zo zitten, elkaar vasthoudend en de naschokken opvangend. Hij draaide zijn hoofd en kuste me zachtjes. De halen van zijn tong susten mijn uitgeputte emoties.

'Wauw,' hijgde ik, duizelig.

Zijn mond vertrok. 'Ja.'

Ik glimlachte, versuft en bedwelmd.

Gideon streek de vochtige slierten haar van mijn slapen. Zijn vingertoppen gleden haast eerbiedig over mijn gezicht. De manier waarop hij me bestudeerde deed me pijn in mijn borstkas. Hij zag er verdwaasd en... dankbaar uit, en zijn ogen waren warm en teder. 'Ik wil dit moment niet verbreken.'

Omdat ik het in de lucht voelde hangen, vulde ik aan: 'Maar...?'

'Maar ik kan dit diner niet afzeggen. Ik moet een speech houden.'

'O.' Het moment was op doeltreffende wijze verbroken.

Ik tilde me voorzichtig van hem af en beet op mijn lip toen ik hem nat uit me voelde glijden. De wrijving was genoeg om me meer te laten willen. Zijn pik was nauwelijks verslapt.

'Verdomme,' zei hij ruw. 'Ik wil je nog een keer.'

Hij hield me tegen voor ik me van hem weg bewoog en haalde ergens een zakdoek vandaan waarmee hij zachtjes tussen mijn benen streek. Het was een heel intieme handeling, op één lijn met de seks die we net hadden gehad.

Toen ik opgedroogd was, ging ik naast hem zitten en haalde mijn lipgloss uit mijn tasje. Ik keek naar Gideon over de rand van mijn spiegeltje terwijl hij het condoom afdeed en er een knoop in legde. Hij stopte het in een papieren servet en gooide het in een vernuftig weggewerkt afvalbakje. Nadat hij zijn uiterlijk op orde had gebracht beval hij de chauffeur naar onze bestemming te rijden. Toen ging hij achteroverzitten en staarde uit het raam.

Met elke seconde die verstreek, voelde ik hem zich verder terugtrekken, en de connectie tussen ons gleed steeds verder weg. Ik voelde mezelf wegzinken in de hoek van de zitting, weg van hem, en daarmee bootste ik de afstand na die ik tussen ons voelde groeien. Alle warmte die ik had gevoeld verschrompelde tot een koelte waar ik zo koud van werd dat ik mijn shawl weer omsloeg. Hij vertrok geen spier toen ik naast hem verschoof en mijn poederdoosje wegstopte, alsof hij zich niet eens bewust was van het feit dat ik naast hem zat.

Plotseling deed Gideon de bar open en trok er een fles uit. Zonder naar me te kijken vroeg hij: 'Brandy?'

'Nee, dank je.' Mijn stem was klein, maar dat leek hij niet te merken. Of misschien kon het hem niet schelen. Hij schonk een glas in en sloeg het achterover.

Verward en gegriefd trok ik mijn handschoenen aan en probeerde erachter te komen wat er mis was gegaan.

7

Wat er precies gebeurde toen we aankwamen, is als een waas in mijn geheugen. Half verblind door de flitsen liepen we langs de vuurlinie van de pers, maar ik besteedde er nauwelijks aandacht aan en bleef mechanisch glimlachen. Ik had me in mezelf teruggetrokken en was er alleen maar op gericht om zo snel mogelijk weg te vluchten van de hoogspanning die Gideon uitstraalde.

Op het moment dat we naar het gebouw overstaken, riep iemand zijn naam en draaide hij zich om. Ik glipte weg en schoot zo snel mogelijk langs de opstopping van gasten op de rode loper voor de ingang.

In de ontvangsthal griste ik twee glazen champagne van het blad van een passerende kelner en sloeg er eentje achterover terwijl ik op zoek ging naar Cary. Ik zag hem aan het andere eind van de ruimte bij mijn moeder en Stanton staan en ik liep naar hen toe. Mijn lege glas zette ik op een tafel waar ik langsliep.

'Eva!' Het gezicht van mijn moeder klaarde op toen ze me zag. 'Die jurk staat je echt beeldig!'

Ze kuste de lucht naast mijn beide wangen. Ze zag er prachtig uit in een schitterende, getailleerde, ijsblauwe kolom van een jurk. Saffieren hingen als glanzende druppels aan haar oren, keel en pols, en lieten haar ogen en haar roomwitte huid goed uitkomen.

'Dankjewel.' Ik nam een slok champagne van mijn tweede glas, en herinnerde me weer mijn voornemen om haar te zeggen hoe blij ik met de jurk was. Ik was er nog steeds heel blij mee, maar inmiddels minder tevreden met die handige split bij mijn dij.

Cary stapte op me af en pakte me bij mijn elleboog. Eén blik op mijn gezicht en hij wist al dat ik overstuur was. Ik schudde mijn hoofd, want ik wilde er nu niet over praten.

'Nog wat champagne dan maar?' vroeg hij zachtjes.

'Graag.'

Ik voelde Gideon al naderen voordat ik het gezicht van mijn moeder zag oplichten als de spiegelbal die met oud en nieuw op Times Square hangt. Ook Stanton leek zijn rug te rechten en zich schrap te zetten.

'Eva.' Gideon legde zijn hand op de blote huid van mijn onderrug, waardoor er een rilling door me heen ging. Hij strekte zijn vingers tegen mijn huid en ik vroeg me af of hij het ook voelde. 'Je ging ervandoor.'

Ik verstarde door het verwijt dat ik in zijn toon hoorde. Ik wierp hem een blik toe die alles moest zeggen wat ik niet hardop kon zeggen zolang we in gezelschap waren. 'Richard, ken je Gideon Cross al?'

'Maar natuurlijk.' De mannen schudden elkaar de hand. Gideon trok me dichter tegen zich aan. 'Wij hebben het geluk dat we de twee mooiste vrouwen van New York mogen begeleiden.'

Stanton knikte instemmend en lachte liefdevol naar mijn moeder.

Ik sloeg de rest van mijn champagne achterover en ruilde het lege glas dankbaar in voor het nieuwe dat Cary me gaf. Mijn buik werd wat warmer door de alcohol en de knoop in mijn maag werd losser.

Gideon boog zich naar me toe en fluisterde scherp: 'Denk er wel aan dat je hier met mij bent.'

Was hij nou kwaad? Wat kregen we nou? Ik kneep mijn ogen een beetje dicht. 'Dat moet jij nodig zeggen.'

'Niet hier, Eva.' Hij knikte naar iedereen en voerde me weg. 'Niet nu.'

'Helemaal nooit,' mompelde ik, en ik ging alleen maar met hem mee om mijn moeder een scène te besparen.

Ik nipte aan mijn champagne en schakelde over op de automatische piloot van zelfbescherming die ik al jaren niet meer gebruikt had. Gideon stelde me voor aan mensen en ik denk dat ik me heus wel heb gedragen – ik sprak op de gepaste momenten en glimlachte als het moest – maar ik was er niet echt bij. Ik was me te veel bewust van de steenkoude muur die tussen ons in stond, en van mijn eigen pijn en woede. Als ik nog naar bewijs zocht dat Gideon absoluut geen sociale omgang wilde met de vrouwen met wie hij naar bed ging, dan had ik dat nu gevonden.

Toen het diner werd aangekondigd, ging ik met hem mee naar de eetkamer. Ik speelde een beetje met mijn eten. Ik dronk een paar glazen rode wijn en hoorde Gideon spreken met onze tafelgenoten. Ik schonk geen aandacht aan wat hij zei, alleen aan de cadans en zijn verleidelijke, diepe, gelijkmatige toon. Hij deed geen poging om me bij het gesprek te betrekken en ik was blij toe. Ik denk niet dat ik iets aardigs had kunnen zeggen.

Mijn interesse werd pas weer gewekt toen hij onder applaus opstond en naar het podium liep. Ik draaide me om in mijn stoel en keek hoe hij overstak naar het podium. Ik kon er niets aan doen: ik moest zijn dierlijke gratie en verbazingwekkend prachtige verschijning wel bewonderen. Met elke stap die hij zette, eiste hij aandacht en respect op, wat nogal een prestatie was, gezien zijn kalme tred.

Hij zag er nog steeds goed uit na onze wildenthousiaste neukpartij in zijn limousine. Hij leek zelfs een totaal andere persoon. Hij was weer de man geworden die ik in de hal van het Crossfire had ontmoet: hij had alles onder controle en straalde een rustige macht uit.

Hij begon te vertellen: 'In Noord-Amerika is een op de vier vrouwen en een op de zes mannen als kind seksueel misbruikt. Kijk maar eens goed om u heen. Iemand aan uw tafel heeft het zelf meegemaakt of kent iemand die het heeft meegemaakt. Dat is de onaanvaardbare waarheid.'

Ik hing aan zijn lippen. Gideon was een voortreffelijk redenaar en zijn warme, vibrerende bariton was bezwerend, maar het was het onderwerp dat zo'n gevoelige snaar raakte. Zijn hartstochtelijke en soms schokkende betoog raakte me. Ik begon te ontdooien, en mijn verbijsterde woede en beschadigde zelfvertrouwen maakten plaats voor ontzag. Ik begon hem in een ander licht te zien en werd onderdeel van het ademloos luisterende publiek. Hij was niet de man die me zojuist gekwetst had; hij was gewoon een goede spreker die een onderwerp aansneed dat veel voor me betekende.

Toen hij klaar was, stond ik op en applaudisseerde, waarmee ik zowel hem als mezelf verraste. Gelukkig sloten anderen zich al snel aan bij mijn staande ovatie en om me heen hoorde ik bescheiden uitgesproken complimenten die absoluut verdiend waren.

'U boft maar, jongedame.'

Ik draaide me om en keek de vrouw aan die me had aangesproken, een prachtige roodharige vrouw die begin veertig leek. 'We zijn gewoon... vrienden.'

Haar serene glimlach sprak me op een of andere manier toch tegen.

Mensen begonnen van hun tafeltjes op te staan. Ik stond op het punt mijn handtasje te pakken en naar huis te gaan toen er een jongeman naar me toe kwam. Zijn woeste kastanjebruine haar was jaloersmakend en zijn grijsgroene ogen waren zacht en vriendelijk. Hij zag er goed uit en hij had een leuke, jongensachtige glimlach. Ik lachte terug, mijn eerste glimlach sinds het ritje in de limousine.

'Hé, hallo,' zei hij.

Hij leek me te kennen, wat me in de ongemakkelijke positie bracht dat ik net moest doen alsof ik precies wist wie hij was. 'Hallo.'

Hij lachte, en het geluid was licht en charmant. 'Ik ben Christopher Vidal, Gideons broer.'

'Och, natuurlijk.' Mijn gezicht werd warm. Ik kon niet geloven dat ik zo met mijn zelfmedelijden bezig was geweest dat ik de connectie niet meteen had gezien.

'Je bloost.'

'Sorry.' Ik lachte een beetje onbeholpen. 'Ik wist niet zo goed hoe ik moest zeggen dat ik een artikel over je heb gelezen zonder dat dat een beetje onhandig overkomt.'

Hij moest lachen. 'Het is wel vleiend dat je dat hebt onthouden. Als het maar niet het artikel uit *Page Six* was.'

De roddelrubriek was berucht om zijn sappige verhalen over de New Yorkse beroemdheden en sociale kringen. 'Nee hoor,' zei ik haastig. 'Het was vast *Rolling Stone.*'

'Daar zou ik wel mee kunnen leven.' Hij strekte zijn arm naar me uit. 'Heb je zin om te dansen?'

Ik keek naar waar Gideon stond, onder aan de trap naast het podium. Hij werd omgeven door mensen die dolgraag met hem wilden praten, onder wie veel vrouwen.

'Je ziet dat hij nog wel een tijdje bezig is,' zei Christopher, en ik hoorde aan zijn stem dat hij het wel grappig vond.

'Inderdaad.' Ik stond op het punt om weg te kijken toen ik de vrouw die naast Gideon stond, herkende. Het was Magdalene Perez.

Ik pakte mijn handtasje en perste er een glimlach uit voor Christopher. 'Lijkt me heerlijk.'

Gearmd liepen we naar de balzaal en stapten de dansvloer op. De band begon met de eerste noten van een wals en we bewogen ons soepel en natuurlijk op de muziek. Hij kon goed dansen, en leidde me zelfverzekerd.

'Zo. Waar ken jij Gideon eigenlijk van?'

'Ik ken hem niet goed, hoor.' Ik knikte naar Cary die met een forse blondine langsgleed. 'Ik werk in het Crossfire. Daar zijn we elkaar weleens tegengekomen.'

'Werk je voor hem?'

'Nee, ik ben assistent bij Waters Field and Leaman.'

'Aha.' Hij grijnsde. 'Het reclamebureau.'

'Ja.'

'Gideon moet je wel heel erg zien zitten als hij je alleen maar af en toe tegenkomt en je nu al meesleept op een date als deze.'

Ik vloekte in mezelf. Ik had kunnen weten dat er van alles zou worden verondersteld. Meer dan ooit wilde ik verdere vernederingen vermijden. 'Gideon kent mijn moeder en zij had al een uitnodiging voor me geregeld, dus het is gewoon een kwestie van twee mensen die in dezelfde auto in plaats van twee auto's naar hetzelfde evenement gaan.'

'Dus je bent nog vrij?'

Ik haalde diep adem. Ik voelde me ongemakkelijk, ondanks dat we samen zo vloeiend bewogen. 'Nou eh... ik ben niet bezet, nee.'

Christopher lachte met een charismatische, jongensachtige grijns. 'Mijn avond is zojuist nog beter geworden.'

De rest van de dans vermaakte hij me met grappige anekdotes over de muziekindustrie, en zorgde ervoor dat ik niet meer aan Gideon dacht.

Toen de dans afgelopen was, stond Cary voor me om de volgende op zich te nemen. We konden samen erg goed dansen, doordat we samen les hadden gehad. In zijn armen kon ik me ontspannen en ik was dankbaar voor zijn morele steun.

'Ik kneep mezelf tijdens het diner, toen ik besefte dat ik naast de hoogste coördinator van de *Fashion Week* zat. En ze flirtte ook nog met me!' Hij lachte, maar hij keek een beetje gekweld. 'Elke keer dat ik op dit soort plekken kom... in zulke kleren... het is ongelooflijk. Je hebt mijn leven gered, Eva. En daarna heb je het totaal veranderd.'

'En jij zorgt er altijd weer voor dat ik niet gek word. Geloof me, we staan echt quitte.'

Hij kneep met zijn hand in die van mij en zijn blik werd hard. 'Je ziet er ongelukkig uit. Wat heeft hij voor stoms gedaan?'

'Volgens mij heb ik zelf iets stoms gedaan. Daar hebben we het later nog wel over.'

'Ben je anders bang dat ik hem hier, waar iedereen bij is, op zijn bek sla?'

Ik zuchtte. 'Nou, liever niet, Cary. Dat zou mijn moeder vreselijk vinden.'

Cary drukte zijn lippen eventjes op mijn voorhoofd. 'Ik heb hem al gewaarschuwd. Hij weet dat hij uit moet kijken.'

'O, Cary.' Ik was zo dol op hem dat mijn keel dik werd terwijl ik tegelijkertijd mijn lippen lichtjes geamuseerd voelde krullen. Ik had kunnen weten dat Cary Gideon zou waarschuwen alsof hij mijn grote broer was. Echt iets voor hem.

Gideon kwam naast ons staan. 'Ik neem deze dans over.'

Dat was geen verzoek.

Cary bleef stilstaan en keek me aan. Ik knikte. Hij liep achteruit met een buiging, terwijl hij Gideon verhit en fel bleef aankijken.

Gideon trok me naar zich toe en nam de dans over zoals hij alles overnam: met een dominant zelfvertrouwen. Dansen met hem was totaal anders dan met mijn twee vorige partners. Gideon was net zo ervaren als zijn broer en kende net als Cary de bewegingen van mijn lichaam, maar hij had een doortastende agressieve stijl die inherent seksueel was.

De man met wie ik zo kort geleden nog intiem was geweest, maakte het me niet gemakkelijk. Hij verleidde al mijn zintuigen, ondanks dat ik me rot voelde. Hij rook zalig, met seksuele ondertonen. Hij leidde me met zelfverzekerde, zwierende passen en zorgde er op die manier voor dat ik diep vanbinnen een pijnlijke plek voelde, een aandenken aan dat hij daar zelf nog niet zo lang geleden geweest was.

'Je loopt steeds weg,' mompelde hij, terwijl hij afkeurend op me neerkeek.

'Nou, Magdalene was er anders vlug bij om je gezelschap te houden.'

Zijn wenkbrauwen schoten omhoog en hij trok me dichter tegen zich aan. 'Jaloers?'

'Denk je dat nou echt?' Ik keek weg.

Hij maakte een gefrustreerd geluid. 'Blijf bij mijn broer uit de buurt, Eva.'

'Hoezo?'

'Omdat ik het zeg.'

Ik werd kwaad, wat wel goed voelde na alle zelfverwijten en twijfels waar ik in verdronk sinds we als wilde konijnen waren tekeergegaan. Ik besloot te onderzoeken of omkering een geoorloofd spelletje was in de wereld van Gideon Cross. 'Blijf uit de buurt van Magdalene, Gideon.'

Hij klemde zijn kaken op elkaar. 'We zijn gewoon vrienden.'

'Wat wil zeggen dat je niet met haar naar bed gaat... vooralsnog?'

'Nee, verdomme. En dat hoeft van mij ook niet. Luister.' De muziek stierf weg en hij ging langzamer bewegen. 'Ik moet gaan. Ik heb je hiernaartoe gebracht en ik zou je het liefst ook weer naar huis brengen, maar ik wil niet dat je weg moet als je het hier naar je zin hebt. Wil je liever hier blijven en met Stanton en je moeder naar huis teruggaan?'

Naar m'n zin? Maakte hij nou een grapje of had hij echt geen idee? Of was het erger? Misschien had hij me al zo afgeschreven dat hij helemaal niet meer oplette.

Ik duwde me van hem af. Ik had even afstand nodig. Zijn geur steeg naar mijn hoofd. 'Ik red me wel. Vergeet me maar.'

'Eva.' Hij strekte zijn arm naar me uit, maar ik stapte snel achteruit.

Vanachter me sloeg iemand een arm om me heen. Het was Cary. 'Ik heb haar, Cross.'

'Loop me niet in de weg, Taylor,' waarschuwde Gideon.

Cary snoof. 'Ik heb het idee dat je daar zelf al lekker mee bezig bent.'

Ik slikte, met een brok in mijn keel. 'Je hebt een prachtige speech gehouden, Gideon. Dat was het hoogtepunt van mijn avond.'

Hij haalde scherp adem om de impliciete belediging; vervolgens streek hij met zijn hand door zijn haar. Opeens vloekte hij en ik besefte waarom toen hij zijn trillende mobiel uit zijn zak haalde en naar het scherm keek.

'Ik moet nu echt gaan.' Hij keek me indringend aan. Hij liet zijn vingertoppen over mijn wang glijden. 'Ik bel je.'

En weg was hij.

'Wil je hier blijven?' vroeg Cary kalm.

'Nee.'

'Dan zal ik je naar huis brengen.'

'Nee, doe maar niet.' Ik wilde even alleen zijn. Lekker in bad met een koele fles wijn, om me uit mijn dip te trekken. 'Jij moet hier zijn. Dat kan goed zijn voor je carrière. We praten wel als je weer thuis bent. Of morgen. Dan ga ik toch de hele dag op de bank liggen.'

Hij onderzocht mijn gezicht. 'Zeker weten?'

Ik knikte.

'Oké dan.' Maar hij leek niet erg overtuigd.

'Als jij nou buiten een bediende vraagt om Stantons limousine te laten voorrijden, ga ik nog even snel naar de wc.'

'Oké.' Cary raakte mijn arm aan. 'Ik haal je shawl uit de garderobe en dan zie ik je bij de deur.'

Het duurde langer om bij de wc te komen dan ik van plan was. Ten eerste werd ik door verbazend veel mensen aangesproken voor een praatje, wat vast kwam doordat ik met Gideon Cross gekomen was. En ten tweede vermeed ik de dames-wc die het dichtstbij was, omdat daar voortdurend vrouwen in- en uitstroomden. Ik vond er een die wat verder weg lag. Ik sloot mezelf op in een van de wc-hokjes en nam wat langer de tijd dan absoluut nodig was. Behalve een bediende was er niemand, dus hoefde ik ook niet op te schieten.

Ik was zo gekwetst door Gideon dat ik nauwelijks kon ademen. Ik was zo verward door zijn stemmingswisselingen. Waarom had hij mijn gezicht zo aangeraakt? Waarom was hij kwaad geworden toen ik niet bij hem bleef? En waarom moest hij Cary verdomme bedreigen? Gideon was echt zo wisselvallig als het weer.

Ik sloot mijn ogen en probeerde mezelf weer bij elkaar te rapen. Jezus. Dit kon ik echt niet gebruiken.

Ik had me laten gaan in de limousine en voelde me nog steeds afschuwelijk kwetsbaar. Ik had uren en nog eens uren aan therapie besteed om te leren hoe ik precies zo'n gemoedstoestand kon vermijden. Ik wilde het liefst naar huis om me te verstoppen, bevrijd van de druk om net te doen alsof ik mezelf volkomen in de hand had terwijl dat juist helemaal niet zo was.

Je hebt er zelf aan meegewerkt, herinnerde ik mezelf. Doe er dan ook iets mee.

Ik haalde diep adem en stapte naar buiten. Daar stond Magdalene, met haar armen over elkaar tegen de wastafel aanleunend. Ze was duidelijk naar mij op zoek. Ze stond me op te wachten, net nu mijn verweer al niet zo sterk was. Ik bleef even stilstaan, maar kwam toen weer in beweging en liep naar de wastafels om mijn handen te wassen.

Ze draaide zich om zodat ze naar mijn spiegelbeeld kon kijken. Ik bestudeerde haar ook. Ze was in het echt zelfs nog mooier dan op de foto's. Ze was lang en slank, met grote donkere ogen en prachtig lang, steil bruin haar. Haar lippen waren vol en rood, haar jukbeenderen hoog en prachtig gevormd. Haar jurk was subtiel sexy, een nauwsluitende koker van soepel roomkleurig satijn die prachtig contrasteerde met haar olijfkleurige huid. Ze zag er verdomme uit als een supermodel en straalde een exotische aantrekkingskracht uit.

Ik accepteerde de handdoek die de toiletbediende me aanreikte en Magdalene sprak de vrouw in het Spaans aan. Ze vroeg haar of ze ons wat privacy wilde geven. Ik bevestigde dat verzoek met: 'Por favor, gracias.' Magdalene trok een wenkbrauw op en bekeek me nog wat uitgebreider, wat ik met dezelfde koelte terug deed.

'O jee,' mompelde ze, op het moment dat de bediende ons niet meer kon horen. Ze maakte een tssk-tssk-geluid dat over mijn zenuwen schraapte als nagels over een schoolbord. 'Je hebt hem al geneukt, zie ik.'

'En jij nog niet.'

Die had ze niet zien aankomen. 'Daar heb je gelijk in, ik nog niet. Weet je ook waarom?'

Ik trok een briefje van vijf dollar uit mijn handtasje en legde het op het zilveren fooienschoteltje. 'Omdat hij dat niet wil.'

'En ik ook niet, omdat hij zich niet kan binden. Hij is jong, knap, rijk en hij neemt het ervan.'

'Nou en of.' Ik knikte. 'Dat deed ie zeker.'

Ze kneep haar ogen samen, en haar aangename uitstraling zakte een beetje weg. 'Hij respecteert de vrouwen die hij neukt niet. Op het moment dat hij zijn pik in je schoof, was je al afgedankt. Net als alle anderen. Maar ik ben er nog steeds, omdat ik degene ben die hij op de langere termijn bij zich wil.'

Ik bleef kalm, ook al had ze me precies geraakt waar ze het meeste schade kon doen.

'Dat is gewoon zielig.'

Ik liep naar buiten en stopte niet tot ik Stantons limousine bereikte. Ik kneep in Cary's hand toen ik instapte en het lukte me om te wachten tot de auto optrok voor ik begon te huilen.

'Hé, meissie,' riep Cary toen ik de volgende ochtend de woonkamer in kwam schuifelen. Gekleed in zijn oude kloffie lag hij uitgestrekt op de bank met zijn voeten over elkaar op de koffietafel. Hij zag er lekker onverzorgd uit en zat duidelijk goed in zijn vel. 'Goed geslapen?'

Ik stak mijn duim omhoog en liep de keuken in om koffie te halen. Ik pauzeerde bij de bar, waar ik werd verrast door een enorme bos rode rozen. Ze roken heerlijk en ik snoof de geur diep op. 'Wat is dit nou weer?'

'Die zijn ongeveer een uur geleden voor je bezorgd. Een zondagsbezorging. Prachtig, maar wel peperduur.'

Ik plukte het kaartje van het doorzichtige plastic staakje en maakte het open.

Ik denk nog steeds aan je. Gideon

'Van Cross?' vroeg Cary.

'Ja.' Mijn duim streek over het handschrift, dat waarschijnlijk van hem was. Het was zelfverzekerd, mannelijk en sexy. Een romantisch gebaar voor een man die geen romantiek in zijn repertoire had. Ik liet het kaartje op de counter vallen alsof ik me gebrand had en pakte een mok koffie, in de hoop dat cafeïne me kracht zou geven en mijn gezonde verstand zou herstellen.

'Je lijkt niet erg onder de indruk.' Hij draaide het volume lager van de footballwedstrijd waar hij naar aan het kijken was.

'Hij is niet goed voor me. Hij is een gigantische trigger. Ik moet gewoon uit zijn buurt blijven.' Cary had samen met mij therapie gevolgd en wist waar het over ging. Hij keek me niet vreemd aan als ik dingen in therapeutisch jargon zei, en hij kon er zelf ook wat van.

'En de telefoon gaat ook al de hele ochtend. Ik wilde niet dat je er wakker van werd, dus ik heb het geluid uitgezet.'

Ik was me bewust van het verlangen dat nog steeds tussen mijn benen zat, en rolde me op de bank op en vocht tegen de drang om het antwoordapparaat af te luisteren om te horen of het Gideon was geweest. Ik wilde zo graag zijn stem horen, en een verklaring over wat er gisteravond gebeurd was. 'Goed idee. Laten we hem de hele dag maar uit laten.'

'Wat is er dan gebeurd?'

Ik blies de stoom van mijn mok en nam voorzichtig een slokje. 'Ik heb hem gek geneukt in de limousine en daarna werd hij steenkoud.'

Cary keek naar me met die groene, wereldwijze ogen van hem: ogen die meer hadden gezien dan je iemand ooit zou toewensen. 'Je hebt zijn wereld op zijn kop gezet, hè?'

'Ja, dat klopt.' En ik werd weer kwaad als ik er alleen al aan dacht. We hadden echt contact gemaakt. Dat wist ik gewoon. Gisteravond begeerde ik hem meer dan wat dan ook, maar vandaag wilde ik niets meer met hem te maken hebben. 'Het was heel intens. De beste seksuele ervaring van mijn leven, en dat voelde hij ook. Dat weet ik gewoon. Het was de eerste keer dat hij het ooit in een auto had gedaan en hij verzette zich er eerst tegen, maar toen maakte ik hem zo geil dat hij geen nee meer kon zeggen.'

'Echt waar? Nog nooit?' Hij streek met zijn hand over zijn stoppels. 'De meeste jongens vinken neuken-in-de-auto op de middelbare school al van hun todolijst af. Ik kan zelfs niemand bedenken die het nog nooit in de auto heeft gedaan, behalve de nerds en de lelijkerds misschien, maar hij is geen van beiden.'

Ik haalde mijn schouders op. 'Blijkbaar maakt neuken-in-de-auto me een slet.'

Cary werd even heel stil. 'Heeft hij dat gezegd?'

'Nee. Hij zei helemaal niks. Dat heb ik van zijn "vriendin" Magdalene gehoord. Je weet wel, die meid die op de meeste foto's staat die je van internet had geplukt. Ze besloot haar klauwen te slijpen met een kattig meidenonderonsje in de toiletten.'

'Die trut is gewoon jaloers.'

'Seksueel gefrustreerd zul je bedoelen. Ze kan niet met hem neuken, want blijkbaar gaan meisjes die hem neuken bij het grofvuil.'

'Heeft hij dat gezegd?' Er zat weer een hoop woede in zijn kalme vraag verscholen.

'Niet met zoveel woorden. Hij heeft gezegd dat hij niet naar bed gaat met zijn vrouwelijke vrienden. Hij heeft moeite met vrouwen die meer willen dan gewoon een mooi moment tussen de lakens, en dus houdt hij de vrouwen die hij neukt en de vrouwen met wie hij omgaat strikt gescheiden.' Ik nam nog een slokje koffie. 'Ik heb hem gewaarschuwd dat zo'n opzet bij mij niet werkt en hij zei dat hij wat aanpassingen zou maken, maar ik denk dat hij zo'n kerel is die gewoon maar wat zegt om te krijgen wat hij wil.'

'Ja, of je hebt hem de stuipen op het lijf gejaagd.'

Ik keek hem vuil aan. 'Hé, je gaat het toch niet voor hem zitten opnemen hè? Voor wie ben je eigenlijk?'

'Voor jou, meisje.' Hij strekte zijn arm uit en gaf me een klopje op mijn knie. 'Voor jou natuurlijk.'

Ik wikkelde mijn hand om zijn gespierde onderarm en streelde in stille dankbaarheid zachtjes met mijn vingers langs de onderkant. Ik kon de vele fijne witte littekens van het snijden die zijn huid ontsierden niet voelen, maar ik was me er altijd van bewust dat ze er waren. Ik was er elke dag weer dankbaar voor dat hij leefde, gezond was en een belangrijk deel van mijn leven uitmaakte. 'Hoe was jouw avond verder?'

'O, ik mag niet klagen.' Er kwam een ondeugende glans in zijn ogen. 'Ik heb die rondborstige blonde genomen in een bezemkast. Haar tieten waren echt.'

'Dat is mooi.' Ik glimlachte. 'Je hebt haar een goede avond bezorgd, denk ik.'

'Ik doe mijn best.' Hij pakte de telefoon en knipoogde naar me. 'Wat zal ik bestellen? Iets van Subway? Chinees? Indiaas?'

'Ik heb geen trek.'

'Jij hebt altijd trek. Als je niks uitkiest, ga ik koken, hoor. En dan moet je dat eten.'

Ik stak mijn hand op om me over te geven. 'Oké, goed dan. Kies jij maar.'

Maandagochtend ging ik twintig minuten eerder naar mijn werk, zodat ik Gideon niet tegen zou komen. Toen ik zonder incidenten mijn bureau had bereikt, voelde ik me zo opgelucht dat ik wist dat ik een groot probleem had. Mijn stemming schoot alle kanten op.

Mark kwam erg vrolijk binnen. Hij teerde nog steeds op zijn grote succes van de week daarvoor, en we gingen meteen aan de slag. Ik had die zondag wat marktvergelijkingen voor wodka gedaan en hij was zo aardig om er samen naar te kijken en naar mijn indrukken te luisteren. Ook had hij de account voor een nieuwe fabrikant van e-readers toegewezen gekregen, dus begonnen we daar ook het eerste werk voor te verzetten.

De ochtend was zo druk dat de tijd vloog en ik gelukkig geen tijd had om na te denken over mijn privéleven. Toen ging de telefoon. Het was Gideon. Daar was ik niet op voorbereid.

'Hoe is je maandag tot nu toe?' vroeg hij, en zijn stem stuurde een rilling van bewustzijn door me heen.

'Hectisch.' Ik keek even naar de klok en zag tot mijn schrik dat het al tien over halftwaalf was.

'Mooi.' En toen was er een pauze. 'Ik probeerde je gisteren te bereiken. Ik heb een paar berichten achtergelaten. Ik wilde je stem horen.'

Ik sloot mijn ogen en haalde diep adem. Het had me al mijn wilskracht gekost om de dag door te komen zonder het antwoordapparaat af te luisteren. Ik had zelfs Cary bezworen dat hij me met geweld tegen moest houden als het erop leek dat ik aan de drang zou toegeven. 'Ik heb een beetje de kluizenaar uitgehangen en wat gewerkt.'

'Heb je de bloemen gekregen die ik je heb gestuurd?'

'Ja. Ze zijn prachtig. Dankjewel.'

'Ze deden me denken aan je jurk.'

Waar was hij nou in godsnaam mee bezig? Ik begon te denken

dat hij een meervoudige persoonlijkheidsstoornis had. 'Sommige vrouwen zouden dat romantisch vinden.'

'Ik geef alleen om wat jij ervan vindt.' Zijn stoel kraakte. Het klonk alsof hij er plotseling van was opgestaan. 'Ik zat te denken om langs te komen... ik was het van plan.'

Ik zuchtte en gaf me over aan mijn verwarring. 'Ben blij dat je het niet gedaan hebt.'

Weer een lange pauze. 'Die had ik wel verdiend.'

'Ik zeg het niet om lullig te doen. Het is gewoon de waarheid.'

'Ja, ik weet het. Luister... ik heb ervoor gezorgd dat we hier op kantoor kunnen lunchen, zodat we in dat ene uur geen tijd verspillen met weggaan en weer terugkomen.'

Toen hij zaterdag had gezegd dat hij me nog zou bellen, vroeg ik me af of hij wel weer bij elkaar zou willen komen zodra hij weer bijgekomen was van wat hij dan ook gedaan had. Dat was een mogelijkheid waar ik sinds zaterdagavond al bang voor was. Ik wist dat ik hem niet meer moest zien, maar ik voelde een hevig verlangen om bij hem te zijn. Ik wilde zo graag dat volmaakte moment van intimiteit dat we hadden gedeeld opnieuw ervaren.

Maar dat ene moment woog niet op tegen alle andere momenten waarop hij me een klotegevoel gaf.

'Gideon, er is geen enkele reden om samen te lunchen. We hebben vrijdagavond alles doorgesproken en zaterdag hebben we de zaken... afgehandeld. Laten we het daar gewoon maar bij laten.'

'Eva.' Hij begon nors te klinken. 'Ik weet dat ik het heb verkloot. Laat het me uitleggen.'

'Nee, dat hoeft niet. Het geeft niet.'

'Dat doet het wel. Ik moet je spreken.'

'Ik wil niet...'

'Het kan goedschiks of kwaadschiks, Eva.' Zijn stem kreeg een harde ondertoon waar mijn hart sneller van ging kloppen. 'Maar je moet hoe dan ook horen wat ik te zeggen heb.'

Ik sloot mijn ogen en begreep dat ik niet met een telefoontje van hem af zou komen. 'Nou, goed dan. Ik kom wel even langs.'

'Dankjewel.' Hij haalde hoorbaar opgelucht adem. 'Ik kan niet wachten tot ik je zie.'

Ik legde de telefoon neer en keek naar de afbeeldingen op mijn bureau, terwijl ik probeerde te formuleren wat ik moest zeggen en mezelf schrap zette voor de impact van wanneer ik Gideon weer zou zien. Mijn lichaam reageerde zo woest op hem dat ik er totaal geen controle over had. Ik moest er op de een of andere manier doorheen zien te komen en het afhandelen. Later zou ik wel nadenken over wat ik moest doen als ik hem de volgende dagen, weken en maanden in het gebouw tegenkwam. Voorlopig moest ik me maar concentreren op hoe ik de lunch overleefde.

Ik gaf me over aan het onvermijdelijke en ging door met werken: de visuele impact van een aantal voorbeelden van inlegkaarten voor tijdschriften vergelijken.

'Eva.'

Ik schrok op en draaide rond in mijn stoel, want daar stond Gideon opeens naast mijn hokje. Ik was als gewoonlijk weer eens totaal van mijn stuk toen ik hem zag, en mijn hart sloeg over in mijn borstkas. Met een snelle blik op de klok zag ik dat dat kwartiertje omgevlogen was.

'Gid... eh, Mr. Cross. U had niet naar beneden hoeven komen.'

Zijn gezicht was kalm en onbewogen, maar zijn ogen waren vol onrust en schoten vuur. 'Klaar?'

Ik opende mijn la, trok mijn tas eruit en haalde ondertussen diep en bevend adem. Hij rook fenomenaal en zag er nog beter uit.

'Mr. Cross.' Dat was Mark. 'Goed om u hier te zien. Is er iets aan de...'

'Ik kom Eva ophalen. We gaan lunchen.'

Ik was net weer genoeg bij mijn positieven om Marks wenkbrauwen omhoog te kunnen zien schieten. Hij herstelde zich snel en trok zijn gezicht weer in de plooi.

'Om één uur ben ik weer terug,' verzekerde ik hem.

'Oké, tot dan. Smakelijk eten.'

Gideon legde zijn hand op mijn onderrug en loodste me naar de liften. Megumi trok haar wenkbrauwen op toen we langs de receptie liepen. Ik wiebelde onrustig heen en weer toen hij op de knop van de lift drukte. Ik wilde dat ik de dag was doorgekomen zonder de man te zien naar wiens aanraking ik verlangde als naar een drug.

Hij keek me aan terwijl we op de lift wachtten en liet zijn vingertoppen langs de mouw van mijn satijnen blouse glijden. 'Elke keer dat ik mijn ogen sluit, zie ik jou in die rode jurk. Ik hoor de geluiden die je maakt als je opgewonden bent. Ik voel je over mijn pik glijden, als een vuist samenknijpen en me zo gigantisch laten klaarkomen dat het pijn doet.'

'Toe nou, hou daarmee op.' Ik keek opzij. Ik kon niet verdragen hoe intiem hij naar me keek.

'Ik kan er niks aan doen.'

Gelukkig kwam de lift eraan. Hij trok me aan mijn hand mee naar binnen. Nadat hij zijn sleutel in het paneel had gestoken, trok hij me dichter tegen zich aan. 'Ik ga je kussen, Eva.'

'Ik wil niet...'

Hij trok me naar zich toe en zijn mond sloot zich op de mijne. Ik verzette me zo lang als ik kon; en toen smolt ik bij het gevoel van zijn tong die heerlijk langzaam die van mij streelde. Ik wilde hem al kussen sinds we seks hadden gehad. Ik wilde gerustgesteld worden dat hij waarde hechtte aan wat we samen hadden gedaan, dat het voor hem net zoveel had betekend als voor mij.

Ik voelde me weer verlaten toen hij zich terugtrok.

'Kom.' Hij trok de sleutel eruit terwijl de deur openging.

Zijn roodharige receptioniste zei deze keer niets tegen me, maar ze keek me wel een beetje vreemd aan. Gideons assistent, Scott, bleef juist stilstaan toen we eraan kwamen en begroette me vriendelijk met mijn naam.

'Goedemiddag, Miss Tramell.'

'Hallo, Scott.'

Gideon gaf hem een bruusk knikje. 'Ik wil even geen telefoontjes aannemen.'

'Maar natuurlijk.'

Ik ging Gideons ruime kantoor binnen en mijn blik gleed naar de bank waar hij me voor het eerst intiem had aangeraakt.

De lunch was op de bar geserveerd: twee borden met metalen presenteerbladen eroverheen.

'Mag ik je tas aannemen?' vroeg hij.

Ik keek naar hem, zag dat hij zijn jasje had uitgedaan en het over zijn arm had geslagen. Hij stond daar in zijn op maat gemaakte pantalon en vest, zijn overhemd en das allebei kraakwit, zijn haar donker en dik rond zijn adembenemende gezicht, zijn ogen wild en schitterend blauw. Ik was zwaar van hem onder de indruk. Ik kon niet geloven dat ik met zo'n supermooie man had gevreeën.

Maar voor hem had het nu eenmaal niet hetzelfde betekend.

'Eva?'

'Je bent zo prachtig, Gideon.' De woorden stroomden uit mijn mond voordat ik er erg in had.

Zijn wenkbrauwen gingen omhoog. Toen kregen zijn ogen iets zachts. 'Ik ben blij dat ik je goedkeuring heb.'

Ik gaf hem mijn tas en ging een eindje bij hem vandaan staan. Die ruimte had ik nodig. Hij hing zijn jas en mijn tas aan de kapstok en ging toen naar de bar.

Ik sloeg mijn armen over elkaar. 'Kom, ik wil dit graag afhandelen. Ik wil je niet meer zien.'

8

Gideon streek met een hand door zijn haar en ademde hard uit. 'Dat meen je niet.'

Ik was plotseling erg moe, uitgeput van het gevecht met mezelf om hem. 'Jawel. Jij en ik... was een vergissing.'

Hij trok zijn kaak strak. 'Niet waar. De manier waarop ik er daarna mee omging was een vergissing.'

Ik staarde hem aan, geschrokken van de heftigheid waarmee hij het ontkende. 'Ik had het niet over de seks, Gideon. Ik heb het over het feit dat ik akkoord ben gegaan met deze deal dat we seks met elkaar hebben terwijl we vreemden voor elkaar blijven. Ik wist eigenlijk al vanaf het begin dat het helemaal fout was. Ik had op mijn instinct moeten vertrouwen.'

'Wil je met me samen zijn, Eva?'

'Nee. Dat is nou precies...'

'Niet zoals waar we het over hebben gehad in die bar. Meer dan dat.'

Mijn hart begon te bonzen. 'Waar heb je het over?'

'Over alles.' Hij liep weg van de bar en kwam dichterbij. 'Ik wil met je samen zijn.'

'Daar leek het zaterdag anders niet op.' Ik trok mijn armen strak om mijn middel.

'Ik... het duizelde me.'

'O ja? Mij ook.'

Zijn handen gingen naar zijn heupen. Toen kruiste hij zijn armen voor zijn borst net als ik. 'Jezus, Eva.'

Ik keek toe hoe hij zich geen raad wist en voelde een vlaag van hoop. 'Als dat alles is wat je te zeggen hebt, zijn we klaar.'

'Helemaal niet, verdomme.'

'We zijn nu al op een dood spoor beland als je elke keer dat we seks hebben je helemaal in jezelf terugtrekt.'

Hij had zichtbaar moeite met wat hij moest zeggen. 'Ik ben eraan gewend de controle te hebben. Dat heb ik nodig. En dat schoot jij aan flarden in de limousine. Daar ben ik niet goed mee omgegaan.'

'O, vind je?'

'Eva.' Hij kwam dichterbij. 'Ik heb nog nooit zoiets meegemaakt. Ik wist niet dat het mogelijk was voor mij. Nu dat ik het wel heb... moet ik het hebben. Ik moet jou hebben.'

'Het is maar seks, Gideon. Geweldige, fantastische seks, maar je kan er behoorlijk van in de knoop raken als de twee mensen die het met elkaar hebben niet goed voor elkaar zijn.'

'Gelul. Ik heb toegegeven dat ik het verkloot heb. Ik kan niet veranderen wat er is gebeurd, maar ik kan wel pissig worden dat jij me daarom wilt buitensluiten. Jij hebt je regels gesteld en ik heb me aangepast om eraan te voldoen, maar je wilt niet eens de kleinste aanpassing doen voor mij. Je moet me tegemoetkomen.' Zijn gezicht was hard van de frustratie. 'Geef me ten minste iets.'

Ik staarde hem aan en probeerde erachter te komen wat hij aan het doen was en waar dit naartoe ging. 'Wat wil je, Gideon?' vroeg ik zacht.

Hij trok me naar zich toe en legde zijn hand op mijn wang. 'Ik wil me blijven voelen zoals ik me voel als ik bij je ben. Zeg maar wat ik moet doen. En geef me een beetje de ruimte om fouten te maken. Ik heb dit nog nooit gedaan. Het is een leerproces.'

Ik legde mijn hand op zijn hart en voelde het bonzen. Hij was bang en emotioneel, en daar werd ik zenuwachtig van. Hoe moest ik daar nou op reageren? Moest ik vertrouwen op mijn gevoel of op mijn gezonde verstand? 'Wat heb je nog nooit gedaan?'

'Wat er maar voor nodig is om zo veel mogelijk tijd met je door te brengen. Zowel in bed als erbuiten.'

De golf van verrukking die door me heen ging, was belachelijk heftig. 'Begrijp je wel hoeveel werk en tijd er gaat zitten in een relatie tussen ons tweeën, Gideon? Ik ben nou al bekaf. Plus dat ik nog aan wat persoonlijke dingen moet werken, en ik heb een nieuwe baan... mijn maffe moeder...'

Ik legde mijn vingers over zijn mond voor hij hem open kon doen. 'Maar je bent het waard en ik wil je graag genoeg. Dus ik geloof dat ik geen keus heb, hè?'

'Eva. Verdomme.' Gideon tilde me op en haakte een arm onder mijn achterste zodat ik mijn benen om zijn middel sloeg. Hij kuste me hard op mijn mond en duwde met zijn neus tegen die van mij. 'We komen er wel uit.'

'Je zegt het alsof het makkelijk wordt.' Ik wist dat ik zelf veeleisend was en hij was duidelijk al net zo.

'Makkelijk is saai.' Hij droeg me naar de bar en zette me op een kruk. Hij haalde de stolp van mijn couvert en onthulde een enorme cheeseburger met frites. Het eten was nog warm, dankzij een verwarmd granieten blad onder het bord.

'Yummie,' mompelde ik, me er nu pas van bewust hoeveel honger ik had. Nu we gepraat hadden, was mijn trek weer helemaal terug.

Hij vouwde mijn servet open en legde hem over mijn schoot met een kneep in mijn knie. Toen ging hij op de kruk naast me zitten. 'Dus, hoe pakken we dit aan?'

'Nou, je pakt hem op met je handen en schuift hem in je mond.'

Hij gaf me een zure blik die een glimlach om mijn mond bracht. Het voelde goed om te glimlachen. Het voelde goed om bij hem te zijn. Dat voelde het meestal... voor een tijdje. Ik nam een hap van mijn burger en kreunde toen ik de volle lading van de smaak kreeg. Het was gewoon een ouderwetse cheeseburger, maar de smaak was goddelijk.

'Goed hè?' vroeg hij.

'Erg goed. Misschien is het zelfs wel een goed idee om iemand die zulke goeie cheeseburgers kent voor mezelf te houden.' Ik veegde mijn mond en handen af. 'Hoe sta je tegenover een exclusiviteitsverklaring?'

Hij legde zijn burger neer en bleef doodstil zitten. Ik had geen idee wat hij dacht. 'Ik ging ervan uit dat dat in onze overeenkomst was inbegrepen. Maar om alle twijfels weg te nemen zal ik duidelijk zijn en zeggen dat je geen andere mannen mag hebben, Eva.'

Er ging een huivering door me heen bij de barse, besliste toon en de ijzige blik waarmee hij het zei. Ik wist dat hij een donkere kant had; ik had lang geleden al geleerd hoe ik mannen met donkere schaduwen in hun ogen moest herkennen en ontwijken. Maar de vertrouwde alarmbellen waren bij Gideon niet afgegaan, zoals misschien wel had gemoeten. 'Maar vrouwen mag wel?' vroeg ik om het ijs te breken.

Zijn wenkbrauwen gingen omhoog. 'Ik weet dat je huisgenoot biseksueel is. Ben jij dat dan ook?'

'Zou je dat erg vinden?'

'Ik zou het erg vinden om je te delen. Dus daar komt niks van in. Je lichaam behoort aan mij, Eva.'

'En dat van jou behoort aan mij? Exclusief?'

Zijn blik raakte verhit. 'Ja, en ik verwacht dat je er vaak en overdadig gebruik van zult maken.'

Goed dan... 'Maar jij hebt mij naakt gezien,' plaagde ik met omfloerste stem. 'Jij weet wat voor vlees je in de kuip hebt. Ik niet. Wat ik er tot nu toe van heb gezien beviel me goed, maar dat was niet veel.'

'Dat kunnen we nu wel rechtzetten.'

Van de gedachte dat hij zich voor me uit zou kleden begon ik te kronkelen op mijn kruk. Hij merkte het en er speelde een vals trekje om zijn mond.

'Mmm, beter van niet,' zei ik spijtig. 'Vrijdag was ik ook al te laat terug.'

'Vanavond dan.'

Ik slikte luid. 'Absoluut.'

'Ik zorg dat mijn agenda om vijf uur leeg is.' Hij ging verder met eten, volkomen tevreden over het feit dat we net 'waanzinnige seks' in onze agenda hadden gezet.

'Dat hoeft niet.' Ik maakte het mini-ketchupflesje naast mijn bord open. 'Ik moet nog naar de sportschool na mijn werk.'

'Dan gaan we samen.'

'Echt?' Ik draaide het flesje op zijn kop en sloeg met mijn hand op de bodem.

Hij pakte het van me af en gebruikte zijn mes om de ketchup op mijn bord te laten lopen. 'Het lijkt me het beste als ik eerst nog wat energie afblaas voordat ik je naakt voor me heb liggen. Ik neem aan dat je morgen nog wilt kunnen lopen.'

Ik staarde hem aan, stomverbaasd over de terloopsheid waarmee hij het had gezegd en over het spottende plezier op zijn gezicht waaruit bleek dat het niet alleen een grapje was. Mijn tere delen trokken zich samen bij het heerlijke vooruitzicht. Ik kon me goed voorstellen dat ik zwaar verslaafd zou raken aan Gideon Cross.

Ik at wat frietjes en dacht aan iemand anders die verslaafd was aan Gideon. 'Magdalene kon weleens een probleem voor me gaan vormen.'

Hij slikte een hap van zijn burger door en spoelde hem weg met een slok water uit zijn flesje. 'Ze zei al dat ze met je gesproken had, en dat het niet goed was gegaan.'

Ik moest Magdalene nageven hoe sluw ze was en hoe slim ze had geprobeerd me de pas af te snijden. Ik zou heel voorzichtig met haar moeten zijn, en Gideon zou iets aan haar moeten doen, haar nooit meer zien bijvoorbeeld. Punt.

'Nee, dat ging niet goed,' beaamde ik. 'Maar ik vind het dan ook niet fijn als iemand tegen me zegt dat jij geen respect hebt voor de vrouwen met wie je neukt. En dat vanaf het moment dat je je pik in me schoof, me al had afgedankt.'

Gideon werd stil. 'Zei ze dat?'

'Woord voor woord. Ze zei ook dat je haar achter de hand houdt totdat je klaar bent om je te settelen.'

'Zo zo, zei ze dat?' Zijn lage stem had een beangstigend scherp randje.

Ik kreeg een knoop in mijn maag omdat ik wist dat het vanaf nu echt goed of echt fout kon gaan, afhankelijk van wat Gideon zou zeggen. 'Geloof je me niet?'

'Natuurlijk geloof ik je.'

'Ze kan een probleem voor me vormen,' herhaalde ik. Ik gaf het niet op.

'Ze zal geen probleem vormen. Ik zal met haar praten.'

Ik haatte de gedachte dat hij met haar zou praten, omdat het me ziek van jaloezie maakte. Ik begreep dat dat iets was wat ik van tevoren moest zeggen. 'Gideon...'

'Ja?' Hij had zijn burger op en was aan de frites begonnen.

'Ik ben een heel jaloers persoon. Ik kan er erg irrationeel van worden.' Ik prikte met een frietje in mijn burger. 'Misschien moet je daar eens over nadenken, en of je wel met iemand te maken wilt hebben die zulke issues heeft met haar gevoel voor eigen-waarde. Dat was een van mijn pijnpunten toen je me voor het eerst een oneerbaar voorstel deed. Ik wist dat ik gestoord zou worden als ik wist dat er vrouwen over je heen zouden liggen kwijlen, zonder dat ik het recht had er iets van te zeggen.'

'Nu heb je wel het recht.'

'Je neemt me niet serieus.' Ik schudde mijn hoofd en nam nog een hap van mijn cheeseburger.

'Ik ben nog nooit in mijn hele leven ergens zo serieus over geweest.' Hij leunde naar me toe en veegde met een vinger langs mijn mondhoek. Toen likte hij de klodder saus op die hij had weggehaald. 'Je bent niet de enige die weleens bezitterig is. Ik hou ook een heel scherp oog op wat van mij is.'

Daar twijfelde ik geen moment aan.

Ik nam nog een hap en dacht aan de nacht die komen ging. Ik had er zin in. Belachelijk veel zin. Ik kon niet wachten om Gideon naakt te zien. Kon niet wachten om hem nog een keer gek te maken. En ik moest hem gewoon boven op me hebben, hem voelen zwoegen boven me, in me voelen beuken, diep in me keihard voelen klaarkomen...

'Als je die gedachten blijft hebben,' zei hij ruw, 'kom je opnieuw te laat.'

Ik keek hem met opgetrokken wenkbrauwen aan. 'Hoe wist je waar ik aan dacht?'

'Je krijgt een bepaalde uitdrukking op je gezicht als je geil bent. Ik ben van plan die uitdrukking zo vaak mogelijk op je gezicht te brengen.' Gideon dekte zijn bord af en stond op. Hij haalde een visitekaartje uit zijn zak en legde het naast me neer. Ik kon zien dat hij het nummer van zijn telefoon thuis en van zijn mobieltje op de achterkant had geschreven. 'Ik voel me nogal stom dat ik dit moet vragen, gezien wat we net besproken hebben, maar ik moet het nummer van je mobieltje hebben.'

'O.' Met moeite keerde ik weer met mijn gedachten terug uit de slaapkamer. 'Ik moet er eerst een kopen. Het staat op mijn todolijstje.'

'Wat is er gebeurd met de telefoon waarmee je vorige week sms'te?'

Ik trok een gezicht. 'Mijn moeder gebruikte het om mijn omzwervingen door de stad te traceren. Ze is een beetje... overbezorgd.'

'O, vandaar.' Hij streek met de bovenkant van zijn vingers langs mijn wang. 'Dat bedoelde je toen je zei dat ze je stalkte.'

'Ja, helaas.'

'Nou, goed dan. We regelen die telefoon na het werk voor we naar de sportschool gaan. Het is veiliger als je er een hebt. En ik wil je kunnen bellen wanneer ik maar wil.'

Ik legde het deel van de burger neer dat ik niet meer op kon en veegde mijn mond en handen af. 'Dat was heerlijk. Dank je.'

'Graag gedaan.' Hij leunde voorover en drukte zijn lippen eventjes op die van mij. 'Wil je de badkamer gebruiken?'

'Ja. En ik heb mijn tandenborstel nodig uit mijn tasje.'

Een paar minuten later bevond ik me in een badkamer die verstopt was achter een deur die naadloos overging in de mahoniehouten panelen achter de flatscreens. We poetsten onze tanden naast elkaar bij de dubbele wastafel en onze blikken ontmoetten elkaar in de spiegel. Het was zo iets huiselijks, iets heel normaals, maar we leken het allebei erg leuk te vinden.

'Ik zal je weer naar beneden brengen,' zei hij, en hij liep door het kantoor naar de kapstok.

Ik volgde hem, maar sloeg een andere richting in toen we bij zijn bureau kwamen. Ik liep ernaartoe en legde mijn hand op het lege vlak voor zijn stoel. 'Is dit waar je het grootste deel van de dag doorbrengt?'

'Ja.' Hij deed zijn jasje aan en ik kon hem wel opeten, zo lekker zag hij eruit.

Maar in plaats daarvan wipte ik omhoog en ging recht voor zijn stoel zitten. Volgens mijn horloge had ik nog vijf minuten. Nauwelijks genoeg tijd om op tijd terug te zijn op mijn werk, maar ja. Ik kon geen weerstand bieden aan mijn nieuwverworven rechten. Ik wees naar zijn stoel. 'Zitten.'

Zijn wenkbrauwen gingen omhoog, maar hij kwam zonder protesteren naar me toe en ging gracieus in de stoel zitten.

Ik deed mijn benen van elkaar en kromde mijn vinger. 'Dichterbij.'

Hij rolde naar voren en vulde de ruimte tussen mijn dijen. Hij sloeg zijn armen om mijn heupen en keek omhoog naar me. 'Binnenkort ga ik je hier neuken, Eva.'

'Maar voorlopig alleen een kus,' mompelde ik en ik boog voorover om zijn mond te kussen. Met mijn handen op zijn schouders om mijn evenwicht te bewaren likte ik zijn lippen die een beetje uit elkaar waren. Toen gleed ik naar binnen en plaagde hem speels.

Kreunend verhevigde hij de kus. Hij hapte in mijn mond op een manier waar ik nat en verlangend van werd.

'Binnenkort,' herhaalde ik tegen zijn lippen, 'zal ik naast dit bureau op mijn knieën gaan zitten en je pijpen. Misschien wel terwijl jij aan de telefoon met je miljoenen aan het spelen bent, net als bij Monopoly. U, Mr. Cross, mag langs Start en ontvangt tweehonderd dollar.'

Zijn mond kromde zich tegen die van mij. 'Ik zie al hoe dit zal gaan. Je gaat me gek maken door overal in je strakke, geile lichaam klaar te komen.'

'Zit je nou te klagen?'

'Engel, ik zit te kwijlen.'

Ik was verbaasd over het koosnaampje, al vond ik het wel lief. 'Engel?'

Hij bromde zachtjes instemmend en kuste me.

Ik kon nauwelijks geloven wat een verschil een uur uitmaakte. Ik verliet Gideons kantoor in een volkomen andere stemming dan toen ik naar binnen was gegaan. Het gevoel van zijn hand op de onderkant van mijn rug zorgde ervoor dat mijn lichaam begon te zoemen van verwachting, in plaats van de ellende die ik bij binnenkomst had gevoeld.

Ik zwaaide gedag naar Scott en glimlachte vriendelijk naar de stuurs kijkende receptioniste.

'Ik geloof niet dat ze me leuk vindt,' zei ik tegen Gideon terwijl we op de lift stonden te wachten.

'Wie?'

'Je receptioniste.'

Hij keek even haar kant op en het roodharige meisje keek hem stralend aan.

'Nou ja,' mompelde ik. 'Ze vindt jou wel leuk.'

'Ik betaal haar salaris.'

Mijn mond kromde zich. 'Ja, dat moet het zijn. Het kan niks te maken hebben met het feit dat je de meest sexy man op aarde bent.'

'O, ben ik dat?' Hij zette me vast tegen de muur en keek me aan met een verzengende blik.

Ik legde mijn handen tegen zijn buik en likte mijn onderlip toen ik voelde hoe de harde spieren zich spanden onder mijn aanraking. 'Het was maar een observatie.'

'Ik vind je leuk.' Met zijn handen plat tegen de muur aan weerskanten van mijn hoofd liet hij zijn mond tegen die van mij zakken en kuste me zachtjes.

'Ik jou ook. Je bent je er wel van bewust dat je op je werk bent, hè?'

'Wat heeft het voor zin om de baas te zijn als je niet kan doen wat je wilt?'

'Hm.'

Toen er een lift kwam, dook ik onder Gideons arm door en gleed naar binnen. Hij sloop achter me aan. Toen cirkelde hij als een roofdier om me heen en gleed achter me om me tegen zich aan te trekken. Hij stopte zijn handen in de zakken aan de voorkant van mijn broek en spreidde ze tegen mijn heupen om me tegen hem aan te drukken. De warmte van zijn aanraking zo dicht bij de plek waar ik naar hem hunkerde was een heel apart soort kwelling. Om hem terug te pakken wiebelde ik met mijn kont tegen hem aan en lachte toen zijn adem naar buiten siste en hij een stijve kreeg.

'Gedraag je,' zei hij knorrig. 'Ik heb een vergadering over een kwartier.'

'Zul je aan me denken als je achter je bureau zit?'

'Ongetwijfeld. En jij zult zeker aan mij denken als je achter jouw bureau zit. Dat is een bevel, Miss Tramell.'

Mijn hoofd viel achterover tegen zijn borst. Ik vond de commanderende toon in zijn stem heerlijk. 'Ik zie niet in hoe ik niet aan u zou kunnen denken, Mr. Cross, gezien het feit dat ik overal aan u denk.'

Hij stapte met me naar buiten toen we de negentiende verdieping bereikten. 'Bedankt voor de lunch.'

'Volgens mij hoor ik dat te zeggen.' Ik deed een stap achteruit. 'Tot later, Donkere Adonis.'

Zijn wenkbrauwen schoten omhoog toen hij mijn bijnaam voor hem hoorde. 'Vijf uur. Laat me niet wachten.'

Een van de liften aan de linkerkant stopte. Megumi stapte uit en Gideon stapte erin, zijn blik vastgenageld aan die van mij tot de deuren dichtgingen.

'Zo hé,' zei ze. 'Je hebt gescoord. Ik ben gifgroen van jaloezie.'

Daar wist ik niets op te zeggen. Het was allemaal nog te nieuw en ik was bang dat ik het ongeluk erover zou afroepen als ik iets zei. In mijn achterhoofd wist ik dat dit geluksgevoel niet kon blijven duren. Alles ging té goed.

Ik haastte me naar mijn bureau en ging aan het werk.

'Eva.' Ik keek op en zag Mark op de drempel van zijn kantoor staan. 'Kan ik even met je praten?'

'Natuurlijk.' Ik pakte mijn laptop, ook al zag ik aan zijn grimmige gezicht en toon dat ik hem misschien niet nodig zou hebben. 'Is alles oké?'

'Ja.' Hij wachtte tot ik zat. Toen nam hij de stoel naast me in plaats van degene achter zijn bureau. 'Ik weet niet hoe ik dit moet zeggen...'

'Zeg het maar gewoon. Ik kom er wel achter.'

Hij keek naar me met compassie in zijn ogen en voelde zich duidelijk ongemakkelijk. 'Het is niet aan mij om me ermee te bemoeien. Ik ben maar je baas en dat betekent dat ik maar tot zover kan gaan en niet verder, maar ik ga nu wel verder omdat ik je graag mag, Eva, en ik wil dat je hier nog lang blijft werken.'

Ik kreeg een raar gevoel in mijn buik. 'Dat is mooi. Ik vind het echt heel leuk hier.'

'Mooi. Mooi, daar ben ik blij om.' Hij glimlachte even naar me. 'Wees... wees gewoon een beetje voorzichtig met Cross, oké?'

Ik knipperde met mijn ogen, verbaasd over de richting die het gesprek nam. 'Oké.'

'Hij is briljant, rijk, en sexy, dus ik begrijp waarom je je tot hem aangetrokken voelt. Hoeveel ik ook van Steven hou, toch raak zelfs ík een beetje van de wijs bij Cross. Hij heeft gewoon dat effect op mensen.' Mark praatte snel en schoof met duidelijk ongemak heen en weer. 'En ik zie echt wel waarom hij in jou geïnteresseerd is. Je bent mooi, slim, oprecht, attent... Ik kan nog wel doorgaan, want je bent super.'

'Dank je,' zei ik zachtjes, en ik hoopte dat ik er niet zo misselijk uitzag als ik me voelde. Het was juist dit soort waarschuwingen van vrienden en het besef dat anderen me alleen maar zagen als het zoveelste 'snoepje van de week', dat mijn onzekerheden aanwakkerden.

'Ik wil gewoon niet dat je gekwetst wordt,' mompelde hij. Hij zag er al net zo miserabel uit als ik me voelde. 'Voor een deel is dat gewoon eigenbelang. Ik wil niet een geweldige assistente verliezen omdat ze niet in hetzelfde gebouw wil blijven werken als haar ex.'

'Mark, het betekent heel veel voor me dat je om me geeft en dat ik waardevol voor je ben hier. Maar je hoeft je geen zorgen om me te maken. Ik ben een grote meid. Trouwens, er is niets wat ervoor kan zorgen dat ik deze baan opzeg.'

Hij blies zijn adem uit, duidelijk opgelucht. 'Oké. Laten we erover ophouden en aan het werk gaan.'

En dat deden we, maar ik trakteerde mezelf alvast op toekomstige kwellingen door een dagelijks Google Alert in te stellen voor Gideons naam. En tegen de tijd dat het vijf uur was, verspreidde het besef van mijn vele tekortkomingen zich nog steeds als een vlek door mijn geluk.

Gideon was net zo stipt als hij had gedreigd en leek mijn peinzende bui niet op te merken toen we met de drukke lift naar beneden gingen. Meer dan één vrouw in de lift wierp een vluchtige blik in zijn richting, maar dat soort dingen vond ik niet erg. Hij was nou eenmaal lekker. Ik zou verbaasd zijn geweest als ze niet hadden gekeken.

Hij pakte mijn hand toen we voorbij de draaihekjes waren en strengelde zijn vingers in die van mij. Het eenvoudige, intieme gebaar betekende op dat moment zoveel voor me dat ik mijn greep op hem versterkte. En daar zou ik erg voor moeten oppassen. Het moment dat ik dankbaar zou worden dat hij tijd met me doorbracht zou het begin van het einde betekenen. We zouden geen van beiden nog respect voor me hebben wanneer dat gebeurde.

De Bentley suv stond bij de stoeprand en Gideons chauffeur stond klaar bij het achterste portier. Gideon keek me aan. 'Ik heb wat sportkleren laten inpakken en laten brengen, voor als je erop stond naar jouw sportschool te gaan. Equinox, toch? Maar we kunnen ook naar die van mij gaan.'

'Waar is die van jou?'

'Ik ga het liefst naar de CrossTrainer op Thirty-fifth Avenue.'

Mijn nieuwsgierigheid over hoe hij wist naar welke sportschool ik ging, verdween toen ik het 'Cross' in de naam van zijn sportschool hoorde.

'Je bent toch niet toevallig de eigenaar van die sportschool, of wel?'

Hij grijnsde. 'Van de keten. Gewoonlijk beoefen ik gemengde vechtsporten met een personal trainer, maar af en toe ga ik naar de sportschool.'

'Van de keten,' herhaalde ik. 'Natuurlijk.'

'Jij mag kiezen,' zei hij hoffelijk. 'Ik ga naar waar jij heen wilt.'

'Naar die van jou, natuurlijk.'

Hij deed het achterste portier open en ik gleed naar binnen en naar de andere kant. Ik zette mijn handtasje en mijn sporttas op schoot en keek uit het raam toen de auto optrok. De sedan die naast ons reed was zo dichtbij dat ik niet ver zou hoeven leunen om hem aan te raken. Spitsuur in Manhattan was iets waar ik nog steeds aan moest wennen. Californië had ook verkeer dat bumper aan bumper stond, maar dat ging in een slakkengang. Hier in New York was het verkeer zo druk en zo snel dat ik vaak mijn ogen wilde sluiten en bidden dat ik het zou overleven.

Het was een heel nieuwe wereld. Een nieuwe stad, een nieuw appartement, nieuwe baan, nieuwe man. Het was veel om in één keer op je te nemen. Ik ging er maar van uit dat het begrijpelijk was dat ik me een beetje labiel voelde.

Ik keek naar Gideon en zag dat hij naar me zat te kijken met een ondoorgrondelijke uitdrukking op zijn gezicht. Alles in me werd een grote brij van wilde lust en sidderende begeerte. Ik had geen idee wat ik met hem aan het doen was, alleen dat ik niet kon stoppen, ook al had ik het gewild.

9

We gingen eerst naar de telefoonwinkel. Het meisje dat ons hielp, bleek erg ontvankelijk voor het magnetische veld van Gideon. Ze struikelde bijna over zichzelf zodra hij ergens maar het kleinste beetje interesse in toonde, en begon meteen aan gedetailleerde beschrijvingen, waarbij ze steeds zo ongeveer tegen hem aan leunde om het te demonstreren.

Ik probeerde me af te zonderen en iemand te vinden die míj kon helpen, maar Gideons greep om mijn hand stond me niet toe om weg te lopen. Toen kibbelden we over wie er ging betalen, waarbij hij leek te denken dat hij dat moest doen, ook al was het mijn telefoon en mijn abonnement.

'Jij hebt al je zin gekregen dat je de provider mocht bepalen,' wees ik hem erop, en ik duwde zijn creditcard weg en schoof die van mij naar het meisje.

'Omdat dat handig is. Dan zitten we op hetzelfde netwerk en kun je me gratis bellen.' Hij wisselde de kaarten behendig om.

'Ik ga je helemaal niet bellen als je verdomme je creditcard niet wegstopt!'

Dat werkte, ook al was hij er duidelijk niet gelukkig mee. Daar moest hij dan maar aan wennen.

Toen we weer terug waren in de Bentley leek zijn stemming alweer goed.

'Rijd nu maar naar de sportschool, Angus,' zei hij tegen zijn chauffeur en liet zich achteroverzakken. Toen haalde hij zijn smartphone uit zijn zak. Hij zette mijn nieuwe nummer in zijn lijst met contactpersonen. Toen pakte hij mijn nieuwe telefoon uit mijn handen en programmeerde de nummers van zijn huis, kantoor en mobieltje in mijn lijst.

Hij was net klaar toen we bij CrossTrainer aankwamen. Niet helemaal onverwacht bleek de drie verdiepingen tellende fitness-club de droom van iedere gezondheidsfanaat. Het hele gebouw, elke moderne, gestroomlijnde centimeter ervan was het beste van het beste. Zelfs de dameskleedkamer leek wel uit een of andere sciencefictionfilm te komen.

Maar mijn ontzag werd helemaal overschaduwd door Gideon zelf toen ik klaar was met omkleden en hij op me stond te wachten in de hal. Hij had zich omgekleed in een bermuda en een tanktop, wat me mijn eerste blik gunde op zijn naakte armen en benen.

Ik stopte abrupt en iemand die na me naar buiten kwam, liep tegen me op. Ik kon er nog net een verontschuldiging uit krijgen; ik had het te druk met het verslinden van Gideons fantastische lijf. Zijn benen waren gespierd en krachtig, onberispelijk in proportie met zijn smalle heupen en middel. Zijn armen deden het water in mijn mond lopen. Zijn biceps waren mooi gestroomlijnd en zijn onderarmen waren bezet met dikke aderen die er tegelijkertijd bruut en ongelooflijk sexy uitzagen. Hij had zijn haar naar achter gebonden, waardoor de grens tussen zijn nek en zijn monnikskapspier, en de fraai gevormde trekken van zijn gezicht prachtig uitkwamen.

Jezus. Ik kende deze man intiem. Mijn brein kon dat feit niet helemaal bevatten, niet zolang het geconfronteerd werd met het onweerlegbare bewijs van hoe ongeëvenaard mooi hij was.

En hij fronste naar me.

Hij maakte zich los van de muur waar hij tegenaan had geleund, liep naar me toe en cirkelde om me heen. Zijn vingertoppen gingen over mijn blote middenrif en weer terug terwijl hij de omwenteling maakte en dat zorgde voor kippenvel op mijn huid. Toen hij voor me stopte, gooide ik mijn armen om zijn nek en trok zijn mond naar me toe voor een korte, speels smakkende kus.

'Wat heb je in godsnaam aan?' vroeg hij, maar een beetje minder boos door mijn enthousiaste begroeting.

'Kleren.'

'Je bent bijna naakt in dat topje.'

'Ik dacht dat je het leuk vond om me naakt te zien.' Ik was stiekem wel tevreden over mijn keuze, die ik die ochtend had gemaakt voordat ik wist dat hij erbij zou zijn. Het topje was een driehoek met lange bandjes bij de schouders en de ribben, die je vastmaakte met klittenband en die je op verschillende manieren kon dragen, zodat je kon bepalen waar je borsten de meeste steun nodig hadden. Het was speciaal ontworpen voor vrouwen met flinke rondingen en was het eerste topje dat ik ooit had gehad waarin ik niet alle kanten op schudde. Waar Gideon zo'n bezwaar tegen had, was de vleeskleur ervan, die goed samenging met de strepen op de bijpassende zwarte trainingsbroek.

'Ik vind het leuk om je naakt te zien als we alléén zijn,' mopperde hij. 'Zo zal ik altijd met je mee moeten wanneer je naar de sportschool gaat.'

'Daar zul je mij niet over horen klagen, want ik geniet erg van het uitzicht dat ik op het moment heb.' Bovendien raakte ik op een perverse manier opgewonden van zijn bezitterigheid nadat hij me zo'n pijn had gedaan door zaterdagavond zo in zichzelf gekeerd te zijn. Twee heel verschillende uitersten, de eerste van vele, zonder twijfel.

'Laten we dit maar gauw achter ons laten.' Hij greep mijn hand en leidde me weg van de kleedkamers. Hij pakte twee handdoeken met logo van een stapel toen we erlangs kwamen. 'Ik moet je neuken.'

'Ik moet geneukt worden.'

'Jezus, Eva.' Zijn greep op mijn hand werd zo strak dat het pijn deed. 'Waar gaan we heen? De gewichten? Machines? Loopbanden?'

'De loopbanden. Ik wil een stukje rennen.'

Hij leidde me die kant op. Ik keek hoe vrouwen hem volgden met hun ogen en daarna met hun voeten. Ze wilden in dezelfde afdeling van de sportschool zijn als hij en ik gaf ze geen ongelijk. Ik kon ook niet wachten tot ik hem in actie zag.

Toen we de schier eindeloze rijen loopbanden en fietsen bereikten, ontdekten we dat er geen twee loopbanden naast elkaar vrij waren.

Gideon liep naar een man die er twee vrij had aan weerskanten van hem. 'Ik sta bij je in het krijt als je er één opschuift.'

De man keek naar mij en grijnsde. 'Ja, tuurlijk.'

'Bedankt. Dat stel ik op prijs.'

Gideon nam de loopband van de man en wees mij naar degene ernaast. Voor hij zijn work-out programmeerde, boog ik me naar hem toe. 'Verbrand niet te veel energie,' fluisterde ik. 'Ik wil je in de missionarishouding de eerste keer. Ik heb een fantasie dat jij boven ligt en me helemaal aan het uitwonen bent.'

Zijn blik brandde door me heen. 'Eva, je hebt geen flauw idee.'

Bijna duizelig van het vooruitzicht en van een heerlijke golf vrouwelijke macht stapte ik op de loopband en begon te lopen in een stevig tempo. Terwijl ik aan het opwarmen was, zette ik mijn iPod op shuffle en toen *Sexy Back* van Justin Timberlake langskwam, was ik op dreef en ging ik voluit. Rennen was zowel een fysieke als een mentale oefening voor me. Soms wilde ik dat ik gewoon door hard te rennen kon ontsnappen aan de dingen die me tergden.

Na twintig minuten ging ik langzamer lopen en toen stopte ik. Ik durfde eindelijk een blik op Gideon te werpen, die aan het rennen was met de soepelheid van een goedgeoliede machine. Hij keek naar CNN op de schermen boven ons, maar gaf me een glimlach toen ik het zweet van mijn gezicht veegde. Ik nam een slok uit mijn flesje water en ging naar de apparaten. Ik koos er een uit van waar ik vrij uitzicht op hem had.

Hij deed de volle dertig minuten op de loopband. Toen ging hij naar de gewichten, waarbij hij er de hele tijd voor zorgde dat hij me in het oog hield. Terwijl hij aan het trainen was, snel en efficiënt, viel het me op hoe viriel hij was. Dat ik precies wist wat er onder die korte broek zat, maakte wel uit, maar toch, hij was een man die achter een bureau werkte en toch zijn lichaam in topconditie hield.

Toen ik een fitnessbal pakte om wat buikspieroefeningen te doen, kwam een van de trainers naar me toe. Zoals je kon verwachten in een top-sportschool was hij knap en erg goed gebouwd.

'Hoi,' begroette hij me, met de glimlach van een filmster die een rij perfect witte tanden liet zien. Hij had donkerbruin haar en ogen van bijna dezelfde kleur. 'Voor het eerst, hè? Ik heb je hier nog nooit eerder gezien.'

'Ja, voor het eerst.'

'Ik ben Daniel.' Hij stak zijn hand uit en ik zei hoe ik heette. 'Kun je alles vinden wat je nodig hebt, Eva?'

'Tot nu toe wel, dank je.'

'Welke smaak smoothie heb je genomen?'

Ik fronste. 'Sorry?'

'Je gratis kennismakingssmoothie.' Hij deed zijn armen over elkaar en zijn stevige biceps spanden zich tegen de nauwe mouwen van zijn poloshirt. 'Heb je er niet een gekregen bij de bar beneden toen je je inschreef? Dat was wel de bedoeling.'

'O, nou ja.' Ik haalde schaapachtig mijn schouders op. Het was best een leuke attentie. 'Ik heb niet de normale kennismaking gehad.'

'Heb je de rondleiding gehad? Zo niet, laat me je dan rondleiden.' Hij raakte lichtjes mijn elleboog aan en gebaarde naar de trap. 'Je krijgt ook een uur gratis persoonlijke training. Dat kunnen we vanavond doen, of een afspraak maken voor later in de week. En ik neem je graag mee naar de gezondheidsbar, zodat we dat ook van de lijst kunnen schrappen.'

'O nee, dat kan niet.' Ik vertrok mijn gezicht. 'Ik ben geen lid.'

'Aha.' Hij knipoogde. 'Je bent hier op een tijdelijke pas? Dat is prima. We kunnen niet van je verwachten dat je een beslissing kunt nemen als je niet alles hebt gezien. Maar ik kan je verzekeren dat CrossTrainer de beste sportschool van Manhattan is.'

Gideon verscheen naast Daniels schouder. 'Je krijgt alles te zien,' zei hij, en hij liep om me heen om zijn armen om mijn middel te slaan, 'als je het vriendinnetje van de eigenaar bent.'

Het woord 'vriendinnetje' echode door me heen en stuurde een gekmakende stoot adrenaline door mijn systeem. Het moest nog steeds helemaal tot me doordringen dat we zo'n soort verbintenis hadden, maar dat weerhield me er niet van dat ik de benaming erg leuk vond klinken.

'Mr. Cross.' Daniel rechtte zijn rug en deed een stap achteruit. Toen stak hij zijn hand uit. 'Het is een eer u te ontmoeten.'

'Daniel heeft me enthousiast gemaakt over deze plek,' zei ik tegen Gideon toen ze elkaar de hand schudden.

'Ik dacht dat ik dat had gedaan.' Zijn haar was nat van het zweet en hij rook hemels. Ik had nooit geweten dat een zweterige man zo verdomd lekker kon ruiken.

Zijn handen streken langs mijn armen en ik voelde zijn lippen op mijn kruintje. 'Laten we gaan. Tot later, Daniel.'

Ik zwaaide gedag toen we wegliepen. 'Bedankt, Daniel.'

'Graag gedaan.'

'Dat wil ik wedden,' mopperde Gideon. 'Hij kon zijn ogen niet van je tieten afhouden.'

'Het zijn dan ook erg lekkere tieten.'

Hij maakte een laag grommend geluid. Ik verborg mijn plezier.

Hij sloeg me zo hard op mijn kont dat ik een stap naar voren viel en dat ik zelfs door mijn broek heen een pijnlijke plek bleef voelen. 'Die verdomde pleister die je een shirt noemt, laat niet veel aan de verbeelding over. Douche niet te lang. Je wordt straks toch weer zweterig.'

'Wacht.' Ik pakte zijn arm voor hij de dameskleedkamer voorbijliep naar de herenkleedkamer. 'Zou je het heel ranzig vinden als ik zei dat ik niet wilde dat je ging douchen? Als ik zei dat ik een plekje heel dichtbij wil zoeken waar ik je kan bespringen terwijl je nog druipt van het zweet?'

Gideons kaak werd strak en zijn blik werd gevaarlijk donker. 'Ik begin te vrezen voor je veiligheid, Eva. Pak je spullen. Er is een hotel om de hoek.'

We kleedden ons geen van beiden om en stonden binnen vijf minuten buiten. Gideon liep stevig door en ik moest me haasten om hem bij te houden. Toen hij plotseling bleef staan, zich omdraaide en me achteroverboog voor een overdadige, verhitte kus op het drukke trottoir, was ik zo verbijsterd dat ik hem alleen maar kon vasthouden. Het was een zielsverslindende versmelting van onze monden, vol passie en zoete spontaniteit, en ik kreeg er een steek van in mijn hart. Er klonk applaus om ons heen.

Toen hij me weer overeind zette, was ik buiten adem en duizelig. 'Wat was dat?' hijgde ik.

'De inleiding.' Hij hervatte onze spurt naar het dichtstbijzijnde hotel, waarvan ik de naam niet zo snel kon zien toen hij me voorbij de portier trok en recht naar de lift liep. Het was me wel duidelijk dat het eigendom was van Gideon, zelfs nog voordat de manager hem met zijn naam begroette vlak voor de liftdeuren dichtgingen.

Gideon liet zijn sportspullen op de vloer van de lift vallen en ging druk in de weer met uitzoeken hoe hij me uit mijn sporttopje kon krijgen. Ik was zijn handen aan het wegslaan toen de deuren opengingen en hij zijn tas oppakte. Er stond niemand te wachten op onze verdieping en er was ook niemand in onze gang. Hij haalde ergens een loper vandaan en even later waren we in een kamer.

Ik wierp me op hem en duwde mijn handen omhoog onder zijn shirt zodat ik zijn vochtige huid en de harde spieren eronder kon voelen. 'Kleed je uit. Nu.'

Hij lachte en schopte zijn gympen uit en rukte zijn shirt over zijn hoofd.

O mijn god... om hem naakt te zien – helemaal naakt, nu zijn shorts de vloer raakte – was genoeg om mijn zenuwcellen kortsluiting te laten maken. Er zat geen grammetje overtollig vet aan hem, alleen maar harde platen gestaalde spieren. Hij had een wasbordje en die supersexy V-vormige gespierde buik die Cary de 'Adonis-gordel' noemde. Gideon onthaarde zijn borst niet zoals Cary, maar hij verzorgde hem wel net zo zorgvuldig als de rest van zijn lichaam. Hij was puur, primitief mannelijk, de verpersoonlijking van alles waar ik naar had gesmacht en over had gefantaseerd.

'Ik ben gestorven en nu in de hemel,' zei ik, ongegeneerd starend.

'Je hebt nog steeds je kleren aan.' Hij viel op mijn kleren aan en zwiepte mijn topje uit voor ik adem had kunnen halen. Mijn broek werd naar beneden gedwongen en ik schopte mijn schoenen in zo'n haast uit dat ik mijn evenwicht verloor en op het bed viel. Ik had net mijn adem terug voor hij boven op me lag.

We rolden in een kluwen over de matras. Overal waar hij me aanraakte, liet hij een spoor van vuur achter. De pure, sterk ruikende geur van zijn huid was tegelijkertijd een lustopwekkend en een bedwelmend middel, en prikkelde mijn verlangen naar hem tot ik het idee had dat ik gek werd.

'Je bent zo mooi, Eva.' Hij kneep met zijn hand in een borst voordat hij mijn tepel in zijn mond nam.

Ik schreeuwde het uit bij de verzengende hitte en de geseling van zijn tong, en mijn binnenste trok samen elke keer dat hij zacht aan me zoog. Mijn handen gingen gulzig over zijn bezwete huid, strelend en knedend, zoekend naar de plekjes waarvan hij ging grommen en kreunen. Ik schaarde mijn benen om die van hem en probeerde hem om te rollen, maar hij was te zwaar en te sterk.

Hij tilde zijn hoofd op en glimlachte op me neer. 'Deze keer ben ik aan de beurt.'

Wat ik op dat moment voor hem voelde, toen ik die glimlach en de gloed in zijn ogen zag, was zo intens dat het pijn deed. Te snel, dacht ik. Ik was te snel aan het vallen. 'Gideon...'

Hij kuste me diep, likte me binnen in mijn mond zoals hij altijd deed. Ik dacht echt dat hij me kon laten klaarkomen met alleen maar een kus, als we er maar lang genoeg over deden. Alles aan hem wond me op, van hoe hij eruitzag en onder mijn handen voelde tot hoe hij me bekeek en aanraakte. Zijn gulzigheid en de stilzwijgende eisen die hij aan mijn lichaam stelde, het geweld waarmee hij me bevredigde en zijn eigen bevrediging opeiste, maakten me wild.

Ik ging met mijn handen door zijn natte zijdeachtige haren. De krullende haren op zijn borst prikkelden mijn harde tepels en het gevoel van zijn staalharde lijf tegen dat van mij was genoeg om me nat en behoeftig te maken.

'Ik ben gek op je lichaam,' fluisterde hij en zijn lippen bewogen over mijn wang naar mijn keel. Zijn hand liefkoosde de hele lengte van mijn bovenlichaam van mijn borsten tot mijn heupen. 'Ik kan er geen genoeg van krijgen.'

'Je hebt er ook nog niet veel van gehad,' plaagde ik.

'Ik denk niet dat ik er ooit genoeg van zal krijgen.' Knabbelend en likkend aan mijn schouder gleed hij naar beneden en pakte mijn andere tepel tussen zijn tanden. Hij trok en ik slaakte een zachte kreet van pijn, en kromde mijn rug. Hij verzachtte de pijn door er zachtjes aan te zuigen. Toen ging hij al kussend verder naar beneden. 'Ik heb nog nooit zo graag iets gewild.'

'Neem me dan!'

'Nog niet,' mompelde hij, en bewoog verder naar beneden. Hij likte de rand van mijn navel met het puntje van zijn tong. 'Je bent er nog niet klaar voor.'

'Wat? O jezus... ik kan er niet méér klaar voor zijn.' Ik trok aan zijn haar en probeerde hem omhoog te trekken.

Gideon pakte mijn polsen en pinde ze vast tegen de matras. 'Je kutje is erg strak, Eva. Ik doe je pijn als ik er niet eerst voor zorg dat je zacht en ontspannen bent.'

Er ging een wilde huivering van geilheid door me heen. Het

wond me op als hij zo openhartig over seks sprak. Toen gleed hij verder naar beneden en ik verstijfde. 'Nee, Gideon. Dan moet ik eerst douchen.'

Hij verborg zijn gezicht in mijn spleet en ik worstelde in zijn greep, bevangen door plotselinge schaamte. Hij hapte met zijn tanden in de binnenkant van mijn dij. 'Hou daarmee op.'

'Niet doen, alsjeblieft. Dat hoef je niet te doen.'

Ik stopte met mijn verwoede bewegingen bij zijn woeste blik. 'Denk je dat ik anders over jouw lichaam denk dan jij over dat van mij?' vroeg hij bars. 'Ik wil je, Eva.'

Ik likte mijn droge lippen, zo gek van opwinding door zijn dierlijke nood dat ik geen woord uit kon brengen. Hij gromde zachtjes en dook op het glibberige vlees tussen mijn benen. Zijn tong duwde bij me naar binnen, likte de gevoelige weefsels en duwde ze uit elkaar. Mijn heupen woelden rusteloos in het rond, mijn lichaam smeekte zwijgend om meer. Het voelde zo lekker dat ik wel kon janken.

'Jezus, Eva. Elke dag sinds ik je heb ontmoet heb ik mijn mond op je kut gewild.'

Terwijl de fluwelen zachtheid van zijn tong over mijn gezwollen clitoris heen en weer schoot, duwde ik mijn hoofd hard in het kussen. 'Ja, zo. Laat me klaarkomen.'

Dat deed hij, door heel teder te zuigen en één keer hard te likken. Ik kronkelde toen het orgasme door me heen joeg. Mijn binnenste spande zich hevig aan en mijn ledematen beefden. Zijn tong boorde zich in mijn schokkende geslacht. Ik deinde op de ondiepe penetratie en probeerde hem uit alle macht dieper in me te trekken. Zijn gekreun trilde tegen mijn gezwollen vlees en zorgde ervoor dat de climax voort bleef duren. Tranen prikten in mijn ogen en liepen langs mijn slapen naar beneden. Het lichamelijke genot sloopte de muur die mijn emoties in toom hield.

En Gideon hield niet op. Hij cirkelde met het puntje van zijn tong om de opening van mijn lichaam en likte mijn kloppende clitoris, tot ik opnieuw tot leven kwam. Twee vingers duwden naar binnen, kronkelend en strelend. Ik was zo gevoelig dat ik tegen de indringer tekeerging. Toen hij gestaag en ritmisch op mijn clitoris begon te zuigen, kwam ik opnieuw en schreeuwde het met hese stem uit. Toen stak hij drie draaiende vingers in me en trok me nog verder open.

'Nee.' Mijn hoofd woelde heen en weer, en elke centimeter van mijn lichaam brandde en tintelde. 'Niet nog meer.'

'Nog één keer,' haalde hij me over. 'Nog één keer, en dan zal ik je neuken.'

'Ik kan niet...'

'O jawel.' Hij blies een langzame stroom lucht over mijn natte vlees en door de koelte op mijn koortsige huid werden de rauwe zenuwuiteinden weer wakker. 'Ik vind het heerlijk om je te zien klaarkomen, Eva. Ik vind het heerlijk om de geluiden die je maakt te horen, te zien hoe je lichaam beeft...'

Hij masseerde een gevoelig plekje binnenin me en een orgasme rolde door me heen in een langzame, verhitte golf van verrukking, niet minder verwoestend dan de twee ervoor, ook al kwam het een stuk geleidelijker.

Hij haalde zijn gewicht en warmte van me af. In een ver hoekje van mijn verdoofde geest hoorde ik een la openen, kort daarna gevolgd door het geluid van scheurende folie. De matras helde over toen hij terugkwam, zijn handen nu ruw terwijl hij me naar het midden van het bed sleepte. Hij strekte zichzelf boven me uit, pinde me vast, zette zijn onderarmen naast mijn bovenarmen en duwde ze tegen mijn zij, zodat ik helemaal klem lag.

Mijn blik was vastgenageld aan de strenge schoonheid van zijn gezicht. Zijn trekken waren hard van de lust, en de huid stond strak over zijn jukbeenderen en zijn kaken. Zijn ogen waren zo donker, met grote pupillen, dat ze zwart leken, en ik wist dat ik in het gezicht keek van een man die over zijn grenzen was gegaan. Voor mij was het belangrijk te weten dat hij het zo ver had laten komen voor mij, en dat hij dat had gedaan om me te bevredigen en voor te bereiden op wat een zware rit zou worden.

Mijn handen balden zich tot vuisten in de sprei en de spanning om wat er komen ging, steeg. Hij had ervoor gezorgd dat ik kreeg wat me toekwam, keer op keer op keer, maar deze keer zou voor hem zijn.

'Neuk me,' beval ik en ik daagde hem uit met mijn ogen.

'Eva.' Hij snauwde mijn naam en ramde naar binnen. Hij schoot in één woeste stoot tot aan zijn ballen in me.

Ik hijgde. Hij was groot, zo hard als staal en zo verdomd diep. Het contact was verbijsterend intens. Emotioneel. Mentaal. Ik had me nog nooit zo volledig... genomen gevoeld. Bezeten.

Ik had niet gedacht dat ik ertegen zou kunnen om in bedwang gehouden te worden tijdens de seks, niet na wat ik allemaal had meegemaakt, maar Gideons totale overheersing over mijn lichaam bracht mijn verlangen tot een buitensporig niveau. Ik was er nog nooit zo gretig naar geweest, wat belachelijk leek na wat ik al met hem had meegemaakt.

Ik klemde me om hem heen en genoot van het gevoel dat hij in me was en me opvulde.

Zijn heupen maalden tegen die van mij en porden me alsof ze wilden zeggen: voel je me? Ik ben in je. Ik bezit je.

Zijn hele lichaam werd hard, de spieren van zijn borst en armen spanden zich toen hij zich terugtrok tot alleen de punt nog in me zat. Het aanspannen van zijn buikspieren was de enige waarschuwing die ik kreeg voordat hij naar voren beukte. Hard.

Ik schreeuwde het uit en zijn borst gromde met een laag, primitief geluid. 'Jezus... wat voel je lekker aan.'

Hij hield me nog wat steviger vast en begon me te neuken. Hij ramde mijn heupen in de matras met woeste, wilde stoten. Genot golfde weer door me heen en baande zich een weg met elke verhitte duw van zijn lichaam in dat van mij. Zo ja, dacht ik, dit is precies hoe ik je wil.

Hij begroef zijn gezicht in mijn nek en hield me stevig op mijn plaats, terwijl hij hard en snel in en uit ging, en rauwe, verhitte sekswoorden hijgde die me gek maakten van verlangen. 'Hij is nog nooit zo hard en dik geweest. Ik ben zo diep in je... Ik kan het tegen mijn buik voelen... mijn pik in je voelen stoten.'

Ik had gedacht dat deze ronde voor hem zou worden, maar hij had nog steeds aandacht voor mij en draaide met zijn heupen om genot door mijn smeltende binnenste te sturen. Ik slaakte een zacht, hulpeloos geluidje en hij plantte zijn mond scheef op die van mij. Ik verlangde wanhopig naar hem. Mijn nagels begroeven zich in zijn pompende heupen en ik worstelde tegen de verpletterende drang om tegen de meedogenloze stoten van zijn harde pik aan te schokken.

We dropen van het zweet, onze huid was heet en plakte aan

elkaar vast, en onze borstkassen zwoegden om lucht te krijgen. Toen er een orgasme als onweer in me dreigde, spande en strekte alles in me en kneep zich samen. Hij vloekte en schoof een hand onder mijn heup, omvatte mijn achterste en tilde me zo tegen zijn stoten aan dat de punt van zijn pik steeds weer over het plekje dat naar hem hunkerde gleed.

'Kom op, Eva,' beval hij ruw. 'Nu klaarkomen.'

Ik kwam in een roes klaar waarbij ik snikkend zijn naam zei. De sensatie werd nog versterkt en uitvergroot door de manier waarop hij mijn lichaam in bedwang hield. Hij gooide sidderend zijn hoofd achterover.

'Ah, Eva!' Hij hield me zo stevig tegen zich aan dat ik niet kon ademen en zijn heupen pompten op en neer toen hij langdurig en hard klaarkwam.

Ik heb geen idee hoe lang we zo bleven liggen, gevloerd, monden glijdend over schouders en halzen om te kalmeren en te bedaren.

'Wauw,' wist ik uiteindelijk uit te brengen.

'Je vermoordt me nog,' mopperde hij met zijn lippen tegen mijn kaak. 'Uiteindelijk neuken we elkaar nog dood.'

'Ik? Ik heb niks gedaan.' Hij had me volkomen onder controle gehad. Hoe ongelooflijk geil was dat?

'Je ademt. Meer is er niet voor nodig.'

Ik lachte en omhelsde hem.

Hij tilde zijn hoofd op en duwde zijn neus tegen die van mij. 'We gaan eten, en dan doen we het nog eens.'

Ik trok mijn wenkbrauwen op. 'Kun je dat nog een keer?'

'De hele nacht.' Hij rolde met zijn heupen en ik kon voelen dat hij nog steeds halfhard was.

'Je bent een machine,' zei ik. 'Of een god.'

'Dat komt door jou.' Met een zachte, tedere kus ging hij uit me. Hij haalde het condoom eraf, wikkelde het in een tissue die hij van het nachtkastje pakte, en gooide het geheel in de prullenbak bij het bed. 'We gaan douchen, en dan bestellen we wat van het restaurant beneden. Tenzij je naar beneden wilt?'

'Ik geloof niet dat ik kan lopen.'

Zijn flitsende grijns liet mijn hart een minuutje stilstaan. 'Blij dat ik niet de enige ben.'

'Het lijkt er anders op dat het met jou prima gaat.'

'Ik voel me geweldig.' Hij ging op de rand van het bed zitten en streek het haar van mijn voorhoofd. Zijn gezicht stond zacht en zijn glimlach was warm en teder.

Ik dacht dat ik nog iets anders in zijn ogen zag en die mogelijkheid vernauwde mijn keel. Het beangstigde me.

'Ga met me douchen,' zei hij en hij gleed met zijn hand over mijn arm.

'Geef me een minuutje om bij te komen en dan kom ik naar je toe.'

'Oké.' Hij liep naar de badkamer, wat me een eersteklas uitzicht gaf op zijn prachtig gevormde rug en zijn perfecte billen. Ik zuchtte van pure vrouwelijke waardering voor een eersteklas mannetjesexemplaar.

Het water ging aan in de douche. Het lukte me overeind te komen en mijn benen over de rand van het bed te slaan. Ik voelde me heerlijk beverig. Mijn blik viel op de la van het nachtkastje die een stukje openstond en door de kier zag ik condooms liggen.

Ik kreeg een knoop in mijn maag. Het hotel was te chic om naast de verplichte Bijbel condooms te verstrekken.

Met licht trillende hand trok ik de la verder open en trof daar een aanzienlijke hoeveelheid voorbehoedsmiddelen aan, inclusief een tube glijmiddel en zaaddodende gel. Mijn hart begon opnieuw te bonzen. Ik liep onze door lust gevoede tocht naar het hotel in gedachten na. Gideon had niet gevraagd welke kamers vrij waren. Of hij nou een loper had of niet, hij zou toch moeten weten welke kamers bezet waren voor hij er een nam... tenzij hij van tevoren had geweten dat deze bepaalde kamer vrij zou zijn.

Het was duidelijk zijn kamer; een neukhol voorzien van alles wat hij nodig had om een leuke tijd te hebben met de vrouwen die daarvoor dienden in zijn leven.

Toen ik opstond en naar de kast liep, hoorde ik de glazen douchedeur in de badkamer open en dicht gaan. Ik pakte de twee knoppen van de walnoothouten deuren en trok ze uit elkaar. Er hing een kleine selectie mannenkleren aan de metalen roede, een paar zakenoverhemden en -pantalons, en wat Dockers en spijkerbroeken. Mijn temperatuur schoot omlaag en een ziekmakende ellende verspreidde zich door mijn orgastische roes. De lades aan de rechterkant van de ladekast bevatten netjes opgevouwen T-shirts, boxershorts en sokken. De bovenste aan de linkerkant bevatte seksspeeltjes, nog in de verpakking. Ik keek niet in de lades daaronder. Ik had genoeg gezien.

Ik trok mijn broek aan en stal een van Gideons shirts. Terwijl ik me aankleedde, liep mijn geest de stappen na die ik in therapie had geleerd: spreek het uit. Leg uit aan je partner wat het negatieve gevoel veroorzaakt. Ga de confrontatie ermee aan.

Misschien, als ik niet zo overstuur was geweest doordat mijn gevoelens voor Gideon zo diep gingen, had ik dat allemaal kunnen doen. Misschien dat, als we niet net ongelooflijk goeie seks hadden gehad, ik me niet zo rauw en weerloos had gevoeld. Ik zou het nooit weten. Hoe ik me wel voelde, was een beetje vies, een beetje gebruikt en heel erg gekwetst. Deze ontdekking was keihard aangekomen en als een klein kind wilde ik hem terugpakken.

Ik schepte de condooms, het glijmiddel en de speeltjes uit de lades en gooide ze op het bed. Vervolgens, net toen hij mijn naam riep met een geamuseerde en plagende stem, pakte ik mijn tas en verliet hem.

10

Ik hield mijn gezicht omlaag toen ik vol schaamte langs de receptiebalie liep en het hotel via een zijdeur verliet. Mijn gezicht was rood van gêne bij de herinnering aan de manager die Gideon had gegroet toen we de lift binnenstapten. Ik kon me alleen maar indenken wat hij van me zou denken. Hij moest weten waar Gideon die kamer voor reserveerde. Ik kon niet tegen het idee dat ik de zoveelste was in een lange rij, maar dat was precies wat ik was geweest vanaf het moment dat we het hotel binnen waren gekomen.

Hoe moeilijk was het nou om eventjes te stoppen bij de receptie en een kamer te nemen die echt alleen van ons was?

Ik begon te lopen zonder dat ik een richting of bestemming in gedachten had. Het was nu donker buiten, en de stad had een heel andere gedaante en een ander soort energie dan overdag. Voedselstalletjes waar de stoom van afkwam, stonden overal op de stoep, naast een verkoper die ingelijste kunstwerken verkocht, een ander die de allernieuwste T-shirts aan de man bracht en weer een ander die twee uitklaptafels vol scripts van films en tv-series te koop had.

Met elke stap die ik zette, nam het adrenalinegehalte in mijn lichaam af. De valse voorpret over het idee dat Gideon uit de badkamer zou komen en alleen een lege kamer en een bed vol hulpstukken zou vinden, raakte uitgewerkt. Ik begon te kalmeren... en serieus na te denken over wat er gebeurd was.

Was het toeval dat Gideon me had uitgenodigd om mee te gaan naar een sportschool die zo handig dicht bij zijn neukhol was?

Ik herinnerde me het gesprek dat we tijdens de lunch in zijn kantoor hadden gehad en hoe moeilijk hij het had gevonden om te zeggen dat hij me wilde houden. Hij was net zo verscheurd en verward over wat er tussen ons aan de gang was als ik en ik wist hoe gemakkelijk het was om in oude patronen te vervallen. Was ik tenslotte zelf niet net in een oud patroon vervallen door ertussenuit te knijpen? Ik had lang genoeg therapie gehad om te weten dat ik niet iemand anders moest kwetsen en dan weglopen als ik zelf gekwetst was.

Terneergeslagen stapte ik een Italiaanse bistro binnen en nam een tafel. Ik bestelde een glas Shiraz en een pizza Margherita, in de hoop dat wijn en eten het rotgevoel dat ik had zouden kalmeren, zodat ik weer helder kon denken.

Toen de ober terugkwam met mijn wijn, klokte ik de helft van het glas naar binnen zonder het echt te proeven. Ik miste Gideon nu al. Ik miste de speelse, blije bui waarin hij was geweest toen ik hem verliet. Zijn geur hing overal aan me; de geur van zijn huid en van hete, keiharde seks. Mijn ogen prikten en ik liet een paar tranen over mijn gezicht rollen, ondanks dat ik in het openbaar in een erg vol restaurant zat. Mijn eten kwam en ik prikte erin. Het smaakte naar karton, maar ik betwijfelde of dat iets te maken had met de kok of het restaurant. Ik trok de stoel waar ik mijn tas op had gezet naar me toe en haalde mijn nieuwe smartphone eruit, met de bedoeling om een bericht achter te laten op het antwoordapparaat van dokter Travis. Hij had voorgesteld dat we zouden videochatten tot ik in New York een nieuwe therapeut had gevonden, en ik besloot om van dat aanbod gebruik te maken. Toen zag ik dat ik eenentwintig gemiste oproepen had van Gideon en een tekstbericht: Ik heb het weer verkloot. Maak het niet uit met me. Praat met me. Alsjeblieft.

De tranen welden weer op. Ik hield de telefoon tegen mijn hart. Ik had geen idee wat ik moest doen. Ik kon de beelden van Gideon met andere vrouwen niet uit mijn hoofd krijgen. Ik kon er niet mee ophouden me hem voor te stellen terwijl hij een andere vrouw aan het sufneuken was op datzelfde bed, seksspeeltjes bij haar gebruikte, haar helemaal gek maakte en zijn genot ontleende aan haar lichaam...

Het was absurd en nutteloos om zulke dingen te denken, en ik ging me er kleinzielig en bekrompen van voelen. Ik werd er misselijk van.

Ik schrok op toen de telefoon die ik tegen me aan hield, begon te trillen en ik liet hem bijna vallen. Ik twijfelde of ik mijn ellende zou koesteren en hem zou laten overgaan, want ik kon op het scherm zien dat het Gideon was – en hij was bovendien de enige die het nummer kende – maar ik kon het niet negeren. Hij was duidelijk over z'n toeren. Hoe graag ik hem eerder ook pijn had willen doen, ik kon het nu niet over mijn hart verkrijgen.

'Hallo.' Mijn stem klonk niet alsof hij van mij was, zo vol met tranen en emoties was hij.

'Eva! Gelukkig.' Gideon klonk heel ongerust. 'Waar ben je?'

Ik keek om me heen, maar zag niets waar de naam van het restaurant op stond. 'Ik weet het niet. Het... het spijt me, Gideon.'

'Nee, Eva. Niet doen. Het is mijn fout. Ik moet je vinden. Kun je beschrijven waar je bent? Ben je erheen gelopen?'

'Ja. Ik ben gelopen.'

'Ik weet welke uitgang je hebt genomen. Welke kant ben je op gegaan?' Hij ademde snel en ik kon het geluid van verkeer en claxons op de achtergrond horen.

'Naar links.'

'Ben je daarna nog een hoek omgeslagen?'

'Volgens mij niet. Ik weet het niet.' Ik keek om me heen of ik een bediende kon vinden aan wie ik het kon vragen. 'Ik ben in een Italiaans restaurant. Er is een terrasje op de stoep... en een gietijzeren hek. Openslaande deuren... Jezus, Gideon, ik...'

Hij verscheen, zijn silhouet afgetekend in de ingang met de telefoon tegen zijn oor. Ik wist meteen dat hij het was en zag hoe hij verstijfde toen hij me ergens achterin tegen de muur zag zitten. Hij stopte de telefoon in een zak van zijn spijkerbroek, een van degene die hij in het hotel had liggen, en liep recht op me af langs de gastvrouw die tegen hem begon te praten. Ik was nauwelijks opgestaan of hij trok me tegen zich aan en hield me stevig vast.

'Jezus.' Hij trilde een beetje en begroef zijn gezicht in mijn nek. 'Eva.'

Ik omhelsde hem op mijn beurt. Hij was fris van het douchen, wat me er pijnlijk van bewust maakte dat ik er ook hard een nodig had.

'Ik moet hier niet zijn,' zei hij schor en hij bewoog achteruit om zijn handen om mijn gezicht te leggen. 'Ik moet nu niet in het openbaar zijn. Wil je met me meekomen naar mijn huis?'

Er moet iets aan mijn gezicht zijn geweest waaraan hij kon aflezen dat ik het nog steeds niet vertrouwde, want hij drukte zijn

144

lippen tegen mijn voorhoofd en mompelde: 'Het wordt niet zoals in het hotel, dat beloof ik. Mijn moeder is de enige vrouw die ooit bij me thuis is geweest, afgezien van de huishoudster en het personeel.'

'Dit is stom,' mompelde ik. 'Ik ben stom aan het doen.'

'Nee.' Hij streek het haar uit mijn gezicht en boog zich dichter naar me toe om in mijn oor te fluisteren. 'Als jij mij mee had genomen naar een plek die je had gereserveerd om andere mannen te neuken, was ik ook op tilt gesprongen.'

De ober kwam terug en we lieten elkaar los. 'Zal ik een menu voor u halen, meneer?'

'Dat is niet nodig.' Gideon haalde zijn portemonnee tevoorschijn en gaf zijn creditcard. 'We gaan.'

We namen een taxi naar Gideons huis en hij hield de hele weg mijn hand vast. Ik zou eigenlijk helemaal niet zo nerveus moeten zijn dat ik in een privélift stond, op weg naar een penthouse op 5th Avenue. Ik had wel eerder hoge plafonds en vooroorlogse architectuur gezien, en je kon ook moeilijk anders verwachten als je uitging met een man die zo ongeveer alles leek te bezitten. En het gewilde uitzicht op Central Park... tja, natuurlijk had hij dat.

Maar de spanning in Gideon was bijna tastbaar en ik realiseerde me dat dit voor hem veel betekende. Toen de liftdeuren opengingen en we meteen in de marmeren entree van zijn appartement stonden, werd zijn greep op mijn hand eerst even strakker voor hij me losliet. Hij opende de dubbele deur en leidde me naar binnen. Ik kon voelen hoe nerveus hij was toen hij keek hoe ik zou reageren.

Gideons huis was al net zo mooi als de man zelf. Het was heel anders dan zijn kantoor, dat chic, modern en koel was. Zijn privévertrekken waren warm en luxueus, vol met antiek en kunst, met prachtige Aubusson-tapijten op een glanzende hardhouten vloer.

'Het is... geweldig,' zei ik zacht. Ik voelde me vereerd dat ik het te zien kreeg. Het was een blik in het privéleven van Gideon, dat ik zo graag wilde kennen, en het was verbluffend.

'Kom binnen.' Hij trok me verder het appartement in. 'Ik wil dat je vannacht hier blijft slapen.'

'Ik heb geen kleren en zo bij me...'

'Het enige wat je nodig hebt is de tandenborstel in je handtas. We kunnen morgenochtend wel even langs jouw huis gaan om de rest te halen. Ik beloof je dat ik je op tijd op je werk aflever.' Hij trok me tegen zich aan en legde zijn kin op mijn kruin. 'Ik zou echt graag willen dat je bleef, Eva. Ik neem het je niet kwalijk dat je wegliep, maar ik schrok me wel rot. Ik moet je een tijdje vasthouden.'

'Ik moet ook vastgehouden worden.' Ik duwde mijn handen onder de achterkant van zijn T-shirt om de zijdeachtige hardheid van zijn blote rug te strelen. 'En ik kan wel een douche gebruiken.'

Hij inhaleerde diep, met zijn neus in mijn haar. 'Ik vind het lekker als je naar mij ruikt.'

Maar hij leidde me door de woonkamer en door een gang naar zijn slaapkamer.

'Wauw,' fluisterde ik toen hij het licht aandeed. Een enorm sleebed overheerste de ruimte. Het hout was donker – daar leek hij een voorkeur voor te hebben – en het beddengoed gebroken wit. De rest van de meubels pasten bij het bed en de accenten waren van geborsteld goud. Het was een warme, mannelijke ruimte zonder kunst aan de muren die de aandacht af kon leiden van het serene nachtelijke uitzicht op Central Park en de magnifieke woontorens aan de overkant. Mijn kant van Manhattan.

'Hier is de badkamer.'

Terwijl ik de toilettafel bekeek, die gemaakt leek van een antiek walnoothouten kabinet met klauwpoten, trok hij handdoeken uit een bijpassende kast en legde ze voor me klaar. Hij bewoog met die zelfverzekerde, sensuele elegantie die ik zo bewonderde. Het ontroerde me om hem in zijn eigen huis te zien, zo casual gekleed. De wetenschap dat ik de enige vrouw was die dit meemaakte, deed me nog meer. Het voelde alsof ik hem nu nog naakter zag dan ik hem ooit had gezien. 'Dank je.'

Hij keek naar me en leek te begrijpen dat ik het over meer had dan alleen maar de handdoeken. Zijn starende blik brandde dwars door me heen. 'Het voelt goed om je hier te hebben.'

'Ik heb geen idee hoe ik hier terecht ben gekomen, zo met jou.' Maar ik vond het erg, erg fijn.

'Maakt het uit?' Gideon kwam naar me toe en tilde mijn kin op om een kus op het topje van mijn neus te planten. 'Ik zal een T-shirt voor je op bed leggen. Wat dacht je van kaviaar en wodka?'

'Nou... dat is wel even wat anders dan pizza.'

Hij glimlachte. 'Osetra van Petrossian.'

'Neem me niet kwalijk.' Ik glimlachte terug. 'Héél wat anders.'

Ik nam een douche en deed het veel te grote shirt van Cross Industries aan dat hij voor me had klaargelegd. Toen belde ik Cary om te zeggen dat ik er de hele nacht niet zou zijn en in het kort te vertellen over het hotelincident.

Hij floot. 'Ik weet even niet wat ik moet zeggen.'

Dat Cary Taylor met een mond vol tanden stond, zei genoeg.

Ik ging bij Gideon in de woonkamer zitten. We zaten op de vloer bij de salontafel om de dure kaviaar met toastjes en crème fraîche op te eten. We keken naar een herhaling van een politie-serie die speelde in New York en waarin toevallig een scène zat die gefilmd was in de straat voor het Crossfire.

'Ik denk dat ik het wel cool zou vinden om een gebouw dat van mij was zo op tv te zien,' zei ik.

'Het is wel leuk, als ze tenminste niet de straat urenlang afzet-ten om te kunnen filmen.'

Ik gaf hem een schouderduw. 'Pessimist.'

Om halfelf kropen we Gideons bed in en keken de laatste helft van een tv-programma terwijl we tegen elkaar aan gekruld lagen. De seksuele energie zinderde in de lucht tussen ons in, maar hij maakte geen avances, en ik dus ook niet. Ik vermoedde dat hij het nog steeds goed probeerde te maken en probeerde te bewijzen dat hij tijd met me wilde doorbrengen zonder dat we 'daadwer-kelijk aan het neuken' waren.

Het werkte. Hoe ik ook verlangde naar dat ongelooflijke sexy lichaam van hem, het voelde goed om gewoon met zijn tweetjes te zijn.

Hij sliep naakt, wat heerlijk voor mij was om tegenaan te krui-pen. Ik legde een been over dat van hem, sloeg een arm om zijn middel en legde mijn wang tegen zijn hart. Ik kan me het einde van het programma niet herinneren, dus ik neem aan dat ik in slaap ben gevallen voor het afgelopen was.

Toen ik wakker werd, was het nog donker in de kamer, en was ik naar de andere kant van mijn helft van het bed gerold. Ik kwam een stukje omhoog om op de klok op Gideons nachtkastje te kijken en zag dat het net drie uur 's ochtends was. Gewoonlijk sliep ik de hele nacht door en daarom dacht ik dat het misschien de vreemde omgeving was waardoor ik minder diep sliep. Toen kreunde Gideon en bewoog hij zich onrustig, en ik besefte waardoor ik wakker was geworden. Het geluid dat hij maakte, was een geluid van pijn en het erop volgende gesis van zijn adem klonk gekweld.

'Raak me niet aan,' fluisterde hij ruw. 'Blijf met je vuile poten van me af!'

Ik bevroor en mijn hart ging als een razende tekeer. Zijn woorden sneden door de duisternis, vol woede.

'Jij zieke klootzak.' Hij kronkelde, zijn benen schopten tegen de lakens. Zijn rug kromde bij een kreun die op een perverse manier erotisch klonk. 'Niet doen. Ach, jezus... Het doet zo'n pijn.'

Hij draaide en kronkelde met zijn hele lijf. Ik kon het niet meer aanzien.

'Gideon.' Cary had soms ook nachtmerries, dus wist ik heel goed dat ik niet een man aan moest raken die ermiddenin zat. In plaats daarvan knielde ik op mijn kant van het bed en riep zijn naam. 'Gideon, word wakker!'

Hij werd plotseling stil en viel op zijn rug, gespannen en afwachtend. Zijn borst ging op en neer van de hijgende ademstoten. Zijn pik was stijf en lag zwaar op zijn buik.

Ik sprak resoluut, hoewel mijn hart brak. 'Gideon, je bent aan het dromen. Kom bij me terug.'

Hij liet de lucht uit zijn longen stromen en zonk dieper in de matras weg. 'Eva...?'

'Ik ben hier.' Ik schoof uit de strook maanlicht weg, maar zag desondanks geen glinstering waaraan ik kon zien of zijn ogen open waren. 'Ben je wakker?'

Zijn ademhaling werd rustiger, maar hij zei niets. Zijn handen waren tot vuisten gebald in het hoeslaken. Ik trok het shirt dat ik aanhad over mijn hoofd en liet het op het bed vallen. Ik kroop zachtjes dichterbij en stak een aarzelende hand uit om zijn arm aan te raken. Toen hij niet bewoog, begon ik hem te strelen en mijn vingertoppen gleden zachtjes over de harde spieren van zijn biceps.

'Gideon?'

Hij werd met een schok wakker. 'Wat? Wat is er?'

Ik ging op mijn hurken zitten met mijn handen op mijn dijen. Ik zag hem naar me knipperen en toen beide handen door zijn haar halen. Ik kon voelen hoe de nachtmerrie nog aan hem hing. Ik voelde het aan de spanning van zijn lichaam.

'Wat is er aan de hand?' vroeg hij nors en hij steunde op een elleboog. 'Gaat het?'

'Ik wil je.' Ik strekte me tegen hem uit, met mijn naakte lichaam tegen dat van hem. Ik drukte mijn gezicht tegen zijn vochtige hals en zoog zachtjes op zijn zoutige huid. Ik wist van mijn eigen nachtmerries dat als je vastgehouden en geliefkoosd wordt, je de spoken weer een tijdje terug in de kast kunt duwen.

Zijn armen kwamen om me heen en zijn handen gingen op en neer langs mijn ruggengraat. Ik voelde hoe hij de droom met een lange, diepe zucht losliet.

Ik duwde hem op zijn rug en klom over hem heen. Toen verzegelde ik zijn mond met die van mij. Zijn erectie zat ingeklemd tussen de lippen van mijn weke delen en ik wiegde tegen hem aan. Het gevoel van zijn handen in mijn haar, waarmee hij me vasthield om controle te krijgen over de kus, zorgde ervoor dat ik al snel nat en gewillig was. Vuur likte vlak onder mijn huid. Ik streek met mijn clitoris op en neer over de hele lengte van zijn dikke pik. Ik gebruikte hem om te masturberen totdat hij een ruw geluid van verlangen maakte en omrolde zodat ik onder hem kwam te liggen.

'Ik heb geen condooms in huis,' mompelde hij voordat hij zijn lippen om mijn tepel vouwde en zachtjes begon te zuigen.

Ik vond het fijn dat hij niet voorbereid was. Dit was geen neukhol; dit was zijn eigen huis en ik was de enige minnares die hij er ooit binnen had gelaten. 'Ik weet dat je het over het uitwisselen van gezondheidsverklaringen hebt gehad toen we het hadden over voorbehoedsmiddelen en dat is ook het meest verantwoordelijke, maar...'

'Ik vertrouw je.' Hij tilde zijn hoofd op en keek naar me in het vage licht van de maan. Hij deed met zijn knieën mijn benen van elkaar en duwde de eerste paar centimeter naar binnen. Hij was gloeiend heet en zijdeachtig zacht.

'Eva,' fluisterde hij en trok me stevig tegen zich aan. 'Ik heb nog nooit... Jezus, je voelt zo lekker. Ik ben zo blij dat je hier bent.'

Ik trok zijn lippen omlaag naar de mijne en kuste hem. 'Ik ook.'

Ik werd net zo wakker als ik in slaap gevallen was, met Gideon boven op me en in me. Zijn blik was half geloken van verlangen terwijl ik langzaam uit mijn bewusteloosheid ontwaakte totdat ik vol hitsig genot was. Zijn haar hing om zijn schouders en gezicht, en het zag er nog sexier uit nu het in de war was van de slaap. Maar het beste was nog dat er geen schaduwen in zijn prachtige ogen waren, niets wat was blijven hangen van de pijn die zijn dromen had geplaagd.

'Ik hoop dat je het niet erg vindt,' mompelde hij met een ondeugende grijns, terwijl hij naar binnen en naar buiten gleed. 'Je bent zo warm en zacht. Ik kan er niets aan doen dat ik je wil.'

Ik rekte mijn armen uit achter mijn hoofd en kromde mijn rug, en drukte mijn borsten tegen zijn borst. Door de smalle ramen met bogen zag ik hoe het zachte licht van de dageraad de hemel vulde. 'Eh... Ik wil wel altijd zo wakker worden.'

'Dat dacht ik nou ook om drie uur vannacht.' Hij rolde met zijn heupen en zonk dieper in me. 'Het leek me wel leuk om iets terug te doen.'

Mijn lichaam kwam tot leven en mijn hartslag versnelde. 'Ja, graag.'

Cary was er niet toen we bij mijn appartement aankwamen. Er lag een briefje dat hij weg was voor een opdracht, maar ruim op tijd terug zou zijn om pizza te eten met Trey. Omdat ik veel te ontdaan was geweest om te genieten van mijn pizza de avond ervoor, wilde ik het nog eens proberen als ik het wel naar mijn zin had.

'Ik heb een zakendiner vanavond,' zei Gideon die over mijn schouder heen leunde om mee te lezen. 'Ik hoopte dat je met me mee zou gaan om het een beetje draaglijk te maken.'

'Ik kan Cary niet laten zitten,' zei ik verontschuldigend en draaide me om om hem aan te kijken. 'Vriendinnen hebben een streepje voor en zo. Je kent het wel.'

Zijn mond vertrok en hij pinde me vast tegen de bar. Hij was gekleed voor werk in een pak dat ik had uitgezocht, een grafiet-grijze Prada met een zachte glans. Zijn das was de blauwe die bij zijn ogen paste en toen ik op zijn bed lag te kijken hoe hij zich aankleedde, had ik de impuls moeten weerstaan om het allemaal weer van hem af te trekken. 'Cary is geen vriendin. Maar ik snap wat je bedoelt. Ik wil je zien vanavond. Kan ik na het diner naar je toe komen en blijven slapen?'

Een golf van hitsigheid ging door me heen bij het vooruitzicht. Ik streek met mijn handen over zijn vest, met het gevoel dat ik een speciaal geheim kende omdat ik precies wist hoe hij eruitzag zonder kleren aan. 'Dat zou ik heel leuk vinden.'

'Mooi.' Hij knikte tevreden. 'Ik zet wat koffie voor ons, terwijl jij je aankleedt.'

'De bonen liggen in de vriezer. De molen staat naast de koffie-pot.' Ik wees. 'En ik hou van een heleboel melk en een paar zoetjes.'

Toen ik twintig minuten later naar buiten kwam, pakte Gideon twee bekers om mee te nemen van de bar en gingen we naar be-neden naar de hal. Paul nam ons mee de voordeur uit en hielp ons met het achterportier van Gideons wachtende Bentley suv.

Toen Gideons chauffeur optrok en het verkeer indook, nam Gideon me op en zei: 'Je probeert me echt te vermoorden. Heb je die jarretels weer aan?'

Ik trok de zoom van mijn rok omhoog en liet hem zien waar de bovenkant van mijn zwarte zijden kousen vastzaten aan mijn zwartkanten jarretelgordel.

Ik moest glimlachen om zijn gemompelde vloek. Ik had een zwartzijden coltrui met korte mouwtjes uitgekozen in combina-tie met een redelijk beschaafde korte plooirok van lippenstift-rood, en Mary-Jane's met hakken. Omdat Cary er niet was ge-weest om iets speciaals met mijn haar te doen, had ik het in een staart gedaan. 'Vind je het leuk?'

'Ik heb een stijve.' Zijn stem was hees en hij legde zichzelf goed in zijn broek. 'Hoe moet ik in godsnaam de dag doorkomen ter-wijl ik de hele tijd aan jou denk in deze kleren?'

'Er bestaat ook nog zoiets als een lunchpauze,' stelde ik voor, fantaserend over een pikante lunch op de sofa in Gideons kantoor.

'Ik heb een zakenlunch vandaag. Ik zou hem uitstellen, als ik hem niet gisteren al uitgesteld had.'

'Had je een afspraak uitgesteld voor mij? Ik voel me gevleid.'

Hij boog zich naar me toe en streek met zijn vingers over mijn wang, een al vertrouwd gebaar van genegenheid dat tegelijk lief en enorm intiem was. Ik begon afhankelijk te worden van die aanrakingen.

Ik duwde mijn wang tegen zijn hand aan. 'Kun je vijftien minuutjes voor me vrijmaken?'

'Dat zal wel lukken.'

'Bel me als je weet hoe laat.'

Ik haalde diep adem en dook in mijn tas. Ik legde mijn hand om een geschenk waarvan ik niet zeker wist of hij het wilde hebben, maar ik kon de herinnering aan zijn nachtmerrie niet uit mijn hoofd krijgen. Ik hoopte dat wat ik voor hem had, hem aan mij en aan seks om drie uur 's ochtends zou herinneren, en hem zou helpen zich te redden. 'Ik heb iets voor je. Ik dacht...'

Plotseling leek het verwaand om hem te geven wat ik had meegenomen.

Hij fronste. 'Wat is er?'

'Niks. Het is gewoon...' Ik blies mijn adem uit. 'Luister, ik heb iets voor je, maar ik realiseer me net dat het het soort geschenk is, nou ja, het is niet echt een geschenk. Ik begin net te denken dat het niet echt gepast is en...'

Hij stak zijn hand uit. 'Geef hier.'

'Je mag helemaal zelf bepalen of je het aanneemt of niet...'

'Ach, hou je mond, Eva.' Hij kromde zijn vingers. 'Geef hier.'

Ik haalde het uit mijn tas en gaf het aan hem.

Gideon staarde zonder iets te zeggen naar de ingelijste foto. Het was een moderne lijst met gestanste afbeeldingen van dingen die met afstuderen te maken hadden, waaronder een digitale klok die 3.00 uur aangaf. De foto was er een van mij op Coronado Beach in een koraalrode bikini met een grote strohoed op. Ik was gebruind en blij, en ik blies een kushandje naar Cary die de rol van modefotograaf had gespeeld door belachelijke aanmoedigingen te roepen: 'Prachtig, schatje. En nu uitdagend. Heel mooi. En nu sexy. Briljant. En nu kattig... grrrr...'

Ik schoof opgelaten heen en weer op de zitting. 'Zoals ik al zei, je hoeft hem niet aan te...'

'Ik...' Hij schraapte zijn keel. 'Dank je, Eva.'

'Ach, nou ja...' Ik was dankbaar dat ik het Crossfire al vanuit mijn raam kon zien. Ik sprong gauw naar buiten toen de chauffeur stopte, en frommelde wat aan mijn rok. Ik voelde me nogal opgelaten. 'Als je wilt, kan ik het wel bij me houden tot later.'

Gideon deed de deur van de Bentley dicht en schudde zijn hoofd. 'Hij is van mij. Je krijgt hem niet meer terug.'

Hij haakte zijn vingers in de mijne en gebaarde naar de draaideur met de hand die de lijst vasthield. Ik werd warm vanbinnen toen ik besefte dat hij van plan was mijn foto mee te nemen naar zijn werk.

Een van de leuke dingen van de reclamewereld was dat geen dag hetzelfde was. Ik was de hele ochtend met van alles bezig geweest en begon net na te denken over wat ik met de lunch zou gaan doen, toen mijn telefoon ging. 'Met het kantoor van Mark Garrity, u spreekt met Eva Tramell.'

'Ik heb nieuws,' zei Cary bij wijze van begroeting.

'Wat dan?' Ik kon aan zijn stem horen dat het goed nieuws was, wat het ook was.

'Ik heb een Grey Isles-campagne binnengehaald.'

'O mijn god! Dat is geweldig, Cary! Ik ben dol op hun spijkerbroeken.'

'Wat doe je met de lunch?'

Ik grijnsde. 'Het vieren met jou. Kun je hier zijn om twaalf uur?'

'Ik ben al onderweg.'

Ik hing op en wipte op mijn stoel heen en weer. Ik was zo blij voor Cary dat ik zin had om te dansen. Omdat ik iets moest doen om de resterende vijftien minuten tot mijn lunchpauze te vullen, checkte ik mijn inbox opnieuw en vond een overzicht van Google Alerts voor Gideons naam. Meer dan dertig meldingen, in slechts één dag.

Ik opende de e-mail en schrok nogal van de vele koppen met 'mysterieuze vrouw'. Ik klikte op de eerste link en belandde op een roddelblog.

Daar, in levensechte kleuren, stond een foto van Gideon die me helemaal suf aan het zoenen was op de stoep voor zijn sportschool. Het begeleidende artikel was kort en krachtig:

'*Gideon Cross, New Yorks meest begeerde vrijgezel sinds John F. Kennedy Jr., werd gisteren gespot terwijl hij verwikkeld was in een zeer hartstochtelijke omhelzing. Een bron bij Cross Industries bevestigde dat de gelukkige mysterieuze vrouw beau monde-lid Eva Tramell is, dochter van multimiljonair Richard Stanton en zijn vrouw Monica. Na vragen over de aard van de relatie tussen Cross en Tramell bevestigde de bron dat Miss Tramell 'de belangrijke vrouw' in het leven van de mogol is op het moment. We kunnen ons voorstellen dat er vele harten gebroken zullen zijn deze ochtend.*'

'O shit,' fluisterde ik.

11

Ik klikte snel door naar de andere links in het overzicht en trof steeds dezelfde foto aan, met vergelijkbare kopjes en artikelen erbij. Ik werd ongerust. Ik leunde achterover en dacht na over wat de consequenties zouden kunnen zijn. Als één kus het nieuws al haalde, welke kans hadden Gideon en ik dan dat onze relatie zou werken?

Mijn handen trilden een beetje terwijl ik de browser sloot. Ik had van tevoren niet stilgestaan bij de pers. Dat had ik wel moeten doen. 'Hè, verdomme.'

Ik was nogal op anonimiteit gesteld. Het beschermde me tegen mijn verleden. Het beschermde mijn familie tegen beschamende situaties, en Gideon ook. Ik had niet eens een profiel op de sociale netwerken, zodat mensen die niet actief in mijn leven aanwezig waren, me niet konden vinden.

De dunne, onzichtbare muur tussen mij en de openbaarheid was verdwenen.

'Godver,' mompelde ik, omdat ik mezelf in een pijnlijke situatie bevond die ik had kunnen vermijden als ik ten minste een paar hersencellen voor iets anders dan Gideon had laten werken.

Ik moest bovendien rekening houden met hoe hij op deze penibele situatie zou reageren... ik kromp in elkaar door er alleen al aan te denken. En dan mijn moeder. Het zou niet lang duren voordat ze me belde en alles flink uit zijn verband zou...

'Shit.' Ik herinnerde me weer dat ze mijn nieuwe mobiele nummer niet had. Ik pakte mijn werktelefoon en belde mijn andere antwoordapparaat om te kijken of ze me al een keer had gebeld. Ik slikte toen ik hoorde dat het al vol berichten zat.

Ik legde de telefoon neer en pakte mijn tas; ik liep het kantoor uit om te gaan lunchen, in de hoop dat Cary me wel zou helpen om alles in perspectief te plaatsen. Toen ik de begane grond bereikte, was ik al zo van slag dat ik de lift uit rende om zo snel mogelijk bij mijn huisgenoot te zijn. Toen ik hem zag, lette ik totaal niet op andere mensen tot Gideon soepel van opzij voor me stapte en me de weg versperde.

'Eva.' Hij keek fronsend op me neer. Hij greep me bij mijn elleboog en draaide me half om. Toen pas zag ik dat hij twee vrouwen en een man bij zich had, die buiten mijn blikveld waren gebleven.

Ik vond nog ergens een glimlach voor hen. 'O, hallo.'

Gideon stelde me voor aan zijn lunchpartners. Toen verexcuseerde hij ons en trok me naar de zijkant. 'Wat is er aan de hand? Je bent overstuur.'

'De kranten staan er vol mee,' fluisterde ik. 'Een foto van ons samen.'

Hij knikte. 'Ja, die heb ik gezien.'

Ik knipperde met mijn ogen en keek naar hem omhoog. Ik kon niet geloven dat hij er zo nonchalant over deed. 'Vind je het dan niet erg?'

'Waarom zou ik? Voor deze ene keer hebben ze eens gelijk.'

Ik kreeg een donkerbruin vermoeden. 'Jij hebt dit zo gepland, hè? Jij hebt dat verhaal zelf aangeleverd.'

'Dat is niet helemaal waar,' zei hij gladjes. 'Die fotograaf was daar toevallig. Ik zorgde gewoon voor een foto die het waard was om af te drukken en gaf pr de opdracht om duidelijk te maken wie jij bent en wat voor relatie we hebben.'

'Waarom? Waarom zou je dat doen?'

'Jij hebt jouw manier om met jaloezie om te gaan en dit is mijn manier. We zijn nu allebei niet meer op de markt en dat weet iedereen nu. Waarom is dat voor jou een probleem?'

'Ik maakte me zorgen hoe jij zou reageren, maar er is nog wel meer dan dat... er zijn dingen die jij niet weet en ik...' Ik haalde diep en trillend adem. 'Zo kan het tussen ons niet gaan, Gideon. We kunnen niet zo in de openbaarheid zijn. Ik wil niet... Hè verdomme. Ik zou je voor schut zetten.'

'Nee hoor. Dat is niet mogelijk.' Hij veegde een losse lok uit mijn gezicht. 'Kunnen we het hier later over hebben? Als je wilt dat ik...'

'Nee, het is al goed. Ga maar.'

Cary kwam naar me toe. Hij was gekleed in een wijde zwarte

outdoorbroek en een wit hemd met een V-hals, en ondanks dat zag hij er nog stijlvol uit. 'Is alles oké?'

'Hallo Cary. Alles is in orde.' Gideon kneep in mijn hand. 'Geniet van je lunch en maak je niet druk.'

Dat kon hij makkelijk zeggen. Hij wist niet beter.

En ik wist niet of hij me nog wel wilde zodra hij het wel wist.

Cary keek me aan terwijl Gideon wegliep. 'Hoezo: "Maak je niet druk"? Wat is er aan de hand?'

'Alles,' zuchtte ik. 'Laten we snel wegwezen en dan vertel ik het je tijdens de lunch.'

'Nou nou,' mompelde Cary, terwijl hij naar de link keek die ik naar zijn smartphone had gestuurd. 'Dat is me nogal een zoen. Dat achteroverbuigen was een geweldige zet. Hij had er niet gretiger uit kunnen zien.'

'Dat is het hem nou juist.' Ik nam nog een grote slok water. 'Hij was zelfs nog gretiger.'

Cary stopte zijn telefoon in zijn zak. 'Vorige week brandde je hem steeds af omdat hij alleen maar seks wilde. Deze week laat hij de hele wereld zien dat hij zich overgeeft aan een hartstochtelijke relatie met jou en dan ben je nog niet tevreden. Ik begin medelijden te krijgen met die gozer. Het is ook nooit goed.'

Dat stak me wel. 'Die journalisten gaan graven, Cary, en dan zullen ze rotzooi vinden. En aangezien het sappige rotzooi is, zullen ze het flink rond gaan bazuinen en wordt Gideon voor schut gezet.'

'Luister eens, meisje.' Hij legde zijn hand op die van mij. 'Stanton heeft dat allemaal vakkundig weggewerkt.'

Stanton. Ik ging rechtop zitten. Ik had nog niet aan mijn stiefvader gedacht. Hij zou natuurlijk de bui zien hangen en zou alles onder het vloerkleed weten te vegen omdat hij wist hoe zulke onthullingen mijn moeder zouden raken. Maar toch... 'Ik zal het er met Gideon over moeten hebben. Hij heeft het recht om er van tevoren van af te weten.'

De gedachte aan dat gesprek alleen al gaf me een rotgevoel.

Cary wist hoe mijn hersenen werkten. 'Als je denkt dat hij ervandoor gaat, zie je het volgens mij verkeerd. Hij kijkt naar jou alsof je de enige persoon in de kamer bent.'

Ik speelde wat met mijn Caesarsalade. 'Hij heeft zelf ook wat demonen. Nachtmerries. Hij heeft zich afgesloten, denk ik, doordat er iets aan hem vreet.'

'Maar jou heeft hij toch binnengelaten?'

En hij had al een tipje van de sluier opgelicht over hoe bezitterig hij in die relatie kon zijn. Dat accepteerde ik omdat het een tekortkoming was die ik ook had, maar toch...

'Je analyseert dit helemaal kapot, Eva,' zei Cary. 'Jij denkt dat wat hij van jou vindt wel een bevlieging of een misverstand moet zijn. Iemand als hij zou jou nooit echt geweldig kunnen vinden vanwege je goede hart en je scherpe geest, toch?'

'Hé zeg! Mijn eigenwaarde is nou ook weer niet zó belabberd,' protesteerde ik.

Hij nam een slokje champagne. 'O nee? Vertel dan eens iets waarvan jij denkt dat hij het leuk vindt aan jou en wat niet iets met seks of onderlinge afhankelijkheid te maken heeft.'

Ik dacht er even over na en kon niks verzinnen, waarop ik hem nors aankeek.

'Juist ja,' zei hij, en hij knikte. 'En als Cross net zo geflipt is als wij zijn, denkt hij precies hetzelfde, maar dan omgekeerd, en vraagt hij zich af wat een lekkere meid als jij in een man als hij ziet. Jij hebt zelf geld, dus wat heeft hij nog te bieden behalve een dekhengst zijn die het maar blijft verpesten?'

Ik leunde achterover in mijn stoel en nam alles wat hij had gezegd goed in me op. 'Cary, wat hou ik toch van je!'

Hij grijnsde. 'Insgelijks, meis. Weet je wat ik zou doen? Relatietherapie. Ben ik zelf ook altijd van plan geweest zodra ik iemand vind met wie ik echt iets wil opbouwen. En probeer plezier met hem te maken. Je moet net zoveel goede momenten als slechte momenten hebben, anders wordt het allemaal veel te pijnlijk en veel te veel werk.'

Ik boog me voorover en kneep in zijn hand. 'Dankjewel.'

'Waarvoor?' Hij wuifde mijn dankbaarheid letterlijk weg. 'Het is veel makkelijker om iemand anders' leven te analyseren. Je weet dat ik zonder jou ook niet over mijn hobbels heen zou komen.'

'En gelukkig heb je die nu niet.' Ik probeerde de aandacht een beetje naar hem te verschuiven. 'Binnenkort hang jij levensgroot op een billboard op Times Square. Dan ben je mijn geheimpje niet meer. Zullen we vanavond de pizza maar eens promoveren tot iets wat beter bij deze gelegenheid past? Wat vind je ervan om dat doosje Cristal open te maken dat Stanton ons heeft gegeven?'

'Kijk, dat zijn de goede ideeën.'

'Doen we een film? Heb je iets op het oog?'

'Wat jij wilt. Ik zou me niet durven meten met jouw feilloze gevoel voor domme actiefilms.'

Ik grijnsde en voelde me al beter, zoals ik had verwacht na een uurtje met Cary. 'Laat het me maar weten als ik te dom ben om aan te voelen wanneer Trey en jij met z'n tweetjes willen zijn.'

'Ha! Dat zul je heus wel merken. Jouw stormachtige liefdesleven geeft me het gevoel dat ik ingedut ben. Ik kan een stevige, dampende neukpartij met mijn eigen hengst wel gebruiken.'

'En je hebt net een paar dagen geleden iemand een beurt gegeven in een bezemkast!'

Hij zuchtte. 'Dat was ik alweer bijna vergeten. Vind je me nou niet vreselijk?'

'Nee hoor. Niet als je het met van die lachende ogen zegt.'

Ik was net terug aan mijn bureau toen ik op mijn smartphone keek. Ik had een sms van Gideon waarin hij me liet weten dat hij om kwart voor drie een kwartiertje tijd had. Ik keek er het anderhalf uur daarna stiekem naar uit, want ik had besloten om Cary's advies op te volgen en een beetje plezier te maken. Gideon en ik zouden binnenkort toch wel door het slijk van mijn verleden moeten waden, maar tot die tijd kon ik ons allebei iets geven waar we om konden glimlachen.

Ik sms'te hem net voordat ik vertrok, om hem te laten weten dat ik onderweg was. Omdat we maar beperkt tijd hadden, was er geen minuut te verspillen. Gideon moet hetzelfde hebben gedacht, want Scott stond me bij de receptie al op te wachten toen ik de wachtruimte van Cross Industries bereikte. Hij liep met me mee terug nadat de receptioniste me met de zoemer had binnengelaten.

'Hoe is jouw dag?' vroeg ik hem.

Hij glimlachte. 'Tot nu toe geweldig. Die van jou?'

Ik glimlachte terug. 'Kon slechter.'

Gideon zat aan de telefoon toen ik zijn kantoor binnenkwam. Kortaf en ongeduldig vertelde hij de persoon aan de andere kant van de lijn dat ze daar het werk aan zouden moeten kunnen zonder dat hij zich er persoonlijk mee hoefde te bemoeien.

Hij stak een vinger op om me duidelijk te maken dat hij nog een minuutje nodig had. Ik antwoordde daarop door een grote bel te blazen van de kauwgum waarop ik aan het kauwen was en die met een knal te laten knappen.

Zijn wenkbrauwen schoten omhoog en hij drukte op de knoppen waarmee hij de deuren op slot kon doen en de glazen muur ondoorzichtig kon maken.

Grijnzend slenterde ik naar zijn bureau en sprong erop. Ik krulde mijn vingers om de rand en zwaaide met mijn benen. De volgende bel die ik blies, liet hij knappen door hem met zijn vinger snel door te prikken. Ik pruilde bevallig.

'Je lost het maar op,' zei hij met een stille autoriteit tegen degene met wie hij aan de telefoon was. 'Ik kan er pas volgende week heen en als we ermee wachten, loopt het nog meer uit. Nee, je hoeft er niets meer over te zeggen. Er ligt iets op mijn bureau dat nogal tijdgevoelig is en daar hou je me van af. Ik kan je garanderen dat dat niet bevorderlijk is voor mijn stemming. Los het op en bel me morgen maar hoe het gegaan is.'

Hij legde de telefoon met ingehouden geweld terug in de houder. 'Eva...'

Ik stak een hand op om hem te onderbreken en stopte mijn kauwgum in een post-it die ik uit een speciaal houdertje op zijn bureau haalde. 'Voordat u me een standje geeft, Mr. Cross, wil ik graag zeggen dat toen we gisteren in het hotel een impasse bereikten bij onze fusiebesprekingen, ik niet weg had moeten lopen. Dat droeg niet bij aan een oplossing voor de situatie. En ik wist ook niet goed hoe ik op dat pr-gedoe met die foto moest reageren. Maar hoe dan ook... ook al ben ik een stoute secretaresse geweest, ik denk toch dat ik nog een tweede kans verdien om te laten zien hoe goed ik ben.'

Hij kneep zijn ogen een beetje dicht terwijl hij me bestudeerde, en ondertussen de situatie probeerde te beoordelen. 'Heb ik u om uw mening gevraagd over wat in dit geval de gepaste handeling is, Miss Tramell?'

Ik schudde mijn hoofd en keek naar hem op vanonder mijn wimpers. Wat er nog aan frustratie bij hem over was door het telefoontje, zag ik wegvallen en in plaats daarvan groeiden zijn interesse en opwinding.

Ik sprong van het bureau en bewoog me zijdelings dichter naar hem toe. Ik streek zijn onberispelijke das met beide handen glad. 'Kunnen we niet tot een oplossing komen? Ik beschik echt over een zeer groot aanbod van bruikbare vaardigheden.'

Hij greep me bij mijn heupen. 'Dat is een van de vele redenen waarom u de enige vrouw bent die ooit voor deze functie in aanmerking is gekomen.'

Ik voelde me warm worden door zijn woorden. Door zijn pantalon heen hield ik brutaal zijn pik in mijn handen en voelde eraan. 'Misschien moet ik me weer aan mijn plichten wijden? Ik zou u kunnen laten zien waarin ik bij uitstek gekwalificeerd ben om u te assisteren.'

Gideon werd verrukkelijk snel stijf. 'Fijn dat u initiatief toont, Miss Tramell. Maar mijn volgende bespreking is al over tien minuten. Bovendien ben ik het niet gewend om de mogelijkheden voor verdieping van de functie in mijn kantoor te bespreken.'

Ik maakte de knoop van zijn gulp los en deed de rits naar beneden. Met mijn lippen tegen zijn kaak fluisterde ik: 'Als je denkt dat er ergens een plek is waar ik je niet zal laten klaarkomen, heb je het mis.'

'Eva,' hijgde hij, en zijn ogen waren vurig en teder. Hij legde zachtjes zijn handen op mijn hals, terwijl zijn duimen mijn kaken streelden. 'Je ontrafelt me helemaal. Weet je dat wel? Doe je dat soms met opzet?'

Ik greep met mijn handen in zijn boxershort en pakte zijn pik. Ik tuitte mijn lippen en bood ze aan voor een kus. Daar ging hij op in. Hij nam mijn mond zo heftig dat ik erdoor in ademnood kwam.

'Ik wil jou,' gromde hij.

Ik ging op mijn knieën op het tapijt zitten en trok zijn pantalon omlaag om er beter bij te kunnen.

Hij ademde uit met een raspend geluid. 'Eva, waar ben je mee bezig...'

Mijn lippen gleden over zijn brede eikelrand. Hij reikte achteruit naar de rand van zijn bureau en zijn handen krulden zo hard om de rand dat hij er witte knokkels van kreeg. Ik hield hem met beide handen vast en legde mijn mond over de fluwelige eikel, en zoog er zachtjes aan. Zijn zachte huid en zijn unieke aantrekkelijke geur ontlokte me een gekreun. Ik voelde de rillingen door zijn hele lichaam trekken en hoorde diep in zijn borstkas een grommend geluid.

Gideon raakte mijn wang aan. 'Lik me.'

Opgewonden door zijn bevel fladderde ik met mijn tong langs de onderkant van zijn pik en rilde van genot toen hij me met een heet shot voorvocht beloonde. Ik drukte mijn vuist tegen zijn wortel, blies mijn wangen bol en trok ze ritmisch weer in, in de hoop dat er nog meer zou komen.

Ik wilde dat ik de tijd had om daar heel lang mee door te gaan. Om hem helemaal gek te maken...

Hij maakte een geluid vol van zalige gekweldheid. 'God, Eva... je mond. Blijf zuigen. Ja, zo... hard en diep.'

Ik werd zo opgewonden van zijn genot dat ik zelf begon te kronkelen. Hij duwde zijn handen door mijn opgestoken haar, en trok eraan. Ik vond het heerlijk dat hij zo teder begon en daarna steeds ruwer werd zodra de lust die hij voor me voelde zijn zelfbeheersing wegvaagde.

Die zachte pijnscheutjes maakten me steeds hongeriger en hebberiger. Mijn hoofd danste op en neer terwijl ik hem bevredigde, hem bewerkte met één hand terwijl ik zijn eikel met mijn mond zoog en streelde. Zijn dikke aderen pompten hevig langs de hele lengte van zijn pik en ik gleed er met de bovenkant van mijn tong overheen, steeds mijn hoofd kantelend om ze een voor een op te zoeken en te strelen.

Hij zwol op en werd steeds dikker en langer. Mijn knieën begonnen pijn te doen, maar het kon me niet schelen. Mijn blik was op Gideon gefixeerd terwijl zijn hoofd achteroverviel en hij naar adem snakte.

'Eva, wat zuig je me goed.' Hij hield mijn hoofd stil en nam het zelf over. Hij stootte met zijn heupen. Neukte mijn mond. Gereduceerd tot het niveau van een basisbehoefte waarbij alleen de race naar het orgasme nog telde.

De gedachte, het plaatje in mijn hoofd van hoe we eruit moes-

ten zien, maakte me gek: Gideon met al zijn beschaafde verfijnd-
heid, staand bij het bureau van waar hij een imperium bestuurt,
zijn grote pik in mijn gretige mond heen en weer stotend.

Ik greep zijn aangespannen dijen met beide handen beet terwijl
ik driftig met mijn lippen en tong werkte, wanhopig verlangend
naar zijn climax. Zijn ballen waren zwaar en groot, een uitdagende tentoonspreiding van zijn krachtige mannelijkheid. Ik
legde mijn handen eromheen en rolde ze zachtjes heen en weer.
Ik voelde ze strak worden en zich optrekken.

'Ah, Eva.' Zijn stem raspte in zijn keel. Hij greep mijn haar nog
steviger beet. 'Je laat me komen.'

De eerste straal sperma was zo dik dat ik hem nauwelijks kon
doorslikken. Bezeten van genot stootte Gideon door tot achter in
mijn keel. Zijn pik bonsde bij elke wrikkende stoot in mijn
mond. De tranen sprongen in mijn ogen en mijn longen brandden, maar ik bleef hem met mijn vuisten bewerken en hem melken. Zijn hele lichaam beefde terwijl ik alles uit hem haalde wat
hij in zich had. De geluiden die hij maakte en de complimenten
die hij buiten adem prevelde, waren de mooiste die ik ooit had
gehoord.

Ik likte hem schoon, en was onder de indruk dat hij niet eens
helemaal slap werd, zelfs na zo'n explosief orgasme. Hij zou me
evengoed nog suf kunnen neuken en ik wist dat hij daar duidelijk
heel veel zin in had. Maar daar hadden we geen tijd voor en daar
was ik blij om. Ik wilde dit voor hem doen. Voor ons. En eigenlijk
voor mezelf, omdat ik er behoefte aan had te weten of ik me kon
overgeven aan een belangeloze seksuele handeling zonder het
gevoel te hebben dat er misbruik van me werd gemaakt.

'Ik moet gaan,' mompelde ik. Ik stond op en drukte mijn lippen
tegen die van hem. 'Ik hoop dat je nog een geweldige dag hebt,
en een geweldig zakendiner vanavond.'

Ik begon weg te lopen, maar hij pakte me bij mijn pols en keek
hoe laat het was op zijn bureautelefoon. Toen zag ik pas dat mijn
foto daar stond, op een prominente plek waar hij hem de hele dag
kon zien.

'Eva... hè verdomme. Wacht.'

Ik fronste bij zijn toon, die ongerust klonk. Gefrustreerd.

Hij werkte snel zijn uiterlijk bij, stopte zijn pik terug in zijn boxershort en streek de rand van zijn overhemd glad zodat hij zijn broek dicht kon doen. Het zag er lief uit hoe hij zichzelf weer op orde bracht, hoe hij de façade die hij de rest van de wereld voorhield, weer in orde bracht, terwijl ik de man die eronder zat in elk geval een beetje kende.

Gideon trok me naar zich toe en drukte zijn lippen op mijn voorhoofd. Hij ging met zijn handen door mijn haar om mijn haarklem los te maken. 'Ik heb jou niet laten komen.'

'Dat hoeft ook niet.' Ik vond het heerlijk om zijn handen om mijn schedel heen te voelen. 'Zo was het ook al heerlijk.'

Hij was druk bezig om mijn haar in orde te brengen, terwijl zijn wangen nog rood waren van zijn orgasme. 'Ik weet dat je behoefte hebt aan gelijkwaardige uitwisseling,' zei hij streng. 'Ik kan je niet laten gaan als je het gevoel hebt dat ik je heb gebruikt.'

Een wrange tederheid beet door me heen. Hij had naar me geluisterd. Het kon hem echt schelen.

Ik legde mijn handen om zijn gezicht. 'Je hebt me ook gebruikt, maar met mijn instemming, en het was zo opwindend. Ik wilde dit aan jou geven, Gideon. Weet je nog? Ik heb je gewaarschuwd. Ik wilde dat je deze herinnering aan mij hebt.'

Zijn ogen werden groot van schrik. 'Wat moet ik met herinneringen als ik jou zelf heb? Eva, als dit over de foto gaat...'

'Hou je mond en geniet er nou maar gewoon van.' We hadden nu geen tijd om het over die foto te hebben en dat wilde ik ook niet. Het zou alles weer verpesten. 'Als we een uur de tijd hadden, zou ik nog niet willen dat je me klaar liet komen. Ik ga geen scorelijstje met je bijhouden. En echt, jij bent de eerste man tegen wie ik dat kan zeggen. En nu moet ik gaan. Jij ook trouwens.'

Ik begon weer weg te lopen, maar hij hield me tegen.

Scotts stem klonk door de luidspreker. 'Het spijt me, Mr. Cross, maar uw afspraak van drie uur is er.'

'Het is oké, Gideon,' verzekerde ik hem. 'Je komt toch vanavond langs, hè?'

'Er is niets wat me daarvan kan weerhouden.'

Ik ging op mijn tenen staan en kuste zijn wang. 'Dan praten we wel verder.'

Na het werk nam ik de trap naar de begane grond om me minder schuldig te voelen dat ik niet naar de sportschool ging, maar ik had er al ernstig spijt van toen ik de hal bereikte. Ik was doodmoe door het gebrek aan slaap van de nacht ervoor. Ik zat eraan te denken om de metro te nemen en niet te gaan lopen toen ik Gideons Bentley bij de stoep zag staan. Toen de chauffeur uitstapte en me groette met mijn naam, stond ik verbaasd stil.

'Mr. Cross heeft gevraagd of ik u thuisbreng,' zei hij. Hij zag er prachtig uit in zijn zwarte pak en zijn chauffeurspet. Hij was een oudere heer met rood haar dat al een beetje grijs werd, lichte blauwe ogen en een heel beschaafde uitspraak.

Mijn benen deden zo'n pijn dat ik dankbaar was voor het aanbod. 'Dankjewel...? Het spijt me, hoe heet je ook alweer?'

'Angus, Miss Tramell.'

Hoe kon ik dat nou vergeten? Die naam was zo cool dat ik ervan moest glimlachen. 'Dankjewel, Angus.'

Hij tikte tegen zijn pet. 'Graag gedaan.'

Ik glipte door het achterste portier dat hij voor me openhield en terwijl ik lekker ging zitten, ving ik een glimp op van het vuurwapen dat hij in een schouderholster onder zijn jasje droeg. Blijkbaar was Angus, net als Clancy, zowel bodyguard als chauffeur.

We reden weg van het trottoir en ik vroeg: 'Hoe lang werk je al voor Mr. Cross, Angus?'

'Acht jaar.'

'Dat is al best lang.'

'Ik ken hem al veel langer, hoor,' zei hij openhartig, terwijl hij me in de achteruitkijkspiegel aankeek. 'Ik reed hem naar school toen hij een jongetje was. Hij nam mij over van Mr. Vidal toen het zover was.'

Ik probeerde me opnieuw in te denken hoe Gideon als kind geweest was. Toen was hij ongetwijfeld ook al knap en charismatisch.

Zou hij als tiener 'normale' seksuele relaties hebben gekend? Ik kon me niet voorstellen dat vrouwen zich zelfs toen niet al op hem stortten. En zo van nature seksueel ingesteld als hij was, kon ik me voorstellen dat hij een seksbeluste tiener was geweest.

Ik viste mijn sleutels uit mijn tas en leunde naar voren om ze voorin op de passagiersstoel te leggen. 'Zou je deze aan Gideon willen geven? Hij komt vanavond bij me op bezoek en misschien wordt het voor hem zo laat dat ik hem niet zal horen kloppen.'

'Maar natuurlijk.'

Paul opende de deur voor me toen we bij mijn appartement aankwamen en begroette Angus met zijn naam. Dat deed me er weer aan denken dat Gideon de eigenaar van het gebouw was. Ik zwaaide naar beide mannen, meldde bij de receptie dat Gideon later langs zou komen en ging toen naar boven. Cary's verbaasde blik toen hij de deur voor me opende, maakte me aan het lachen.

'Gideon komt vanavond langs,' legde ik uit, 'maar ik voel me nu zo uitgeput dat ik misschien niet lang opblijf. Ik heb hem dus mijn sleutels gegeven zodat hij zelf binnen kan komen. Heb jij al besteld?'

'Ja. En ik heb een paar flessen Cristal in de wijnkoelkast gelegd.'

'Je bent fantastisch.' Ik duwde mijn tas in zijn handen.

Ik ging douchen en belde mijn moeder op met de telefoon in mijn kamer. Ik kromp in elkaar toen ze schril zei: 'Ik probeer je al dagen te bereiken!'

'Mam, als je het over Gideon Cross...'

'Ja natuurlijk wil ik het daar ook over hebben! Hemeltjelief, Eva. Je wordt "de vrouw in zijn leven" genoemd. Hoe kan ik het daar nou niet over willen hebben?'

'Mam...'

'Maar ik wil het ook hebben over de afspraak die je me gevraagd hebt te maken met Dr. Petersen.' Ik moest glimlachen om het toontje van zelfingenomen plezier in haar stem. 'We hebben donderdagavond om zes uur een afspraak met hem. Komt dat jou uit? Hij maakt niet vaak 's avonds afspraken.'

Ik liet me met een zucht achterover op het bed vallen. Ik was zo afgeleid geweest door het werk en door Gideon dat die afspraak me helemaal ontschoten was. 'Donderdag om zes uur is prima. Dankjewel.'

'Mooi. En vertel me nu eens over Cross...'

Toen ik uit mijn slaapkamer kwam, gekleed in een jerseybroek en een sweater van de San Diego State University, trof ik Trey met Cary op de bank in de woonkamer aan. Beide mannen stonden op toen ik binnenkwam en Trey begroette me met een open, vriendelijke glimlach.

'Sorry dat ik er zo slonzig uitzie,' zei ik, terwijl ik met mijn vingers door mijn natte paardenstaart streek. 'Ik ging er bijna aan onderdoor toen ik vandaag de trap nam op mijn werk.'

'Had de lift een dagje vrij of zo?' vroeg hij.

'Nee, mijn hersens. Waarom deed ik dat dan ook?' De nacht doorbrengen met Gideon was al work-out genoeg.

De bel ging en Cary liep naar de deur terwijl ik naar de keuken ging om de Cristal te halen. Ik ging naar hem toe bij de bar waar hij de creditcardbon ondertekende en de blik in zijn ogen waarmee hij naar Trey keek, deed me stiekem glimlachen.

Er schoten die avond veel van die blikken heen en weer tussen de mannen. En ik moest Cary gelijk geven: Trey was een lekker ding. De aankomend dierenarts was casual, maar toch met stijl gekleed. Hij had een trendy gescheurde spijkerbroek met bijpassend vest en een T-shirt met lange mouwen aan. Hij was qua persoonlijkheid een heel ander type dan het soort mannen met wie Cary meestal uitging. Trey leek wat nuchterder: niet te ernstig, maar zeker ook niet wispelturig. Ik had het idee dat hij wel een goede invloed op Cary zou hebben, als ze lang genoeg bij elkaar bleven.

We maakten met zijn drieën twee flessen Cristal soldaat, aten twee pizza's en keken *Demolition Man* helemaal uit. Daarna ging ik naar bed. Ik drong er bij Trey op aan dat hij nog even bleef voor *Driven* om daarmee de mini-Stallone-marathon af te ronden. En toen ging ik naar mijn kamer en trok een sexy zwarte babydoll aan die ik had gekregen als onderdeel van een *giftbag* voor bruidsmeisjes, maar dan zonder het bijbehorende slipje.

Ik liet een kaars branden voor Gideon en viel als een blok in slaap.

Ik werd wakker in het donker door de geur van Gideons huid. De lichten en geluiden van de stad werden buitengehouden door de geluiddichte ramen en verduisterende gordijnen.

Gideon gleed als een schaduw over me heen. Zijn blote huid voelde koel aan. Hij schoof zijn mond over die van mij en kuste me langzaam en diep. Ik proefde pepermunt en zijn eigen unieke smaak. Mijn handen gleden langs zijn gestroomlijnde, gespierde rug en ik deed mijn benen uit elkaar zodat hij zich er gemakkelijk tussen kon vleien. Zijn gewicht op me deed mijn hart zuchten en mijn bloed werd warm van verlangen.

'Hé, ook goedenavond,' zei ik kortademig, nadat hij me eindelijk naar lucht had laten happen.

'Volgende keer ga je met me mee,' mompelde hij met zijn sexy, decadente stem, en hij knabbelde aan mijn hals.

'O, denk je dat?' plaagde ik hem.

Hij ging met zijn hand omlaag en legde hem op mijn billen, hij kneep erin en tilde me op terwijl hij behendig zijn heupen tegen me aan slingerde. 'Ja. Ik heb je gemist, Eva.'

Ik woelde met mijn vingers door zijn haar, en wilde dat ik hem kon zien. 'Je kent me nog niet lang genoeg om me te missen.'

'Jij kent mij nog niet lang genoeg om dat te weten,' spotte Gideon, terwijl hij omlaaggleed en zijn neus tussen mijn borsten duwde.

Ik snakte naar adem toen zijn mond mijn tepel bedekte en door het satijn heen zoog. Hij zoog met zulke diepe halen dat ik het diep vanbinnen voelde samentrekken. Met zijn hand duwde hij de zoom van mijn babydoll omhoog en ging naar mijn andere borst. Ik boog me naar hem toe, overgeleverd aan de betovering van zijn mond waarmee hij over mijn lichaam ging, zijn tong in mijn navel duwend, en daarna verder omlaag.

'Jij hebt mij ook gemist,' knorde hij met mannelijke tevredenheid terwijl het topje van zijn middelvinger rond mijn spleetje gleed. 'Je bent opgezwollen en nat voor mij.'

Hij trok mijn benen over zijn schouders en likte tussen mijn plooitjes, zachte en uitdagende likken van heet fluweel tegen mijn gevoelige vlees. Mijn handen balden zich tot vuisten tussen de lakens, mijn borstkas ging op en neer terwijl hij met het puntje van zijn tong om mijn klitje cirkelde en daarna tegen het supergevoelige zenuwknopje duwde. Ik lag te jammeren en mijn heupen bewogen zich rusteloos tegen de slinkse kwelling aan, terwijl mijn spieren zich spanden in een graaiend verlangen om klaar te komen.

Zijn plagerige vlinderbewegingen maakten me helemaal gek. Hij maakte me aan het kronkelen, maar gaf me niet genoeg om klaar te komen. 'Gideon, alsjeblieft.'

'Nee. Nog niet.'

Hij martelde me, bracht mijn lichaam tot vlak bij een orgasme en liet me dan weer terugglijden. Steeds maar weer. Tot er een laagje zweet op mijn huid lag en mijn hart voelde alsof het zou barsten. Zijn tong was onvermoeibaar en wreed, en richtte zich geslepen op mijn klitje tot een enkele streek me in vuur en vlam zou zetten, waarna hij naar beneden ging om bij me naar binnen te stoten. De zachte, ondiepe duikjes waren om gek van te worden. Dat gespartel tegen mijn supergevoelige weefsels maakte me wanhopig genoeg om onbeschaamd te smeken.

'Alsjeblieft, Gideon... laat me komen... ik moet echt klaarkomen, alsjeblieft.'

'Sst, m'n engeltje... ik zorg wel voor je.'

Hij maakte het af met een tederheid waardoor het orgasme door me heen rolde als een bulderende golf, die steeds hoger werd en zich in een warme roes van genot over mijn hele lichaam verspreidde.

Hij strengelde zijn vingers in die van mij toen hij weer op me kwam liggen, en drukte mijn armen op het bed. Zijn eikel lag vlak voor de vochtige ingang van mijn lichaam en hij stootte meedogenloos bij me naar binnen. Ik kreunde en verschoof me een beetje om ruimte te maken voor zijn zwaar stuwende penis.

Gideon ademde met harde, vochtige stoten tegen mijn hals, zijn zware lichaam trilde terwijl hij voorzichtig in me heen en weer gleed. 'Je bent zo zacht en warm. Je bent van mij, Eva. Van mij.'

Ik strengelde mijn benen rond zijn heupen en nodigde hem dieper naar binnen, voelde zijn billen zich tegen mijn kuiten samenknijpen en weer ontspannen terwijl hij mijn lichaam liet zien dat hij er inderdaad met zijn hele dikke lengte in paste, helemaal tot aan de wortel.

Met onze handen in elkaar gestrengeld nam hij mijn mond en begon te bewegen. Hij gleed naar binnen en weer naar buiten met een lome expertise, het tempo precies afgemeten en gestaag, en toch soepel en ontspannen. Ik voelde elke keiharde centimeter binnengaan, voelde de onmiskenbare bevestiging dat elke centimeter van mij van hem was. Hij herhaalde de boodschap tot ik naar adem snakte tegen zijn mond aan, onrustig onder hem bewegend, mijn handen bloedeloos door hoe krachtig ik hem vastgreep.

Hij sprak verhitte complimentjes en aanmoedigingen uit en vertelde me hoe mooi ik was... hoe perfect ik aanvoelde... dat hij nooit meer zou stoppen... niet kon stoppen. Ik kwam klaar met een felle schreeuw van ontlading, trillend van extase, en hij ging onmiddellijk met me mee. Hij verhoogde het tempo voor een paar keiharde stoten en kwam toen klaar terwijl hij mijn naam siste, en spoot zijn zaad in mij.

Ik zonk slap de matras in, zweterig en futloos en verzadigd.

'Ik ben nog niet klaar,' fluisterde hij duister. En hij verschoof zijn knieën een beetje om nog krachtiger te kunnen stoten. Het tempo bleef echter vakkundig afgemeten en met elke stoot bakende hij zijn gebied af: jouw lichaam is er om mij te dienen.

Ik beet op mijn lip om de geluiden van machteloos genot te onderdrukken die de stilte van de nacht zouden kunnen verbreken... en die lieten blijken dat ik beangstigend diepe gevoelens begon te koesteren voor Gideon Cross.

12

Toen Gideon de volgende ochtend wakker werd, stond ik al onder de douche. Hij beende in zijn volle naakte glorie de badkamer binnen met dat soepele air van zelfvertrouwen waar ik meteen al voor was gevallen. Zijn spieren bewogen soepel terwijl hij naar me toe liep en ik deed geen moeite te verhullen dat ik mijn ogen niet van zijn schitterende instrument kon afhouden.

Ondanks het warme water werden mijn tepels hard en kreeg ik overal kippenvel.

Toen hij bij me kwam staan was aan zijn glimlach te zien dat hij precies wist welk effect hij op me had. Ik betaalde hem met gelijke munt terug door zijn goddelijke lijf met doucheschuim te wassen, waarna ik ging zitten op het bankje en hem zo enthousiast pijpte dat hij zich tegen de tegelmuur schrap moest zetten.

Zijn rauwe, hese aanwijzingen weergalmden door mijn hoofd terwijl ik me aankleedde voor kantoor, snel, voordat hij klaar was met douchen en me suf zou neuken zoals hij had gedreigd te doen toen hij wild spuitend klaarkwam in mijn mond.

Die nacht had hij geen nachtmerries gehad. Seks bleek, tot mijn grote opluchting, een goed kalmeringsmiddel te zijn.

'Je denkt nu toch niet dat je eronderuit komt?' zei hij toen hij me achternaliep de keuken in. Hij zag eruit om door een ringetje te halen in een zwart krijtstreeppak en hij pakte de kop koffie aan met een blik die heel veel ondeugende dingen beloofde. De man in het uiterst keurige pak was dezelfde onverzadigbare man die vannacht bij mij in mijn bed was gekropen. Mijn hart ging sneller kloppen. Alles was nog zeer gevoelig, mijn spieren trilden nog van het ondergane genot en ik dacht alweer aan een volgende beurt.

'Als je me zo aan blijft kijken,' waarschuwde hij me, terwijl hij nonchalant op de bar leunde en een slok koffie nam, 'sta ik niet in voor de gevolgen.'

'Straks raak ik door jou nog mijn baan kwijt.'

'Dan regel ik wel een andere voor je.'

Ik snoof. 'Als wat? Jouw seksslavin?'

'Dat is een wel erg interessant voorstel. Daar moeten we het eens uitgebreid over hebben.'

'Maniak,' mompelde ik, ondertussen de koffiekop in de gootsteen afspoelend waarna ik hem in de vaatwasser zette. 'Ben je zover? Om naar je werk te gaan, bedoel ik.'

Hij dronk de koffie op en ik stak mijn hand uit om de mok aan te pakken, maar hij liep langs me heen en spoelde hem zelf af. Een karweitje waardoor hij in mijn ogen menselijker leek en niet een droombeeld dat ik nooit zou kunnen behouden.

Hij draaide zich naar me om. 'Ik neem je vanavond mee uit eten en daarna gaan we naar mijn huis en naar bed.'

'Ik wil niet dat jij het gevoel krijgt dat we voortdurend op elkaars lip zitten, Gideon.' Hij was eraan gewend om vaak alleen te zijn, hij had al heel lang geen echte relatie gehad, als hij dat ooit al had gehad. Hoe lang zou het duren voordat hij zich opgesloten voelde? Bovendien konden we maar beter niet als stel naar buiten treden...

'Kappen met die smoesjes.' Hij keek me strak aan. 'Dat maak jij niet voor me uit.'

Ik kon mezelf wel voor mijn kop slaan dat ik hem had beledigd. Hij deed zijn best en daar moest ik hem complimentjes voor geven in plaats van hem te ontmoedigen. 'Zo bedoelde ik het niet. Ik wil alleen niet dat je me zat wordt. En we moeten ook nog...'

'Eva.' Hij zuchtte gefrustreerd en liet al uitademend de geladen spanning uit zich vloeien. 'Vertrouw me nou maar. Ik vertrouw jou, anders waren we niet al zover gekomen.'

Oké. Ik knikte en slikte moeizaam. 'Eten en dan naar jouw huis. Was het alvast maar zover.'

Wat Gideon over vertrouwen had gezegd, bleef de hele ochtend door mijn hoofd spoken. Dat kwam mooi uit toen ik via Google Alert e-mails toegezonden kreeg.

Deze keer bleef het niet bij één foto. Bij elk artikel en elke blog stonden verschillende foto's van Cary en mij terwijl we voor het restaurant waar we de vorige dag hadden geluncht uitgebreid afscheid van elkaar namen. De koppen wierpen twijfels op bij de aard van onze relatie en een paar vermelden zelfs dat we samenwoonden. Er werd ook nog gesuggereerd dat ik 'miljardair-playboy Cross' aan het versieren was terwijl ik een vriend, die een schitterende carrière als model in het vooruitzicht had, als reserve had.

De reden voor al die publiciteit werd me pas duidelijk toen ik de foto van Gideon tussen die van Cary en mij ontdekte. Hij was gisteravond gemaakt, terwijl ik met Cary en Trey dvd's zat te kijken en Gideon een zakendiner had. Gideon en Magdalene Perez stonden voor een restaurant samenzweerderig naar elkaar te glimlachen terwijl zij zijn arm vasthield. De koppen varieerden van felicitaties voor Gideon voor de 'veelheid aan schoonheden' waar hij uit kon kiezen tot speculaties of hij zijn gebroken hart wegens mijn ontrouw wilde verdoezelen door uit te gaan met andere vrouwen.

Vertrouw me nou maar.

Ik sloot mijn e-mailprogramma terwijl mijn hart als een razende tekeerging. De jaloezie vrat aan me. Ik wist dat hij absoluut niet met iemand anders naar bed was geweest en ik wist ook dat hij om me gaf. Maar ik had een bloedhekel aan Magdalene – niet zo gek na ons gesprekje op het toilet – en ik kon het niet uitstaan dat ze samen met Gideon op de foto stond. Ik kon het niet uitstaan dat ze lief naar hem glimlachte en al helemaal niet nadat ze mij zo rot had behandeld.

Maar ik stopte het weg. Ik borg het op in een doos in mijn hoofd en ik richtte me op mijn werk. Mark had de volgende dag een afspraak met Gideon over de aanpak van de Kingsmancampagne en ik had de informatie-uitwisseling tussen Mark en de diverse afdelingen onder mijn hoede.

'Hoi, Eva.' Mark stak zijn hoofd om de deur van zijn kantoor. 'Steve en ik hebben in de Bryant Park Grill afgesproken voor de lunch. Hij vroeg zich af of jij ook zin had. Hij wil je graag weer een keer zien.'

'Ja, leuk.' Ik vrolijkte helemaal op bij de gedachte aan een lunch met twee zeer charmante mannen in een van mijn lievelingsrestaurants. Door hen zou ik afgeleid worden van het gesprek dat ik over een paar uur met Gideon moest voeren over mijn verleden.

Ik was niet langer incognito. Ik moest me vermannen en met Gideon praten voordat we uit eten gingen. Voordat we weer als een stel naar buiten traden. Hij moest weten welk risico hij nam door met mij uit te gaan.

Even later ontving ik via de interne post een envelop en ik nam aan dat het een ontwerp was voor een van de advertenties voor Kingsman, maar het bleek een correspondentiekaart van Gideon te zijn.

Twaalf uur. Mijn kantoor.

'Heel fijn,' mompelde ik. Hij had niet eens de moeite genomen om een aanhef en een groet erop te zetten. Bovendien was het meer een bevel dan een uitnodiging. En dan had ik het nog niet eens over het feit dat Gideon niet even de moeite had genomen om te vertellen dat hij Magdalene in het restaurant tegen het lijf was gelopen.

Had hij haar meegenomen in plaats van mij? Daar was ze per slot van rekening voor. Om mee om te gaan buiten zijn hotelkamer om.

Ik draaide de kaart om en schreef een even beknopt antwoord terug.

Sorry. Andere plannen.

Een kinderachtige reactie, maar die had hij verdiend. Tegen kwart voor twaalf gingen Mark en ik naar beneden. Daar werd ik tegengehouden door de beveiligingsmedewerker die Gideon belde en doorgaf dat ik in de hal stond. Mijn irritatie sloeg om in woede.

'Kom, we gaan,' zei ik tegen Mark en ik beende naar de draaideur zonder te luisteren naar de beveiligingsmedewerker die me verzocht nog een paar minuten te wachten. Ik vond het wel sneu dat hij nu de lul was.

Ik zag Angus bij de Bentley staan en ik hoorde op hetzelfde moment Gideon mijn naam snauwen. Ik draaide me om en hij kwam bij Mark en mij op de stoep staan met een gezicht waar niets op af te lezen stond en een kille blik.

'Ik ga lunchen met mijn baas,' zei ik tegen hem, met mijn kin in de lucht.

'Waar gaan jullie naartoe, Garrity?' wilde Gideon weten, terwijl hij mij strak bleef aankijken.

'Bryant Park Grill.'

'Ik zorg wel dat ze daar komt.' Gideon pakte me bij de arm, dirigeerde me naar de Bentley en naar het achterportier dat Angus voor me openhield. Gideon stapte meteen na mij in zodat ik door moest schuiven naar de andere kant. Het portier werd dichtgeslagen en we reden weg.

Ik trok de rok van mijn nauwsluitende jurk recht. 'Waar ben jij mee bezig? Je zet me goed voor schut bij mijn baas!'

Hij sloeg zijn arm over de rugleuning van de achterbank en boog zich naar me toe. 'Is Cary verliefd op je?'

'Hè? Nee, natuurlijk niet!'

'Heb je met hem geneukt?'

'Ben jij nou gek geworden?' Ik wierp vernederd een blik op Angus die net deed of hij doof was. 'Moet jij zeggen, miljardairplayboy met je veelheid aan schoonheden.'

'Je hebt de foto's dus gezien.'

Ik stikte zowat van woede. De brutaliteit. Ik draaide mijn hoofd bij hem en zijn belachelijke aantijgingen weg. 'Ik zie Cary als een broer. Dat weet je best.'

'Ja, maar hoe ziet hij jou? De foto's waren duidelijk genoeg, Eva. Ik zag liefde.'

Angus remde af voor een kudde voetgangers die aan het oversteken was. Ik duwde het portier open en keek achterom naar Gideon zodat hij mijn gezicht goed kon zien. 'Daar heb jij anders de ballen verstand van.'

Ik sloeg het portier dicht en liep op hoge poten weg. Met de grootste moeite had ik mijn eigen vragen en jaloezie weten te onderdrukken en wat kreeg ik ervoor terug? Gideon, die zonder enige reden pisnijdig op me was.

'Eva. Blijf staan.'

Ik hief mijn middelvinger naar hem op en rende de treden op naar Bryant Park, een weelderige groene en rustige oase midden in de stad. Als je daar liep was het alsof je je in een andere wereld bevond. Bryant Park werd omringd door wolkenkrabbers en was een lapje groen achter een prachtige oude bibliotheek. Een plek waar de klok langzamer tikte, waar kinderen lachten van de pret in een ouderwetse draaimolen en waar boeken geliefd gezelschap waren.

Helaas was het oogverblindende monster uit de andere wereld me gevolgd. Gideon greep me bij mijn middel.

'Staan blijven,' beet hij me toe.

'Ben je gek geworden of zo?'

'Ja, ik word helemaal gek van jou.' Zijn armen werden stalen kabels. 'Je bent van mij. Zeg dat maar tegen Cary.'

'Zal ik doen. En zeg maar tegen Magdalene dat jij van mij bent.' Ik had zin om hem flink te bijten. 'Iedereen staat te kijken.'

'We hadden het ook in mijn kamer kunnen bespreken, maar daar was jij te koppig voor.'

'Ik had al iets geregeld, eikel. En nu heb jij dat fijn voor me verknald.' Mijn stem brak en de tranen schoten me in de ogen toen ik merkte dat er mensen naar ons stonden te kijken. Ik kreeg straks ontslag vanwege deze scène. 'Jij verknalt verdomme alles.'

Gideon liet me onmiddellijk los en draaide me naar zich toe. Hij hield me nog wel bij mijn schouders beet zodat ik niet weg kon lopen.

'Jezus.' Hij drukte me tegen zich aan en legde zijn wang op mijn hoofd. 'Niet huilen. Het spijt me.'

Ik timmerde met mijn vuist op zijn borst, maar ik had net zo goed op een stenen muur kunnen slaan. 'Wat mankeert je toch? Jij kunt dus rustig uitgaan met een kattige trut die mij een slet noemt, maar ik kan niet even gaan lunchen met een goede vriend die jou al van het begin af aan geschikt voor mij vindt?'

'Eva.' Hij pakte mijn hoofd en drukte zijn wang tegen mijn slaap. 'Maggie was toevallig in hetzelfde restaurant als waar ik die zakenlunch had.'

'Dat kan me geen ruk schelen. Als jij begint over hoe iemand kijkt, dan moet je eens naar jouw gezicht op die foto kijken... Hoe kun je haar zo'n blik toewerpen nadat ze mij had uitgescholden?'

'Engel...' Zijn lippen streelden hartstochtelijk over mijn gezicht. 'Die blik was voor jou bedoeld. Maggie zag me buiten staan en ik zei tegen haar dat ik naar jou toe ging. Zo zie ik er nu eenmaal uit als ik aan ons tweetjes denk.'

'En daarom moest ze zeker glimlachen?'

'Ze zei dat ik je de groetjes moest doen, maar ik dacht niet dat dat goed zou vallen en ik was niet van plan om onze avond door haar te laten verpesten.'

Ik sloeg mijn armen om zijn middel. 'We moeten praten, van-avond nog, Gideon. Ik moet je een paar dingen vertellen. Als een journalist toevallig gaat spitten... Onze relatie moet privé blijven en anders moeten we ermee kappen. Dat is beter voor jou.'

Gideon pakte mijn gezicht en drukte zijn voorhoofd tegen dat van mij. 'Dat gaat niet gebeuren. We komen er wel uit.'

Ik ging op mijn tenen staan en drukte mijn lippen op zijn mond. Onze tongen vonden elkaar in een uiterst hartstochtelijke kus. Ik was me vaag bewust van de menigte om ons heen, het geroezemoes en de herrie van het verkeer, maar niets deed er meer toe als Gideon me in zijn armen nam. Als hij me koesterde. Hij kwelde me maar bevredigde me ook, een man die even on-derhevig was aan emotie en passie als ik.

'Zo,' fluisterde hij en hij streelde me over de wang. 'Laten ze dat maar online zetten.'

'Je luistert niet, koppige man die je bent. Ik moet echt weg.'

'We gaan straks na het werk samen naar huis.' Hij liep achteruit tot onze handen elkaar niet meer raakten.

Ik draaide me om naar het met klimop begroeide restaurant en zag dat Mark en Steven bij de ingang op me stonden te wachten. Ze waren een apart stel, Mark in pak en stropdas en Steven in een versleten spijkerbroek en laarzen.

Steven had zijn handen in zijn broekzakken gestoken en grijns-de me breed toe. 'Ik krijg gewoon de neiging om te klappen. Het was nog leuker om naar te kijken dan een vrouwenfilm.'

Ik kreeg een rood hoofd en stond wat te schuifelen.

Mark trok de deur open en gebaarde dat ik naar binnen moest gaan. 'Enfin, mijn prevelementje over Cross' versierkunsten moet je maar vergeten.'

'Ik ben allang blij dat je me niet ontslaat,' antwoordde ik droog-jes terwijl de gastvrouw naging welke tafel we hadden gereser-veerd. 'Of in elk geval dat je me eerst te eten geeft, voordat ik de laan uit word gestuurd.'

Steven gaf me een klapje op mijn schouder. 'Mark wil je echt niet kwijt.'

Mark glimlachte terwijl hij een stoel voor me naar achteren trok. 'Anders kan ik Steven toch niet op de hoogte houden van jouw liefdesleven? Die man is nu eenmaal verslaafd aan soaps. Hij is dol op romantische drama's.'

Ik snoof. 'Meen je dat nou?'

Steven wreef over zijn kin en glimlachte. 'Dat ga ik jou niet aan je neus hangen. Als man heb ik zo mijn geheimen.'

Mijn mond vertrok in een glimlach, maar ik was me pijnlijk bewust van mijn eigen verborgen verleden. En van het feit dat ik dat binnen korte tijd moest onthullen.

Om vijf uur was ik er klaar voor om mijn verleden bloot te leggen. Ik was gespannen en somber toen Gideon en ik in de Bentley stapten en dat werd er niet beter op toen ik merkte dat hij mijn afgewende gezicht bestudeerde. Ik barstte bijna in snikken uit toen hij mijn hand pakte en er een kus op drukte. Ik was nog niet helemaal over het voorval in het park heen en dan moest de rest nog allemaal komen.

We zeiden niets tot we in zijn huis waren.

Toen we binnenkwamen, leidde hij me rechtstreeks door de prachtige ruime zitkamer en de gang naar zijn slaapkamer. Op het bed lag een fantastisch mooie cocktailjurk in de kleur van Gideons ogen en een lange, zwarte zijden ochtendjas.

'Ik had gisteren voor het diner nog even tijd om te winkelen,' legde hij uit.

Ik vond het lief dat hij zo attent was geweest en was iets gerustgesteld. 'Dankjewel.'

Hij zette mijn tas op een stoel naast de ladekast. 'Maak het je gemakkelijk. Je kunt de ochtendjas aandoen of iets van mij. Ik trek een fles wijn open en dan gaan we zitten. Als je klaar bent kunnen we praten.'

'Ik neem nog wel even snel een douche.' Konden we het voorval in het park maar gescheiden houden van wat ik hem te vertellen had, zodat we die zaken apart konden afhandelen, maar het was nu eenmaal niet anders. De kans was groot dat iemand Gideon van mijn verleden op de hoogte zou brengen en ik vond dat hij het van mij moest horen.

'Dat kan, engel. Doe maar of je thuis bent.'

Ik schopte mijn pumps uit en liep naar de badkamer. Hij maakte zich duidelijk zorgen, maar hij moest nog even wachten totdat ik mezelf wat beter in de hand had. Daarom nam ik ook de tijd voor een douche. Helaas deed het me denken aan diezelfde ochtend dat we samen hadden gedoucht. Was dat onze eerste en laatste gezamenlijke douche geweest?

Toen ik klaar was, stond Gideon bij de bank in de woonkamer. Hij had een zwartzijden pyjamabroek aan die op zijn heupen hing. Verder niets. Er brandde een vuurtje in de open haard en op de salontafel stond een fles wijn in de ijskoeler. Midden op de tafel stonden een aantal roomwitte kaarsen die met hun goudgele gloed buiten het haardvuur de enige verlichting vormden.

'Neem me niet kwalijk,' zei ik vanuit de deuropening, 'maar ik ben op zoek naar Gideon Cross. U weet wel, de man die de ballen verstand van romantiek heeft.'

Hij grijnsde schaapachtig, de jongensachtige glimlach paste totaal niet bij de volwassen sensualiteit van zijn naakte lijf. 'Zo zie ik dat niet. Ik dacht dat jij het wel leuk zou vinden, vandaar.'

'Ik vind jóú leuk.' Ik liep naar hem toe en de zwarte ochtendjas zwierde om mijn benen. Ik vond het prachtig dat hij iets had aangetrokken wat paste bij zijn cadeau.

'Dat is mooi,' zei hij ernstig. 'Ik doe mijn best.'

Ik bleef voor hem staan en genoot van zijn knappe gezicht en de sexy manier waarop zijn haar zijn schouders raakte. Ik streelde over zijn bovenarmen en kneep zachtjes in zijn biceps voordat ik mijn hoofd tegen zijn borst drukte.

'Hé,' zei hij zacht en hij sloeg zijn armen om me heen. 'Komt het doordat ik me daarstraks zo stom heb gedragen? Of komt het door wat je wilt vertellen? Zeg het me maar, Eva, het komt allemaal wel goed.'

Ik wreef met mijn neus over zijn borst en zijn borstharen kriebelden op mijn wang. Ik ademde de geruststellende bekende geur van zijn huid in. 'Ga maar zitten. Ik moet je wat vertellen. En het is niet fijn om te horen.'

Gideon liet me met tegenzin los toen ik me uit zijn omhelzing terugtrok. Ik ging met opgetrokken benen op de bank zitten en hij schonk een glas goudgele wijn voor ons in voordat ook hij plaatsnam. Hij boog zich naar me toe, legde zijn arm over de rugleuning van de bank en hield het glas met zijn andere hand vast terwijl hij zich volledig op me richtte.

'Goed, daar gaat ie dan.' Ik haalde diep adem voordat ik van wal stak, duizelig door mijn versnelde hartslag. Ik kon me niet herinneren dat ik ooit zo zenuwachtig of zo misselijk was geweest.

'Mijn vader en moeder zijn nooit getrouwd. Ik heb geen idee hoe ze elkaar hebben leren kennen, want ze hebben het er nooit over. Ik weet wel dat mijn moeder uit een rijke familie komt. Niet zo rijk als de familie van haar huidige man, maar toch. Ze was debutante, inclusief witte jurk en de hele rimram. Doordat ze zwanger raakte werd ze onterfd, maar ze wilde mij houden.'

Ik sloeg mijn ogen neer. 'Dat vind ik heel sterk van haar. Ze drongen erop aan dat ze het kindje – mij dus – weg zou laten halen, maar ze liet zich niet overhalen. Nou ja, dat blijkt wel.'

Hij ging met zijn hand door mijn natte haren. 'Bof ik even.'

Ik pakte zijn hand, kuste zijn knokkels en legde onze handen in mijn schoot. 'Ze wist uiteindelijk een miljonair te strikken, ook al had ze al een kind. Hij was weduwnaar en had een zoon die twee jaar ouder was dan ik, dus ik neem aan dat ze de perfecte combinatie meenden te vormen. Hij was vaak onderweg en bijna nooit thuis en mijn moeder gaf zijn geld uit en voedde zijn zoon op.'

'Dat ze geld wil, snap ik, Eva,' mompelde hij. 'Dat heb ik ook. Je krijgt er macht door, zekerheid.'

We keken elkaar aan. Doordat hij dat toegaf, gebeurde er iets tussen ons. Het maakte het er voor mij gemakkelijker op om de rest te vertellen.

'Op mijn tiende verkrachtte mijn stiefbroer me voor het eerst...'

De steel van het glas brak in zijn hand. Hij reageerde razendsnel en ving de kelk van het glas op met zijn bovenbeen voordat de wijn eruit klotste.

Ik kwam tegelijk met hem overeind. 'Heb je jezelf pijn gedaan? Ben je gewond?'

'Niks aan de hand,' zei hij kortaf. Hij liep naar de keuken en gooide het glas weg. Ik zette met trillende handen voorzichtig mijn glas neer. Ik hoorde kastdeurtjes open- en dichtgaan. Een paar minuten later kwam Gideon terug met een whiskyglas waarin een donkere vloeistof zat.

'Ga zitten, Eva.'

Ik keek hem aan. Hij stond met rechte rug, zijn ogen zo koud als ijs. Hij wreef over zijn wangen en zei vriendelijker: 'Ga toch zitten.'

Mijn knieën knikten en ik liet me op de bank zakken en trok de ochtendjas strak om me heen.

Gideon bleef staan en nam een grote slok. 'Voor het eerst, zei je. Hoe vaak heeft hij het gedaan?'

Ik ademde bewust in en uit om rustig te worden. 'Geen idee. Ik ben de tel kwijtgeraakt.'

'Heb je het iemand verteld? Je moeder?'

'Nee, als zij het had geweten, waren we meteen vertrokken. Nathan zorgde ervoor dat ik het niet aan haar durfde te vertellen.' Ik wilde slikken, maar mijn keel zat dicht en was zo droog dat ik ineenkromp van het pijnlijke schurende gevoel. Toen ik weer wat uit kon brengen, kwam het niet boven gefluister uit. 'Ooit was het zo erg, dat ik het haar bijna had verteld, maar dat had hij door. Nathan zag dat ik op het punt stond het te verklappen. Dus brak hij de nek van mijn kat en liet haar achter op mijn bed.'

'Godallemachtig.' Gideon haalde zwaar adem. 'Hij was niet alleen gestoord, hij was volslagen krankjorum. En hij molesteerde jou... Eva.'

'De bedienden moeten ervan af hebben geweten,' ging ik als verdoofd door, met neergeslagen ogen. Ik wilde het achter de rug hebben, hem alles vertellen, zodat ik het weer weg kon stoppen en er niet meer aan hoefde te denken. 'Het feit dat zij het ook niet vertelden, maakte mij duidelijk dat zij ook bang waren. Zij waren volwassen en durfden het ook niet ter sprake te brengen. Ik was een kind. Als zij er al niets aan konden doen, dan ik toch helemaal niet?'

'Hoe ben je ervan verlost?' vroeg hij hees. 'Wanneer kwam er een einde aan?'

'Op mijn veertiende. Ik dacht dat ik ongesteld was, maar er was wel erg veel bloed. Mijn moeder raakte in paniek en ging met me naar de Spoedeisende Hulp. Het was een miskraam. Tijdens het onderzoek ontdekten ze sporen van... ander letsel. Littekens in de vagina en de anus...'

Gideon zette met een klap het glas op de salontafel.

'Sorry,' fluisterde ik, met een misselijk gevoel. 'Ik had het je liever niet zo uitgebreid verteld, maar als iemand gaat spitten, kan hij erachter komen. Het ziekenhuis gaf het aan. De aangifte was ooit voor iedereen toegankelijk, nu niet meer, maar er zijn genoeg mensen die het verhaal kennen. Toen mijn moeder met Stanton trouwde, heeft hij ervoor gezorgd dat het dossier niet langer openbaar was. Maar jij hoort het te weten, want als het bekend wordt, geneer jij je er misschien voor.'

'Ik me generen?' beet hij me toe, trillend van woede. 'Ik voel me momenteel nu niet bepaald gegeneerd.'

'Gideon...'

'Als er ook maar één journalist is die dit durft te publiceren, dan kan hij het verder wel schudden in de mediawereld en vervolgens gaat elk medium dat het brengt er ook aan.' Hij was witheet van woede. 'Ik spoor het onmens op dat jou dat heeft aangedaan, Eva. Hij zal wensen dat hij nooit was geboren.'

Er ging een rilling door me heen, want ik geloofde hem meteen. Dat was in zijn blik te zien. Aan zijn stem te horen. Aan de woede die van hem afstraalde en zijn dreigende blik. Hij was niet alleen een gevaarlijke man om te zien. Gideon was het soort man dat koste wat kost altijd kreeg wat hij wilde.

Ik kwam overeind. 'Hij is het niet waard. Hij is al die moeite niet waard.'

'Maar jij wel. Jij bent het zeker waard. Godver. Verdomme nog aan toe.'

Ik liep naar de open haard, op zoek naar warmte. 'Dan is er nog het geld. Agenten en journalisten gaan altijd achter het geld aan. Er zullen vragen opgeworpen worden waarom mijn moeder na haar eerste huwelijk twee miljoen dollar mee kreeg en haar dochter uit een eerdere relatie vijf miljoen dollar kreeg.'

De plotselinge stilte was bijna tastbaar. 'Uiteraard,' ging ik door, 'zal dat bloedgeld inmiddels een hoop meer geworden zijn. Ik wil er niets mee te maken hebben, maar Stanton regelt de aandelen die ik ervan heb gekocht en wat die man aanraakt verandert in goud. Dus mocht je ooit hebben gedacht dat ik achter jouw geld aan zat...'

'Hou op.'

Ik draaide me naar hem om. Zag zijn gezicht, zijn ogen. Zag het medelijden en de afschuw. Maar wat me het meest raakte was wat ik niet zag.

Mijn grootste angst was bewaarheid. Ik was bang geweest dat hij door mijn verleden op me af zou knappen. Ik had Cary gezegd dat Gideon misschien met me door wilde gaan vanwege de verkeerde redenen. Dat hij bij me zou blijven, maar dat ik hem evengoed kwijt zou zijn.

En zo te zien was dat ook het geval.

13

Ik trok de ceintuur van de ochtendjas strak aan. 'Ik ga me omkleden en dan ga ik weg.'

'Weg?' Gideon keek me woedend aan. 'Waar ga je naartoe dan?'

'Naar huis,' zei ik, dodelijk vermoeid. 'Je moet het laten bezinken.'

Hij sloeg zijn armen over elkaar. 'Daar kun je rustig bij blijven.'

'Dat lijkt me niet.' Ik stak mijn kin in de lucht, de gêne maakte plaats voor verdriet en hartverscheurende teleurstelling. 'Niet zolang je me zo medelijdend aankijkt.'

'Ik ben verdomme niet van steen, Eva. Ik moet wel behoorlijk harteloos zijn mocht jouw verhaal me niet raken.'

De emoties die ik na de lunch had ondergaan, balden zich samen tot een scherpe pijn in mijn borst die een uitlaatklep vond in een woede-uitbarsting. 'Godsamme, ik wil jouw medelijden helemaal niet.'

Hij stak zijn handen in zijn haar. 'Wat wil je verdomme dan wel?'

'Jou! Ik wil jou.'

'Je hebt me al. Hoe vaak moet ik je dat nog zeggen?'

'Wat heb ik daar nou aan als het verder niets voorstelt? Van het begin af aan geil je op me. Je kon me niet aankijken zonder verdomd duidelijk te maken dat je me helemaal gek wilde neuken. Maar dat is niet meer zo, Gideon.' Mijn ogen brandden van ingehouden tranen. 'Die blik... zie ik niet meer bij jou.'

'Dat meen je toch zeker niet?' Hij keek me verbijsterd aan.

'Je beseft niet wat jouw passie met me doet.' Ik sloeg mijn armen om me heen en verborg mijn borsten. Ik voelde me bloot en kwetsbaar. 'Daardoor voelde ik me mooi. Daardoor voelde ik me sterk en energiek. Ik... ik wil niet samen met jou zijn als je dat soort gevoelens niet meer voor me koestert.'

'Eva, ik...' Hij maakte de zin niet af. Zijn gezicht stond strak en afstandelijk, zijn vuisten waren gebald.

Ik knoopte de ceintuur los en liet de ochtendjas op de grond vallen. 'Kijk me aan, Gideon. Kijk naar mijn lichaam. Het is nog steeds hetzelfde lijf als waar jij gisteren geen genoeg van kon krijgen. Hetzelfde dat jij zo wanhopig graag wilde bezitten dat je me meenam naar die afschuwelijke hotelkamer. Als je het niet meer wilt... als je er geen stijve meer van krijgt...'

'Ben ik zo stijf genoeg?' Hij trok het trekkoord van de pyjama-broek kapot toen hij hem naar beneden schoof en zijn grote erectie toonde.

We vlogen tegelijkertijd op elkaar af. Onze monden persten op elkaar terwijl hij me optilde zodat ik mijn benen om hem heen kon slaan. Hij wankelde naar de bank, viel en ving ons op door zijn arm uit te steken.

Ik lag onder hem, buiten adem te snikken, en hij gleed op zijn knieën op de grond en likte mijn spleet. Hij was ruw en ongedul-dig, lang niet zo verfijnd als anders, en ik genoot ervan. Ik genoot er zelfs nog meer van toen hij op me kwam liggen en zijn pik in me schoof. Ik was nog niet erg nat en ik snakte naar lucht toen het even pijn deed, maar zijn duim lag al op mijn clitoris en draaide rond zodat ik binnen de kortste keren met mijn onderlijf schokte.

'Ja,' kreunde ik, en ik liet mijn nagels over zijn rug gaan. Hij was niet langer afstandelijk, hij brandde van verlangen. 'Neuk me, Gideon. Neuk me hard.'

'Eva.' Hij kuste me. Hij greep me bij mijn haar zodat ik stil moest blijven liggen terwijl hij steeds weer diep en hevig in me stootte. Hij zette zich met zijn voet af tegen de armleuning, en ramde in me terwijl hij fel toewerkte naar zijn orgasme. 'Van mij... van mij... van mij...'

Door het ritmische gebonk van zijn zware ballen tegen mijn billen en zijn rauwe, bezitterige mantra werd ik bloedgeil. Met elke pijnscheut nam mijn hartslag toe en door de toenemende opwinding kneep mijn geslachtsdeel steeds meer samen.

Hij kwam klaar met een lange hese kreun en zijn soepele lijf schudde toen hij zich in me leegspoot.

Ik hield hem in mijn armen tijdens zijn orgasme, streelde zijn rug en overlaadde zijn schouder met kusjes.

'Niet loslaten,' zei hij schor, hij stak zijn handen onder me en perste mijn borsten tegen zich aan.

Gideon trok me omhoog en ging toen zitten met mij op zijn schoot. Ik was nog glibberig van zijn sperma, zodat hij gemakkelijk in me kon komen.

Hij streek het haar uit mijn gezicht en veegde toen mijn tranen van opluchting weg. 'Van jou krijg ik altijd een stijve, jij maakt me altijd geil. Ik word gek als ik aan je denk. Als ik daar iets aan had kunnen doen, had ik dat al lang geleden gedaan. Oké?'

Ik pakte zijn polsen beet. 'Oké.'

'Laat me dan maar eens zien of jij mij nog steeds wilt.' Zijn hoofd was rood en bezweet, zijn ogen donker en woest. 'Ik wil weten of ik jou niet kwijt ben nu ik mezelf even niet in de hand kon houden.'

Ik leidde zijn handen van mijn wangen naar mijn borsten. Toen hij ze omvatte, legde ik mijn handen op zijn schouders en bewoog ik heen en weer. Hij was nog niet echt stijf, maar al snel werd hij dikker. Hij wreef over mijn tepels en kneep erin waardoor er golfjes genot door me heen sloegen die doortrokken naar mijn clitoris. Toen hij me naar zich toe trok en mijn harde tepel in zijn mond nam, slaakte ik een kreet van genot. Mijn lijf hunkerde naar meer.

Ik kneep mijn dijen samen en kwam omhoog. Met mijn ogen dicht concentreerde ik me op het gevoel van zijn penis die uit me gleed, toen hij weer naar binnen kwam beet ik even op mijn lip omdat hij zo groot was.

'O ja,' mompelde hij en hij ging al likkend van de ene naar de andere tepel. Zijn tong bespeelde vaardig de rechtopstaande speen. 'Kom voor me klaar. Ik wil dat je klaarkomt op mijn pik.'

Ik draaide met mijn onderlijf en genoot van het zalige gevoel van zijn penis helemaal in me. Terwijl ik me op zijn stijve penis naar een hoogtepunt toe werkte schaamde ik me niet en had ik nergens spijt van. Af en toe verschoof ik een beetje zodat de dikke eikel precies bij het juiste plekje kon komen.

'Gideon,' zei ik zwaar ademend. 'O ja... o, alsjeblieft...'

'Wat ben je mooi.' Hij greep me bij mijn nek en hield me met zijn andere arm om mijn middel beet terwijl hij omhoogstootte om dieper in me te komen. 'Je bent zo sexy. Ik kom weer klaar. Dat komt door jou, Eva. Jij maakt me steeds weer geil.'

Ik slaakte een kreetje toen alle spieren zich spanden door de zoete aandrang van de ritmische stoten. Ik bewoog al hijgend mijn onderlijf driftig op en neer. Ik legde mijn vingertopjes op mijn clitoris en streelde mezelf naar een hoogtepunt.

Hij snakte naar adem en zonk achterover met zijn hoofd in het kussen van de bank. 'Ik voel dat je op het punt staat een orgasme te krijgen. Je kutje voelt warm en strak aan, alsof hij me wil verzwelgen.'

Door zijn stem en de woorden die hij gebruikte kwam ik klaar. Zodra ik ging krampen schreeuwde ik het uit, het orgasme had me in zijn greep en mijn geslachtsdeel kneedde heftig Gideons harde erectie.

Knarsetandend hield hij vol tot de krampen afnamen, toen pakte hij me bij mijn billen beet en pompte hard in me. Een, twee keer. Bij de derde stoot gromde hij mijn naam en spoot hij me vol, daarbij alle twijfel wegnemend.

Ik weet niet hoe lang we op de bank hebben gelegen, dicht op en in elkaar, mijn hoofd op zijn schouder terwijl hij mijn rug streelde.

Gideon drukte zijn mond tegen mijn slaap en mompelde: 'Blijf bij me.'

'Ja.'

Hij drukte me tegen zich aan. 'Wat ben je dapper, Eva. Sterk en eerlijk. Je bent wonderbaarlijk. Mijn kleine wonder.'

'Maar dan wel dankzij moderne therapie,' schimpte ik en ik woelde door zijn weelderige haardos. 'En zelfs toen zat ik er een tijdje behoorlijk doorheen en er zijn nog steeds bepaalde dingen waar ik niet tegen kan.'

'Jezus. En hoe heb ik jou in het begin wel niet behandeld... ik had het zelfs voordat we iets kregen al kapot kunnen maken. En dat diner...' Er ging een rilling door hem heen en hij begroef zijn hoofd in mijn nek. 'Eva, ik wil dit niet verknallen. Zorg ervoor dat ik je niet kwijtraak.'

Ik tilde mijn hoofd op en keek hem onderzoekend aan. Wat was hij toch onmogelijk knap. Het was gewoon niet te bevatten. 'Ga je nu alles wat je ooit hebt gedaan of gezegd in een ander daglicht stellen vanwege Nathan? Dan wordt het zeker niets tussen ons.'

'Dat mag je niet zeggen. Je mag het zelfs niet denken.'

Ik streek met mijn duim over zijn gefronste wenkbrauwen. 'Ik had het je liever nooit verteld. Maar je moest het nu eenmaal weten.'

Hij pakte mijn hand en drukte mijn vingertoppen tegen zijn lippen. 'Ik wil alles over jou weten, elk klein dingetje.'

'Een vrouw heeft recht op bepaalde geheimen,' zei ik plagend.

'Bij mij niet.' Hij greep me bij mijn haar en zijn andere arm sloeg hij om mijn middel en hij drukte me tegen zich aan, om mij duidelijk te maken – alsof ik dat niet wist – dat hij nog steeds in me zat. 'Jij wordt van mij, Eva. En dat is wel zo eerlijk omdat ik van jou ben.'

'En hoe zit het met jouw geheimen, Gideon?'

Zijn gezicht werd een ondoordringbaar masker. Dat ging zo snel dat ik wist dat het voor hem een tweede natuur was geworden. 'Toen ik jou leerde kennen, begon ik met een schone lei. Wie ik was, wat ik nodig dacht te hebben...' Hij schudde zijn hoofd. 'We zullen er samen achter komen wie ik ben. Jij bent de enige die me kent.'

Maar dat was niet waar. Niet echt. Ik leerde hem langzaam een beetje kennen, maar voor het grootste deel was hij nog steeds een raadsel.

'Eva... Zeg me wat je wilt...' Hij slikte moeizaam. 'Ik kan hier beter in worden, als je me de kans geeft. Zolang je het maar niet opgeeft.'

Godsamme. Hij raakte me steeds weer. Een paar woorden hier, een wanhopige blik daar en ik was weer een grote open wond.

Ik streelde zijn gezicht, zijn haar, zijn schouders. Hij had net als ik een hoop meegemaakt, al wist ik nog niet wat. 'Ik wil dat je iets voor me doet, Gideon.'

'Wat dan? Zeg het maar, ik doe alles voor je.'

'Ik wil dat je me elke dag iets vertelt wat ik nog niet over je wist. Iets onthullends, al lijkt het nog zo onbelangrijk. Beloof je me dat?'

Gideon keek me wantrouwig aan. 'En het maakt niet uit wat?'

Ik knikte, al had ik geen idee wat ik ermee dacht te bereiken.

Hij ademde zwaar uit. 'Nou, goed dan.'

Ik kuste hem zachtjes bij wijze van een bedankje.

Hij wreef met zijn neus over die van mij en zei: 'Ga je mee uit eten? Of zullen we wat laten bezorgen?'

'Weet je wel zeker dat we als stel naar buiten moeten treden?'

'Ik wil een date met je.'

Daar kon ik onmogelijk nee tegen zeggen, want ik wist dat het voor hem een hele stap was. Voor ons allebei eigenlijk wel, aangezien onze vorige date op een ramp was uitgelopen. 'Romantisch, hoor. En verleidelijk.'

Hij beloonde me met een blije glimlach en met een douche om op te frissen. Ik vond het heerlijk om hem te wassen, net zo lekker als het gevoel van zijn handen die mij inzeepten. Toen ik zijn hand pakte, die tussen mijn benen stak en twee vingers bij me naar binnen leidde, zag ik de bekende en zeer welkome lust in zijn ogen oplaaien zodra hij zijn zaad in me voelde.

Hij kuste me en mompelde: 'Van mij.'

Ik greep zijn pik met beide handen en fluisterde hetzelfde terug.

In de slaapkamer pakte ik de blauwe jurk van het bed en hield hem voor. 'Heb jij hem uitgezocht, Gideon?'

'Jazeker. Vind je het wat?'

'Hij is prachtig.' Ik glimlachte. 'Mijn moeder zei al dat je een zeer goede smaak had... afgezien van je voorkeur voor brunettes.'

Hij keek me even aan voordat hij met zijn lekkere strakke blote kontje de gigantische inloopkast in liep. 'Welke brunettes?'

'Oei, gladjes, hoor.'

'Kijk maar eens in de bovenste rechterla,' riep hij.

Wilde hij me soms afleiden van het beeld dat ik had van alle brunettes met wie hij op de foto had gestaan, onder wie Magdalene?

Ik legde de jurk op het bed en trok de la open. Er lagen een stuk of tien lingeriesetjes van Carine Gilson in, in mijn maat en in allerlei verschillende kleuren. Er lagen ook jarretelgordels en zijden kousen in.

Ik keek op toen Gideon tevoorschijn kwam met zijn kleren. 'Is dit mijn la?'

'Jij hebt drie laden in het dressoir en twee in de badkamer.'

'Gideon.' Ik moest glimlachen. 'Je krijgt over het algemeen pas na een paar maanden een la.'

'Hoe weet jij dat nou?' Hij legde zijn kleren op het bed. 'Heb je buiten Cary dan ooit met een man samengewoond?'

Ik wierp hem een betekenisvolle blik toe. 'Als je je eigen la krijgt, betekent dat nog niet dat je samenwoont.'

'Dat is geen antwoord op de vraag.' Hij kwam naar me toe en schoof me zachtjes opzij om een boxershort te pakken.

Ik merkte dat hij zich terugtrok en zijn bui omsloeg en zei snel: 'Ik heb verder nog nooit met een man samengewoond, nee.'

Gideon boog zich voorover en drukte een kus op mijn voorhoofd voordat hij weer naar het bed liep. Hij bleef bij het voeteneind staan met zijn rug naar mij toegekeerd. 'Ik wil dat onze relatie meer voor je betekent dan al je vorige.'

'Ik heb nog nooit zo'n mooie relatie gehad.' Ik trok de knoop van de handdoek strakker tussen mijn borsten. 'Daar heb ik het best moeilijk mee. Het is allemaal wel in sneltreinvaart gegaan. Ik ben bang dat het te mooi is om waar te zijn.'

Hij draaide zich om en keek me aan. 'Dat zou best eens zo kunnen zijn. Maar we hebben het zeker weten verdiend.'

Ik liep naar hem toe en hij nam me in zijn armen. Daar wilde ik ook het liefste zijn.

Hij gaf me een kus boven op mijn hoofd. 'Ik vind het vreselijk dat je bang bent dat het elk moment afgelopen kan zijn. Want dat is toch zo? Daar ben je toch bang voor?'

'Sorry.'

'We moeten ervoor zorgen dat je je veilig voelt.' Hij woelde door mijn haar. 'Maar hoe?'

Ik aarzelde even en waagde toen de sprong in het diepe. 'Zou je met me meegaan naar relatietherapie?'

Hij hield zijn handen stil. Hij ademde zwaar in en uit en zei een tijdje niets.

'Denk er maar eens over na,' stelde ik voor. 'Zoek het op, dan weet je waar het zo'n beetje over gaat.'

'Wat doe ik niet goed? Pak ik het helemaal verkeerd aan?'

Ik ging iets naar achteren en keek hem aan. 'Nee, Gideon. Je bent perfect. Voor mij althans. Ik ben stapelgek op je. Jij bent...'

Hij kuste me. 'Oké, dan. Ik ga met je mee.'

Ik hield van hem. Op dat moment hield ik hartstochtelijk veel van hem. En op het volgende moment. En ook tijdens het ritje naar wat een waanzinnig intiem etentje in Masa zou worden. Er waren maar twee andere tafeltjes bezet in het restaurant en Gideon werd persoonlijk begroet. Het eten dat we voorgeschoteld kregen, was uitzonderlijk goed en de wijn was zo duur dat ik er niet bij stil moest staan omdat ik het anders niet had durven drinken. Gideon was woest aantrekkelijk, verleidelijk en charmant.

Ik vond mezelf mooi in de jurk die hij voor mij had uitgezocht en ik was vrolijk. Hij wist nu wat mij voor verschrikkelijks was overkomen, en hij had me niet de rug toegekeerd.

Hij streelde mijn schouder... wreef over mijn nek... en liet zijn hand naar beneden zakken. Hij kuste me op mijn slaap en nestelde zich onder mijn oor terwijl zijn tong zachtjes de tere huid beroerde. Onder de tafel kneep hij me in mijn dij en pakte hij me achter mijn knie vast. Mijn hele lijf trilde door zijn aanwezigheid. Ik verlangde zo hevig naar hem dat het bijna pijn deed.

'Waar ken je Cary van?' vroeg hij, me aankijkend over zijn wijnglas.

'Groepstherapie.' Ik legde mijn hand op die van hem. Langzaam gleed zijn hand naar boven over mijn been en de ondeugende glans in zijn ogen ontlokte me een glimlach. 'Mijn vader zit bij de politie en hij had gehoord dat die therapeut waanzinnig goed was met onhandelbare kinderen. En onhandelbaar was ik zeker. Cary liep ook bij dokter Travis.'

'Waanzinnig goed?' Gideon glimlachte.

'Dokter Travis kun je met geen enkele andere therapeut vergelijken. Zijn praktijk is gevestigd in een voormalige gymnastiekzaal. De deur staat voor "zijn" kinderen altijd open en dat ik daar rond kon hangen, was beter voor mij dan op een bank liggen. Bovendien had hij de regel dat er geen onzin verteld mocht worden. Als we niet goudeerlijk waren kreeg hij het op zijn heupen. Dat vond ik prachtig, dat hij zoveel om ons gaf dat hij emotioneel werd.'

'Ging je naar de universiteit van San Diego omdat je vader daar woont?'

Mijn mond vertrok toen hij een brokje informatie naar voren bracht waar ik het nog niet over had gehad. 'Wat ben je allemaal over me te weten gekomen?'

'Alles wat ik maar kon vinden.'

'Wil ik wel weten wat dat inhoudt?'

Hij bracht mijn hand naar zijn lippen en kuste die. 'Dat denk ik niet, nee.'

Ik schudde vertwijfeld het hoofd. 'Ja, daarom ben ik naar die universiteit gegaan. In mijn jeugd heb ik mijn vader nauwelijks meegemaakt. Bovendien stelde mijn moeder zich uiterst beschermend op.'

'En je hebt je vader nooit verteld wat er is voorgevallen?'

'Nee.' Ik draaide de steel van het wijnglas rond in mijn vingers. 'Hij weet dat ik een lastpak was zonder eigenwaarde en met een kort lontje, maar van Nathan weet hij niets af.'

'Hoe dat zo?'

'Hij kan er toch niets meer aan doen. Nathan is berecht. Zijn vader heeft fors smartengeld betaald. Recht is geschied.'

Gideon zei kil: 'Daar ben ik het niet mee eens.'

'Wat wil je dan nog meer?'

Hij nam een grote slok voordat hij daar antwoord op gaf. 'Dat kan ik beter niet tijdens het eten bespreken.'

'O.' Er klonk een dreigement in door, zeker in combinatie met de ijzige blik in zijn ogen, dus richtte ik me weer op mijn bord. Masa werkte zonder menu, je kon alleen *omakase* krijgen, dus elk hapje was een verrukkelijke verrassing en omdat er weinig gasten waren was het net of we het restaurant voor onszelf hadden.

Na een tijdje zei hij: 'Ik kijk graag naar je als je aan het eten bent.'

Ik keek hem met opgetrokken wenkbrauwen aan. 'Waarom?'

'Je doet het vol overgave. En van jouw gulzige kreuntjes krijg ik een stijve.'

Ik stootte mijn schouder tegen hem aan. 'Maar jij hebt toch altijd een stijve?'

'Dat komt door jou,' zei hij grijnzend en van de weeromstuit moest ik ook grijnzen.

Gideon at doelbewuster dan ik en hij vertrok geen spier toen hij de torenhoge rekening onder ogen kreeg.

Voordat we naar buiten gingen, hing hij zijn colbert over mijn schouders en zei: 'Morgen gaan we naar jouw sportschool.'

Ik keek hem aan. 'Die van jou is mooier.'

'Dat spreekt vanzelf. Maar ik ga naar de sportschool waar jij de voorkeur aan geeft.'

'En waar er geen behulpzame trainer is die Daniel heet?' vroeg ik onschuldig.

Hij trok zijn wenkbrauwen op en produceerde een wrange glimlach. 'Kijk maar uit, engel. Straks zul je nog boeten omdat je mijn bezitterigheid belachelijk maakt.'

Het viel me op dat hij niet opnieuw dreigde met billenkoek. Wist hij dat het toepassen van pijn tijdens de seks me enorm afschrok? Ik moest daardoor weer denken aan het verleden en dat was verre van goed.

Tijdens het ritje naar Gideons huis kroop ik achter in de Bentley tegen hem aan, ik legde mijn benen op zijn schoot en nestelde mijn hoofd tegen zijn schouder. Het zat me dwars dat Nathans misbruik me nog steeds achtervolgde en mijn seksleven beïnvloedde.

Kon ik daar samen met Gideon iets aan doen? Te oordelen naar de seksspeeltjes die ik in de hotelkamer in de la had gezien, was duidelijk dat hij niet alleen veel meer ervaring had dan ik, maar ook veel avontuurlijker was. En het genot dat ik had ondervonden van de woeste vrijpartij op de bank bewees dat hij meer met me kon doen dan ieder ander.

'Ik vertrouw je,' fluisterde ik.

Hij drukte me stevig tegen zich aan. Met zijn mond in mijn haar mompelde hij: 'We zijn voor elkaar bestemd, Eva.'

Toen ik die avond in zijn armen in slaap viel, galmden die woorden nog na in mijn hoofd.

'Nee... Nee... Nee, alsjeblieft, niet doen.'

Ik schoot met een bonkend hart overeind in bed, wakker geschrokken door Gideons kreten. Ik hapte naar adem en zag de man naast me heftig schokken.

Hij gromde als een roofdier, zijn vuisten gebald en zijn benen rusteloos schoppend. Ik schoof van hem af, bang om per ongeluk een klap te krijgen.

'Ga van me af,' bracht hij hijgend uit.

'Gideon! Word wakker.'

'Ga... van me... af.' Zijn onderlichaam kwam naar boven terwijl hij siste van pijn. Hij bleef zo liggen, kaken op elkaar geklemd en zijn rug krom als een hoepel alsof het bed in brand stond. Toen zakte hij in elkaar en het matras veerde op toen zijn volle gewicht het raakte.

'Gideon.' Moeizaam slikkend wilde ik het lampje op het nachtkastje aanknippen, maar ik kon er net niet bij. Ik wierp de in elkaar gedraaide lakens van me af om dichterbij te kunnen komen. Gideon kronkelde van pijn, hij schokte zo erg dat het bed heen en weer schudde.

Opeens baadde de kamer in het licht. Ik draaide me naar hem om...

En zag dat hij heftig lag te masturberen.

Hij hield zijn pik zo stevig vast dat zijn knokkels wit waren terwijl hij zich woest aftrok. Met zijn andere hand klauwde hij in het hoeslaken. Zijn knappe gelaat werd verwrongen door foltering en pijn.

Omdat ik bang was dat hij zichzelf iets aan zou doen, duwde ik met beide handen tegen zijn schouder. 'Verdomme nog aan toe, Gideon. Word wakker!'

Door mijn geschreeuw brak ik door de nachtmerrie heen. Zijn ogen gingen open en hij schoot overeind terwijl hij wild om zich heen keek.

'Hè?' zei hij naar adem snakkend. Zijn lippen en wangen rood van opwinding. 'Wat is er?'

'Jezus.' Ik ging met mijn handen door mijn haar en stapte uit bed. De zwarte ochtendjas hing over het voeteneinde en ik trok hem aan.

Wat ging er in hem om? Hoe kon iemand zulke gewelddadige seksuele dromen hebben?

Met trillende stem zei ik: 'Je had weer een nachtmerrie. Ik ben me kapot geschrokken.'

'Eva.' Hij wierp een blik op zijn erectie en zijn wangen werden rood van schaamte.

Ik stond op veilige afstand bij het raam en keek hem aan terwijl ik de ceintuur van de ochtendjas strak aantrok. 'Waar droomde je in hemelsnaam over?'

Hij schudde het hoofd en sloeg beschaamd zijn ogen neer. Ik had hem nog nooit zo kwetsbaar gezien en het paste ook niet bij hem. Het was net alsof iemand anders Gideons lichaam had overgenomen. 'Geen idee.'

'Gelul. Je zit ergens mee, en niet zo'n beetje ook. Wat is het?'

Hij gooide meteen de kont tegen de krib terwijl hij weer langzaam bijkwam. 'Het was maar een droom, Eva. Mensen dromen nu eenmaal.'

Ik keek hem gekwetst aan en kon het niet geloven dat hij me zo afpoeierde. 'Zoek het dan maar uit.'

Hij rechtte zijn rug en trok het laken over zijn schoot. 'Waarom ben je nu boos?'

'Omdat je zit te liegen.'

Zijn borst zette uit toen hij diep inademde, vervolgens ademde hij snel weer uit. 'Het spijt me dat ik je wakker heb gemaakt.'

Ik kneep in de rug van mijn neus omdat er een hoofdpijn op kwam zetten. Mijn ogen brandden van de ingehouden tranen, voor hem, door wat hij had meegemaakt. En voor ons, want omdat hij me niet toeliet, had onze relatie geen kans van slagen.

'Ik vraag het je nog één keer, Gideon, waar droomde je over?'

'Dat weet ik niet meer.' Hij ging met zijn hand door zijn haar en sloeg zijn benen over de rand van het bed. 'Ik heb het druk op mijn werk en daar komt het waarschijnlijk door. Ik ga even in mijn kantoortje werken. Ga jij maar weer slapen.'

'Er waren een paar goede antwoorden mogelijk, Gideon. "We hebben het er morgen wel over" bijvoorbeeld. "We hebben het er in het weekend wel over" had ook gekund. En zelfs "Ik kan er nu even niet over praten" zou een mogelijkheid zijn. Maar jij hebt het lef net te doen of je geen idee hebt waarover ik het heb en dan ook nog eens op een toon alsof ik volslagen onredelijk ben.'

'Engel...'

'Nee.' Ik sloeg mijn armen om me heen. 'Denk je nu echt dat het voor mij makkelijk was om je over mijn verleden te vertellen? Denk je dat het me helemaal niets deed toen ik al die vreselijke dingen moest onthullen? Het was een stuk eenvoudiger geweest om jou te dumpen en met iemand te gaan daten die niet zo bekend is. Ik deed het, omdat ik bij je wilde zijn. Misschien zul je dat ook ooit voor mij overhebben.'

Ik liep de kamer uit.

'Eva! Eva, verdorie, kom terug. Wat heb je nou?'

Ik ging sneller lopen. Ik wist hoe hij zich voelde: een akelig knagende sensatie in de maagstreek die zich uitzaaide als kanker, de hulpeloze woede en de behoefte om zich terug te trekken en op zoek te gaan naar de kracht om de herinneringen weer in een donker hoekje te stoppen.

Dat kon hij echter niet als excuus aangrijpen om tegen me te liegen of de schuld op mij te werpen.

Ik pakte mijn tas van de stoel waar ik hem had neergegooid toen we terugkwamen van het eten en liep snel de hal in naar de lift. De liftdeuren gingen net dicht toen ik hem door de open voordeur vanuit de lift de zitkamer in zag stappen. Hij was bloot, dus ik wist zeker dat hij me niet achterna zou komen en de blik in zijn ogen maakte me duidelijk dat het een goede stap van me was geweest om weg te gaan. Hij droeg het masker weer, dat knappe onverbiddelijke gezicht waarmee hij iedereen op afstand hield.

Trillend hing ik tegen de koperen reling om overeind te blijven. Ik werd verscheurd door bezorgdheid voor hem, en wilde daarom bij hem blijven, en de wetenschap, die ik door schade en schande had verkregen, dat ik niet kon leven met zijn ontwijkende gedrag. Ik kon eroverheen komen door de waarheid onder ogen te zien en niet door het te ontkennen en leugens op te hangen.

Ik veegde mijn betraande wangen droog toen ik langs de tweede verdieping kwam. Toen de liftdeuren op de begane grond opengleden had ik mezelf weer in de hand.

De portier riep een voorbijrijdende taxi voor me en hij was zo goed in zijn werk dat hij net deed of ik keurig gekleed was in plaats van blootsvoets rond te lopen in een zwarte ochtendjas. Ik bedankte hem uit de grond van mijn hart.

Ik was ook blij dat de taxichauffeur me binnen de kortste keren thuis afzette en gaf hem een dikke fooi. Het feit dat mijn eigen portier en de baliewerker me zijdelingse blikken toewierpen deed me niets. Zelfs de manier waarop de adembenemend mooie lange blondine die uit de lift stapte me opnam gleed van mijn rug af tot ik opeens Cary's luchtje op haar rook en besefte dat zij een van zijn T-shirts aanhad.

Ze bekeek mijn luchtige uitdossing met een geamuseerd glimlachje. 'Mooie ochtendjas.'

'Mooi T-shirt.'

De blondine liep grijnzend weg.

Toen ik boven aankwam hing Cary in de deuropening in zijn eigen ochtendjas.

Hij ging rechtopstaan en spreidde zijn armen. 'Kom hier, meisje van me.'

Ik stapte naar hem toe en drukte hem stevig tegen me aan. Hij rook naar eau de toilette en seks. 'Wie was die vrouw?'

'Gewoon een model. Stelt niets voor.' Hij trok me het appartement in, deed de deur dicht en draaide hem op slot. 'Cross belde. Hij zei dat jij onderweg naar huis was en dat hij je sleutels had. Hij wilde zich ervan verzekeren dat ik thuis was en je binnen kon laten. Hij kwam trouwens behoorlijk aangedaan en bezorgd over. Wil je erover praten?'

Ik zette mijn tas op de bar en liep de keuken in. 'Hij had weer een nachtmerrie. En erg ook. Toen ik hem ernaar vroeg ontkende hij het, hij loog erover en deed ook nog eens alsof ik gek was.'

'De normale reactie dus.'

Net op dat moment rinkelde de telefoon. Ik haalde de schakelaar op het basisstation over om de bel uit te zetten en Cary deed hetzelfde met de handset die op de bar lag. Ik pakte mijn smartphone, zag op het schermpje dat ik diverse telefoontjes van Gideon had gemist en stuurde hem een sms'je:

Ben thuis. Slaap lekker verder.

Ik schakelde de telefoon uit en gooide hem weer in mijn tas, toen haalde ik een flesje water uit de koelkast. 'Het mooie is dat ik hem vanavond nota bene alles over mijn ellende heb verteld.'

Cary keek me met opgetrokken wenkbrauwen aan. 'Je hebt het dus inderdaad gedaan. Hoe reageerde hij?'

'Beter dan ik had verwacht. Het is te hopen voor Nathan dat ze elkaar nooit zullen ontmoeten.' Ik dronk het flesje leeg. 'En Gideon wou mee naar relatietherapie zoals jij had voorgesteld. Ik dacht dat we weer een stap verder waren. En dat was misschien ook zo, maar evengoed botsten we op een hobbel.'

'Maar het gaat verder goed met je, toch?' Hij hing tegen de bar aan. 'Geen tranen. Uiterst rustig. Moet ik me zorgen gaan maken?'

Ik wreef over mijn buik om de angst die daar geworteld zat te verlichten. 'Nee, het gaat wel. Ik wil alleen... ik wil graag dat het wat wordt tussen ons. Ik wil bij hem zijn, maar leugens over ernstige zaken trek ik niet.'

Godsamme. Ik wilde er zelfs niet aan denken dat het afgelopen zou zijn. Ik was nu al ongedurig. Ik wilde zo graag bij Gideon zijn dat ik niet stil kon zitten.

'Je bent een taaie tante, meisje van me. Ik ben trots op je.' Cary gaf me een arm en deed de keukenlamp uit. 'We gaan nu naar bed en morgen zien we wel weer.'

'Ik dacht dat Trey en jij iets hadden.'

Hij grijnsde stralend. 'Schatje, volgens mij ben ik verliefd.'

'Op wie?' Ik drukte mijn wang tegen zijn schouder. 'Op Trey of op die blondine?'

'Op Trey, gekkie. Die blondine was even een tussendoortje.'

Daar was het laatste woord nog niet over gezegd, maar het was nu niet het juiste moment om in te gaan op Cary's neiging om zijn eigen geluk te ondermijnen. Misschien was het maar beter om de nadruk te leggen op hoe leuk het ging met Trey. 'Dus je hebt eindelijk een goede vent getroffen. Dat moet gevierd worden.'

'Hé, dat hoor ik te zeggen, hoor.'

14

De volgende ochtend brak eigenaardig surrealistisch aan. Het lukte me om naar mijn werk te gaan, maar ik bracht bijna de hele ochtend in een kille nevel door. Ik kon het maar niet warm krijgen, ondanks het vest over mijn blouse en een shawl om mijn nek die nergens bij paste. Het werk nam meer tijd dan anders in beslag en ik kon het gevoel van naderend onheil maar niet van me afschudden.

Gideon nam op geen enkele manier contact met me op.

Geen bericht op mijn smartphone of in mijn mailbox na mijn sms'je de vorige avond. Ook geen briefje via de interne post.

De stilte was een ware kwelling. En helemaal toen Google Alert me mailtjes stuurde met foto's en filmpjes van Gideon en mij in Bryant Park. De aanblik van ons tweeën – de hartstocht en de behoefte aan elkaar, het pijnlijke verlangen in onze blik en de weldadige verzoening – was bitterzoet.

Er ging een steek door mijn hart. Gideon.

Als we dit niet konden oplossen, zou ik dan eeuwig blijven wensen dat het ons toch was gelukt?

Ik kon me maar met moeite vermannen. Mark had vandaag een afspraak met Gideon. Misschien dat Gideon daarom geen contact met me had opgenomen. Of misschien had hij het heel erg druk. Dat kon bijna niet anders, gezien zijn zakelijke agenda. En voor zover ik wist, gingen we na het werk nog steeds naar de fitness. Ik ademde snel uit en hield mezelf voor dat alles weer goed zou komen. Dat moest gewoon.

Om kwart voor twaalf rinkelde mijn telefoon. Ik zag op het schermpje dat het de receptie was. Ik nam teleurgesteld met een zucht op.

'Hoi, Eva,' zei Megumi vrolijk. 'Er is hier een Magdalene Perez voor je.'

'Voor mij?' Ik keek verward en geërgerd naar mijn computer.

Hadden de foto's van Bryant Park Magdalene uit haar slangenkuil gelokt?

Het maakte mij niet uit waarom ze er was, ik had geen zin in een babbeltje met haar. 'Laat haar even wachten, oké? Ik moet even iets afmaken.'

'Dat is goed. Ik zeg wel dat ze plaats moet nemen.'

Ik hing op, pakte mijn smartphone en scrolde door de namen tot ik bij Gideon kwam. Ik belde zijn kantoor en tot mijn opluchting nam Scott op.

'Hoi, Scott, met Eva Tramell.'

'Dag, Eva. Wil je Mr. Cross spreken? Hij zit momenteel in een vergadering, maar ik kan hem wel even oproepen.'

'Nee, dat hoeft niet.'

'Hij heeft gezegd dat het mocht, hij vindt het niet erg.'

Dat vond ik wel erg fijn om te horen. 'Sorry dat ik je hiermee lastigval, maar ik wil je wat vragen.'

'Ga je gang. Je mag me van Mr. Cross alles vragen.' Door het vleugje humor in zijn stem voelde ik me nog meer op mijn gemak.

'Magdalene Perez is beneden bij de receptie. Het enige wat zij en ik gemeen hebben is Gideon, dus dat is niet goed. Als zij iets te zeggen heeft, moet ze dat tegen je baas doen. Kun jij iemand sturen om haar te halen?'

'Zeker, dat regel ik wel.'

'Bedankt, Scott, je bent een held.'

'Graag gedaan, Eva.'

Ik hing op en zakte onderuit in mijn stoel. Het ging al een stuk beter met me en ik was trots op mezelf dat ik me niet door jaloezie had laten leiden. Al vond ik het niet prettig dat Magdalene met Gideon omging, toch had ik de waarheid gesproken toen ik hem had gezegd dat ik hem vertrouwde. Ik was ervan overtuigd dat hij veel voor me voelde. Ik wist alleen niet of dat diep genoeg ging om boven zijn overlevingsinstinct uit te stijgen.

Megumi belde weer.

'Lieve hemel,' zei ze lachend. 'Je had haar gezicht moeten zien toen die man haar kwam halen.'

'Mooi.' Ik gniffelde. 'Ik dacht al dat ze snode plannen had. Is ze nu weg?'

'Ja.'

'Heel erg bedankt.' Ik liep de gang op naar Marks deur en stak mijn hoofd naar binnen om te vragen of ik lunch voor hem moest halen.

Hij fronste zijn wenkbrauwen en dacht erover na. 'Nee, dank je. Ik heb zo die presentatie bij Cross en ik ben op van de zenuwen en krijg echt geen hap door mijn keel. Tegen de tijd dat ik weer terug ben is het eten helemaal verpieterd.'

'Een eiwitrijke smoothie, dan? Dan krijg je toch iets binnen.'

'Ja, lekker.' Zijn donkere ogen straalden. 'Iets wat lekker smaakt met wodka, zodat ik een beetje in de stemming kan komen.'

'Zijn er nog smaken die je niet lust? Ben je ergens allergisch voor?'

'Nee, totaal niet.'

'Oké, tot over een uurtje, dan.' Ik wist precies waar ik naartoe zou gaan. De winkel die ik in gedachten had was een paar straten verderop en verkocht smoothies, salades en een groot scala aan belegde broodjes.

Ik ging naar beneden en deed mijn best om niet aan Gideons gebrek aan reactie te denken. Ik had na het voorval met Magdalene eigenlijk wel verwacht iets van hem te horen. Doordat hij geen contact opnam vrat ik me wederom op. Ik liep door de draaideur de straat op en pas toen hij mijn naam riep viel de man die uit een auto bij de stoep stapte me op.

Ik draaide me om en keek recht in het gezicht van Christopher Vidal.

'O... dag,' begroette ik hem. 'Hoe gaat het?'

'Heel goed, nu ik jou zie. Wat zie je er schitterend uit.'

'Dankjewel. Jij anders ook.'

Hoewel hij niet op Gideon leek, was ook hij uiterst knap met zijn kastanjebruine krullen, grijsgroene ogen en innemende glimlach. Hij had een wijde spijkerbroek en een roomwitte trui met V-hals aan, wat hem erg goed stond.

'Kom je voor je broer?' vroeg ik.

'Ja en voor jou.'

'Voor mij?'

'Ga je lunchen? Dan ga ik met je mee en kan ik het in de tussentijd uitleggen.'

Gideons waarschuwing dat ik beter met een grote boog om

Christopher heen kon lopen, schoot me weer te binnen, maar ik nam aan dat hij me inmiddels wel vertrouwde. En al helemaal met zijn broer.

'Ik ga naar een eettentje een paar straten verderop,' zei ik. 'Dus als je zin hebt om een eindje te wandelen?'

'Nou en of.'

We gingen op pad.

'Waarom wou je me spreken?' vroeg ik nieuwsgierig.

Hij pakte een formele uitnodiging in een envelop van velijn-papier uit een van de twee grote zakken van zijn spijkerbroek. 'Dit is een uitnodiging voor een tuinfeest dat we zondag op het land-goed van mijn ouders houden. Het is een combinatie van zaken en ontspanning. Een hoop artiesten die bij Vidal Records onder con-tract staan zullen er zijn. Het leek mij een fantastische netwerk-kans voor je huisgenoot, hij is perfect voor videoclips.'

Ik vrolijkte meteen op. 'Dat zou ontzettend leuk zijn.'

Christopher grijnsde en gaf me de uitnodiging. 'Voor jullie al-lebei. Mijn moeder geeft de beste feestjes.'

Ik wierp even een blik op de envelop. Waarom had Gideon me niets over het feestje verteld?

'Mocht je je soms afvragen waarom Gideon je er niets over heeft verteld,' zei hij, alsof hij mijn gedachten had gelezen, 'dan komt dat omdat hij niet gaat. Hij gaat nooit. Hoewel hij de meeste aandelen heeft in het bedrijf, vindt hij de muziekindustrie en de artiesten wat te onvoorspelbaar. Je kent hem zo langzamerhand wel, neem ik aan.'

Donker en intens. Waanzinnig aantrekkelijk en ongelooflijk sen-sueel. Ja, ik kende hem wel. En hij wilde altijd weten waar hij aan toe was.

Ik gebaarde dat we het eettentje hadden bereikt en we liepen naar binnen en gingen in de rij staan.

'Wat ruikt het hier lekker,' zei Christopher, zijn ogen op zijn mobieltje gericht terwijl hij een sms'je opstelde.

'Het smaakt net zo lekker als het ruikt, neem dat maar van mij aan.'

Zijn glimlach was schattig en jongensachtig en de meeste vrou-wen zouden er vast voor vallen. 'Mijn ouders kijken ernaar uit je te leren kennen, Eva.'

'O ja?'

'Ze waren nogal verrast toen ze foto's van Gideon en jou zagen. Aangenaam verrast, hoor,' voegde hij er snel aan toe toen ik ineenkromp. 'Dit is voor het eerst dat hij helemaal weg is van iemand.'

Ik zuchtte en bedacht me dat hij nu niet meer zo weg van me was. Had ik een gruwelijke stommiteit begaan door gisteren weg te gaan?

Eenmaal bij de toonbank bestelde ik een broodje gegrilde groenten met kaas en een granaatappelsmoothie voor mezelf en een om over een halfuurtje mee te nemen, als ik mijn broodje op had. Christopher bestelde hetzelfde als ik en het lukte ons zowaar om in het afgeladen eettentje een tafeltje te bemachtigen.

We kletsten over het werk, lachten over een reclame voor babyvoeding waarbij iets hilarisch fout was gegaan, wat inmiddels overal op internet te zien was, en Christopher gaf wat achtergrondinformatie over de artiesten met wie hij had gewerkt. De tijd vloog om en toen we bij Crossfire afscheid van elkaar namen, vond ik hem een aardige vent.

Ik nam de lift naar boven en kwam tot de ontdekking dat Mark nog steeds aan zijn bureau zat. Hij glimlachte even naar me hoewel hij uiterst geconcentreerd bezig was.

'Als je me niet echt nodig hebt,' zei ik, 'is het misschien beter dat ik maar niet mee ga.'

Hoewel hij zijn best deed het niet te laten merken, zag ik de snelle blik van opluchting. Ik raakte er niet door beledigd. Hij had stress genoeg en Mark werd liever niet met mijn heftige relatie met Gideon geconfronteerd als hij met een belangrijke opdracht bezig was.

'Je bent een topper, Eva, wist je dat?'

Ik glimlachte en zette de smoothie met een extra scheut proteïne voor hem neer. 'Drink nou maar op. Het is echt lekker en door de proteïne zul je een tijdje geen trek hebben. Ik zit aan mijn bureau, mocht je me nodig hebben.'

Voordat ik mijn tas in de la legde, sms'te ik Cary om te vragen of hij op zondag al iets had of dat hij met me mee wilde naar een feestje van Vidal Records. Vervolgens ging ik verder met mijn werk. Ik was bezig Marks bestanden te ordenen, voorzag ze van een duidelijke titel en bracht ze onder in verschillende mappen zodat we in geval van nood snel een dossier konden samenstellen.

Toen Mark op weg ging naar zijn afspraak met Gideon sloeg mijn hart een slag over en kromp mijn maag samen. Ik kon niet geloven dat ik zelfs opgewonden raakte van het feit dat ik precies wist wat Gideon op dat moment aan het doen was en dat hij zodra hij Mark zag aan mij moest denken. Hopelijk hoorde ik wat van hem na de meeting. Door de gedachte alleen al vrolijkte ik meteen weer een beetje op.

Een uur lang zat ik rusteloos te wachten, benieuwd naar hoe het was gegaan. Toen ik Mark aan zag komen lopen met een brede grijns en een verende tred, stond ik op en applaudisseerde ik.

Hij boog overdreven diep. 'Hartelijk dank, Miss Tramell.'

'Ik ben vreselijk blij voor je!'

'Ik moest je dit van Cross geven.' Hij overhandigde me een verzegelde gele envelop. 'Loop mee naar mijn kantoor dan vertel ik je alles.'

De envelop was zwaar en hij maakte geluid. Ik wist al zonder hem open te maken wat erin zat, maar toen de sleutels eruit vielen, kwam dat toch hard aan. Ik voelde een pijn die ik nog niet eerder had gevoeld. Er zat een correspondentiekaart bij.

Eva, bedankt voor alles.

Liefs, G.

Dat betekende dat hij me niet meer wilde. Dat moest wel. Anders had hij me de sleutels wel onderweg naar de sportschool teruggegeven.

Mijn hoofd tolde. Ik was duizelig. Gedesoriënteerd. Ik was bang en verdrietig. Pisnijdig.

Maar ik was ook aan het werk.

Ik deed mijn ogen dicht, balde mijn vuisten en kreeg mezelf langzaam weer in de hand. Het liefst was ik naar Gideon gegaan en had hem in zijn gezicht voor lafaard uitgescholden. Hij beschouwde me waarschijnlijk als een bedreiging, iemand die ongewenst zijn leven was binnengedrongen en alles overhoop gooide. Iemand die meer van hem wilde dan alleen maar zijn sexy lijf en vette bankrekening.

Ik zette mijn gevoelens opzij; ik wist dat ze er waren, maar kon op deze manier tenminste door met werken. Tegen de tijd dat de werkdag om was en ik naar beneden ging, had ik nog steeds niets

van Gideon gehoord. Ik zat er op dat moment emotioneel helemaal doorheen en voelde alleen nog een scherpe steek van wan-
hoop toen ik het gebouw uit liep.

Ik wist het te redden naar de sportschool. Ik sloot me voor alles
af en rende als een dolle op de loopband om de pijn te ontvluchten
die me snel genoeg in zou halen. Ik rende totdat het zweet in straal-
tjes van me af droop en mijn benen me niet langer konden houden.

Afgebeuld en doodop stapte ik onder de douche. Daarna belde
ik mijn moeder en vroeg haar of ze Clancy kon sturen om me op
te halen bij de sportschool en me naar onze afspraak met Dr.
Petersen te rijden. Ik kleedde me aan en raapte de moed bij elkaar
om me aan de afspraak te houden voordat ik naar huis kon gaan
en mijn bed in kon rollen.

Ik stond op de stoep op de auto te wachten, afgescheiden en
buitengesloten van de stad waarin ik me bevond. Toen Clancy aan
kwam rijden en uitstapte om het achterportier voor me open te
houden, zag ik tot mijn verbazing mijn moeder al achterin zitten.
Het was nog vroeg. Ik had verwacht dat ik in mijn eentje naar het
appartement zou worden gereden waar zij met Stanton woonde en
daar nog een kwartier of wat op haar zou moeten wachten. Zo
ging het gewoonlijk altijd.

'Dag, mam,' zei ik vermoeid terwijl ik naast haar ging zitten.

'Hoe kon je dat nu doen, Eva?' Ze zat te snikken in een zakdoek
voorzien van een geborduurd monogram. Zelfs met een rode neus
en betraande wangen was ze nog een mooie vrouw. 'Waarom?'

Door haar ellende vergat ik even mijn verdriet en ik fronste mijn
wenkbrauwen en vroeg: 'Wat heb ik nu weer gedaan?'

Was ze er soms achter gekomen dat ik een nieuw mobieltje had
gekocht? Maar daar zou ze toch niet over in tranen zijn? En ze kon
ook nog niet weten dat het uit was met Gideon.

'Jij hebt Gideon Cross verteld over... over wat er is gebeurd.' Haar
onderlip trilde smartelijk.

Ik keek haar geschrokken aan. Hoe kon zij dat nou weten? Lieve
god... had ze soms afluisterapparatuur in mijn huis laten plaatsen?
In mijn tas...? 'Pardon?'

'Doe nou maar niet net of je van de prins geen kwaad weet!'

'Hoe weet jij nou dat ik hem dat heb verteld?' wist ik gekweld uit
te brengen. 'Dat heb ik hem gisteravond pas verteld.'

'Hij heeft het er vandaag met Richard over gehad.'

Ik zag Stantons gezicht al voor me bij dat gesprek. Ik kon me zo voorstellen dat mijn stiefvader niet blij was geweest. 'Waarom in hemelsnaam?'

'Hij wou weten of de informatie goed beschermd was. En hij wou weten waar Nathan zit...' Ze snikte. 'Hij wou alles weten.'

Ik ademde sissend uit. Ik wist niet zeker waarom Gideon het had gedaan, maar de kans bestond dat hij me had gedumpt vanwege Nathan en er nu alles aan deed om een schandaal te vermijden. Dat deed me ontzettend veel verdriet. Ik kronkelde van de pijn. Ik had gedacht dat zijn verleden een probleem voor ons zou vormen, maar het was natuurlijk logischer dat het door mijn verleden kwam.

Het was maar goed dat mijn moeder zoals altijd met zichzelf bezig was, anders had ze gezien hoe slecht ik eraan toe was.

'Hij moest het weten,' zei ik raspend. 'En hij heeft het recht om zich te beschermen tegen de gevolgen daarvan.'

'Hij is het eerste vriendje tegen wie je het hebt gezegd.'

'Hij is dan ook het eerste vriendje dat bij het minste of geringste al in de schijnwerpers staat.' Ik keek naar het verkeer om ons heen. 'Gideon Cross en Cross Industries zijn wereldnieuws, mam. Hij is wel heel anders dan de knulletjes met wie ik tijdens mijn studie uitging.'

Ze zei nog wat, maar ik luisterde er niet naar. Uit zelfbescherming sloot ik me af, ik kon de werkelijkheid op dat moment niet verdragen.

Het kantoor van Dr. Petersen was nog hetzelfde als vroeger. Afgewerkt in rustgevende zachte tinten was het een aangename en efficiënte ruimte. Dr. Petersen paste daar uitstekend bij; hij was een knappe man met grijs haar en vriendelijke, intelligente, blauwe ogen.

Hij verwelkomde ons met een brede glimlach in zijn kantoor en plaatste de opmerking dat mijn moeder er prachtig uitzag en dat ik erg op haar leek. Hij zei dat hij het fijn vond me weer te zien en dat ik er goed uitzag, maar het was mij duidelijk dat hij dat speciaal voor mijn moeder deed. Hij was een scherp mensenkenner en had mijn emotionele toestand vast meteen al gezien.

'En,' zei hij, terwijl hij plaatsnam in de stoel bij de bank waar mijn moeder en ik op zaten, 'wat komen jullie hier met zijn tweetjes doen?'

Ik vertelde hem dat mijn moeder via mijn mobiele telefoon mijn gangen was nagegaan en dat ik dat een inbreuk op mijn privacy vond. Mijn moeder vertelde hem dat ik aan Krav Maga wilde gaan doen en dat zij dat beschouwde als een teken dat ik me niet veilig waande. Ik vertelde hem dat ze Parkers studio bijna geheel hadden overgenomen, waardoor ik me verstikt en claustrofobisch voelde. Zij vertelde hem dat ik haar vertrouwen had beschaamd door zeer persoonlijk dingen aan vreemden te vertellen waardoor zij zich zeer kwetsbaar voelde.

Dr. Petersen luisterde aandachtig naar ons, maakte af en toe een notitie en zei maar heel zelden iets totdat we alles wat ons op ons hart lag eruit hadden gegooid.

Toen we klaar waren, vroeg hij: 'Monica, waarom heb je me niet verteld dat je Eva's mobieltje traceerde?'

Ze stak haar kin afwerend in de lucht. 'Dat kan toch geen kwaad? Er zijn een heleboel ouders die hun kinderen op die manier in de gaten houden.'

'Dat zijn wel minderjarige kinderen,' riep ik uit. 'Ik ben volwassen. Ik heb een privéleven en dat wil ik graag zo houden.'

'Stel jezelf eens in haar plaats, Monica,' kwam Dr. Petersen tussenbeide, 'dan kun je misschien begrijpen hoe zij zich voelt. Stel dat jij erachter kwam dat iemand jou in de gaten hield zonder dat je dat wist en zonder jouw toestemming?'

'Als het mijn moeder zou zijn en ik wist dat ze zich daardoor minder ongerust maakte, zou ik het niet erg vinden,' wierp ze tegen.

'En heb je er weleens bij stilgestaan hoe ongerust Eva zich daarover maakt?' vroeg hij vriendelijk. 'Jouw wens om haar te beschermen is goed te begrijpen, maar je moet wel met haar bespreken wat je allemaal doet. Het is belangrijk dat ze meewerkt en dat zal alleen gebeuren als ze het ermee eens is. Zij is degene die de grenzen stelt en daar zul jij je bij neer moeten leggen, ook al zou je het graag anders zien.'

Mijn moeder sputterde verontwaardigd tegen.

'Eva heeft die grenzen nodig, Monica,' ging hij door, 'net als het gevoel dat ze zeggenschap heeft over haar eigen leven. Die dingen heeft ze een tijdlang niet gehad en we moeten haar het recht gunnen om ze op haar eigen manier te herstellen.'

'O.' Mijn moeder wikkelde de zakdoek om haar vingers. 'Zo had ik het nog niet bekeken.'

Haar onderlip bibberde hevig en ik pakte haar hand. 'Ik had sowieso Gideon over mijn verleden verteld. Maar ik had het misschien even aan jou moeten zeggen dat ik dat ging doen. Daar heb ik niet aan gedacht, sorry.'

'Je bent veel sterker dan ik,' zei mijn moeder, 'maar toch maak ik me zorgen.'

'Ik stel voor, Monica,' zei Dr. Petersen, 'dat jij de tijd neemt om te bedenken waar jij je allemaal ongerust om maakt. Daar maak je een lijst van.'

Ze knikte.

'Als je eenmaal een niet al te lange lijst maar een goed beginnetje hebt,' ging hij door, 'ga je met Eva bespreken hoe je het aan kunt pakken om jouw bezorgdheid weg te nemen, maar wel op een manier waar Eva mee kan leven. Vind je het bijvoorbeeld moeilijk om een paar dagen niets van Eva te horen, dan zou je een sms of een e-mail kunnen sturen om dat op te lossen.'

'Oké.'

'We kunnen ook samen de lijst bespreken, als je dat prettig vindt.'

Ik kon wel gillen toen ik dat hoorde. Alsof het al niet erg genoeg was. Ik had niet verwacht dat Dr. Petersen het mijn moeder aan haar verstand kon peuteren, maar ik had wel gehoopt dat hij haar strenger zou aanpakken. Dat was nodig en alleen iemand tegen wie ze opkeek zou het lukken.

Een uur later waren we klaar en ik vroeg mijn moeder om even buiten te wachten zodat ik Dr. Petersen iets persoonlijks kon vragen.

'Zeg het maar, Eva.' Hij stond daar voor me, met een oneindig geduldige en wijze blik in zijn ogen.

'Ik vroeg me af...' Ik viel even stil vanwege de brok in mijn keel. 'Zou het voor twee misbruikslachtoffers mogelijk zijn om een goede romantische relatie te hebben?'

'Nou en of.' Zijn onmiddellijke, ondubbelzinnige antwoord deed me naar adem snakken.

Ik gaf hem een hand. 'Dank je.'

Eenmaal thuis maakte ik de deur open met de sleutels die Gideon me terug had gestuurd en liep linea recta naar mijn kamer. Ik zwaaide even naar Cary die in de huiskamer met behulp van een dvd yoga aan het beoefenen was.

Ik trok mijn kleding uit terwijl ik naar mijn bed liep en kroop in mijn ondergoed tussen de koele lakens. Ik hield mijn kussen stevig vast en deed mijn ogen dicht. Ik was zo afgepeigerd en leeg dat ik geen pap meer kon zeggen.

De deur ging open en Cary kwam naast me op het bed zitten.

Hij streek mijn haar uit mijn betraande gezicht. 'Wat is er, meis?'

'Ik ben aan de kant gezet. Via een correspondentiekaartje nog wel.'

Hij zuchtte. 'Je weet hoe het gaat, Eva. Hij schuift je van zich af omdat hij verwacht dat je hem net als iedereen in de steek zult laten.'

'En dat heb ik ook gedaan.' Ik herkende mezelf in de beschrijving die Cary net had gegeven. Ik ging er ook vandoor als iemand te dichtbij kwam, want ik was er evenals Gideon van overtuigd dat het een tranendal zou worden. De enige manier om dat op te lossen, was zelf een einde aan de relatie maken voordat de ander de kans kreeg.

'Omdat jij nog bezig bent eroverheen te komen.' Hij ging tegen mijn rug aan liggen, sloeg zijn slanke gespierde arm om me heen en drukte me dicht tegen zich aan.

Ik nestelde me tegen hem aan, blij met het lichamelijke contact dat ik onbewust toch nodig had. 'Waarschijnlijk heeft hij me gedumpt vanwege mijn verleden en niet vanwege het zijne.'

'Nou, als dat zo is, dan is het maar goed dat het uit is. Maar ik denk dat jullie elkaar uiteindelijk wel weer zullen vinden. Dat hoop ik tenminste wel.' Hij zuchtte zacht in mijn nek. 'Ik wil dat we ondanks ons verleden gelukkig worden. Laat me zien dat het kan, Eva, schatje. Ik wil er heel graag in geloven.'

15

Op vrijdagochtend zat ik aan het ontbijt met Cary en Trey, die was blijven slapen. Onder het genot van het eerste kopje koffie van die dag keek ik vol plezier naar hun veelbetekende glimlachjes en steelse aanrakingen.

Ik had ook van dat soort leuke relaties gehad, maar had ze op het moment zelf niet kunnen waarderen. Ze waren gezellig en ongedwongen geweest, maar ook oppervlakkig, moet ik toegeven.

Hoe betekenisvol kan een relatie worden als je de akelige geheimen van je geliefde niet kent? Dat was het dilemma waar ik met Gideon voor stond.

De tweede dag na de breuk met Gideon was aangebroken. Het liefst wilde ik naar hem toe gaan en me bij hem verontschuldigen omdat ik hem weer in de steek had gelaten. Ik wilde hem zeggen dat ik er voor hem zou zijn, dat ik naar hem wilde luisteren of hem wilde troosten. Maar emotioneel kon ik dat niet aan. Ik was te snel gekwetst en te bang om afgewezen te worden. En omdat hij me niet dichtbij genoeg zou laten komen, nam die angst alleen maar toe. Zelfs als we het uit konden praten, dan nog zou ik eraan onderdoor gaan omdat hij me maar zo weinig wilde vertellen.

Gelukkig ging het wel goed op mijn werk. Ik keek erg uit naar de feestelijke lunch waar de leiding ons op ging trakteren omdat we het contract van Kingsman binnen hadden gehaald. Ik vond het een voorrecht om in zo'n positieve omgeving te mogen werken. Maar toen ik hoorde dat Gideon ook uitgenodigd was – hoewel niemand verwachtte dat hij ook echt zou komen – ging ik stilletjes terug naar mijn bureau en richtte ik me die middag alleen nog op mijn werk.

Na het werk ging ik naar de sportschool en erna deed ik inkopen voor een avondmaal van fettuccine alfredo en crème brûlée toe. Troosteten waarvan ik gegarandeerd in een koolhydraten-coma zou raken. Ik hoopte dat de slaap me op zijn minst tot zaterdagochtend zou weerhouden van het eindeloze gemaal over hoe het had kunnen zijn.

Cary en ik zaten in de zitkamer met stokjes te eten, omdat hij me op die manier dacht op te vrolijken. Hij zei dat het eten heerlijk was, maar mij had het niet gesmaakt. Ik besefte pas toen hij zijn mond hield dat ik wel erg slecht gezelschap was.

'Wanneer worden de posters van de Grey Isles-campagne opgehangen?' vroeg ik.

'Dat weet ik nog niet, maar moet je horen...' zei hij grinnikend. 'Je weet hoe het met mannelijke modellen gaat, we worden rondgesmeten als condooms op een orgie. Het valt niet mee om op te vallen tenzij je verkering hebt met een beroemdheid. En sinds er overal foto's van jou en mij opduiken, val ik opeens op. Ik krijg door jouw relatie met Gideon Cross alle aandacht. Dankzij jou ben ik nu een gewild artikel.'

Ik lachte. 'Daar had je mijn hulp echt niet bij nodig.'

'Nou, kwaad kon het ook niet. Maar goed, ze hebben me voor nog een paar opnames geboekt. Dus ik denk dat ik wel meer dan vijf minuten in beeld zal zijn.'

'Daar moet op gedronken worden,' zei ik plagend.

'En dat doen we ook, zodra jij daar weer rijp voor bent.'

We belandden op de bank en keken naar de originele versie van *Tron*. De film was twintig minuten bezig toen Cary's smartphone rinkelde en hij zijn agent aan de lijn kreeg. 'Prima. Ik ben er over een kwartier. Ik bel wel zodra ik er ben.'

'Heb je een opdracht?' vroeg ik toen hij de verbinding had verbroken.

'Ja. Een model kwam voor een avondopname lazarus aan en ze kunnen er niets mee.' Hij keek me onderzoekend aan. 'Ga je mee?'

Ik ging languit op de bank liggen. 'Nee. Ik lig lekker zo.'

'Weet je het zeker?'

'Ik wil gewoon alleen hersenloos vermaak. Ik moet er zelfs niet aan denken om me weer aan te kleden.' Wat mij betrof droeg ik het hele weekend mijn flanellen pyjamabroek en hemdje vol gaten. Door al mijn verdriet wilde ik me zo comfortabel mogelijk

kleden. 'Maak je maar niet druk. Ik weet dat ik een hoopje ellende was, maar het gaat alweer beter. Ga nu maar fijn werken.'

Nadat Cary de deur uit was gerend, zette ik de film stil en
schonk ik in de keuken een glas wijn in. Ik bleef bij de bar staan
en streelde over de rozen die Gideon het vorige weekend had laten bezorgen. Bloemblaadjes vielen als tranen naar beneden. Ik
zat eraan te denken om de stelen bij te knippen en het pakje
voeding in het water leeg te strooien dat je altijd bij een boeket
bloemen krijgt, maar ik wist dat het geen nut had om me eraan
vast te klampen. Ik zou de bos, mijn laatste herinnering aan onze
tot falen gedoemde relatie, de volgende dag weggooien.

Ik had met Gideon in één week meer meegemaakt dan in andere relaties in de afgelopen twee jaar. Dat zou ik altijd in mijn
hart meedragen. Misschien dat ik hem wel altijd in mijn hart mee
zou dragen.

En ooit zou dat minder pijn gaan doen.

'Word wakker, het zonnetje is al op,' zong Cary en hij trok het
dekbed van me af.

'Hé! Ga weg.'

'Je hebt vijf minuten de tijd om met je luie reet onder de douche te gaan staan en anders komt de douche wel naar jou toe.'

Ik deed een oog open en gluurde naar hem. Hij was in zijn
blote bast en had een wijde broek aan die nog maar net op zijn
heupen bleef hangen. Er waren slechtere manieren om wakker te
worden gemaakt. 'Waarom moet ik er dan uit?'

'Omdat je anders in bed blijft liggen.'

'Goh, hoe diepzinnig, Cary Taylor.'

Hij sloeg zijn armen over elkaar en keek me uit de hoogte aan.
'We moeten gaan winkelen.'

Ik stopte mijn hoofd in het kussen. 'Nee.'

'Jawel. Je hebt me iets verteld over een "tuinfeest op zondag" en
"een hoop rocksterren", weet je nog wel? Wat moet ik godsnaam
aan?'

'Hm, daar zeg je zoiets.'

'Wat doe jij aan?'

'Eh, dat weet ik eigenlijk niet. Ik zat aan "romantisch met hoed"
te denken, maar nu zit ik te twijfelen.'

Hij keek me streng aan. 'Oké. We gaan iets kopen wat sexy, chic en cool is.'

Ik gromde maar kwam toch mijn bed uit en trippelde naar de badkamer. Ik kon niet douchen zonder aan Gideon te denken, aan zijn perfecte lijf en de jammerkreetjes die hij uitte als hij in mijn mond klaarkwam. Waar ik ook keek, overal zag ik Gideon. Ik had ook al overal in de stad zwarte Bentleys zien rondrijden. Waar ik ook kwam, er dook er altijd wel een op.

Cary en ik brunchten en stortten ons toen op het shoppen. Eerst naar de beste kringloopwinkels aan de Upper East Side en de boetiekjes aan Madison Avenue voordat we een taxi naar SoHo namen. Tijdens het winkelen kwamen twee tienermeisjes op Cary af om zijn handtekening te vragen. Volgens mij vond ik dat nog leuker dan hij.

'Zie je nou wel?' zei hij triomfantelijk.

'Wat moet ik zien?'

'Dat ze me herkenden van een showbizzblog. Een of andere post over jou en Cross.'

Ik snoof. 'Fijn dat er iemand nog wat aan mijn liefdesleven heeft.'

Hij had om een uur of drie weer een opdracht en ik ging met hem mee en zat twee uur in de studio van een luidruchtige en grofgebekte fotograaf. Omdat het zondag was, ging ik ergens achteraf zitten en belde zoals gewoonlijk mijn vader.

'Heb je het nog steeds naar je zin in New York?' vroeg hij me boven de herrie van de portofoon in de politiewagen uit.

'Tot nu toe wel.' Het was niet waar, maar een leugen om bestwil kon geen kwaad.

Zijn partner zei iets wat ik niet kon verstaan. Mijn vader snoof luid en zei: 'Hé, Chris weet zeker dat hij je gisteren op tv heeft gezien. Een of andere kabelzender, een roddelprogramma over beroemdheden. De jongens hier blijven er maar over doorgaan.'

Ik zuchtte. 'Zeg maar dat dat soort programma's niet goed voor de hersencellen is.'

'Dus je bent niet aan het daten met een van de rijkste mannen in Amerika?'

'Nee. Hoe zit het met jouw liefdesleven?' vroeg ik, snel van onderwerp veranderd. 'Ben jij aan het daten?'

'Ja, maar het stelt verder niets voor. Wacht even.' Hij beantwoordde een oproep via de portofoon en zei toen: 'Sorry, lieverd, ik moet ophangen. Ik hou van je en ik mis je verschrikkelijk.'

'Ik mis jou ook, pap. Wees voorzichtig.'

'Ben ik toch altijd? Tot bels.'

Ik verbrak de verbinding en liep terug naar waar Cary bezig was. In de tussentijd kwelde mijn geest me met vragen als: waar was Gideon? Wat was hij aan het doen?

Zou er op maandag weer een hele rits foto's op internet staan van hem met een of andere vrouw?

Op zondagmiddag ging ik in een van Stantons auto's met Clancy aan het stuur naar het landgoed van Vidal in Dutchess County. Onderuitgezakt in de stoel bewonderde ik afwezig de serene aanblik van glooiende weidevelden en groene bossen zo ver het oog reikte. Het was inmiddels al de vierde dag na de breuk met Gideon. De felle pijn van de eerste dagen was een soort dof gebons geworden dat wel wat weg had van de griep. Ik had overal pijn, alsof ik ergens van aan het afkicken was en mijn keel was rauw van de ingehouden tranen.

'Ben je zenuwachtig?' vroeg Cary.

Ik keek hem even aan. 'Niet echt. Gideon komt toch niet.'

'Weet je het zeker?'

'Anders zou ik echt niet gaan, hoor. Ik heb nog wel een beetje trots over.' Hij trommelde met zijn vingers op de armleuning tussen ons in. Hoewel we de dag ervoor winkel in winkel uit waren gelopen, had hij alleen een zwartleren stropdas gekocht. Ik had hem daar ongenadig mee gepest, dat hij met zijn fantastische smaak zoiets kon kopen.

Hij merkte dat ik naar hem keek. 'Wat is er? Vind je die das nog steeds niets? Volgens mij staat hij precies goed bij de spijkerbroek en het hippe jasje.'

'Cary,' zei ik met trillende lip, 'jij kunt overal mee wegkomen.'

En dat was ook zo. Cary, met zijn goddelijke lijf en knappe gezicht, stond alles.

Ik legde mijn hand op zijn rusteloze vingers. 'En jij, ben jij zenuwachtig?'

'Trey heeft gisteravond niet gebeld,' mompelde hij. 'En hij had het nog zo beloofd.'

Ik gaf hem een kneepje in zijn hand. 'Het is maar één belletje, Cary. Het betekent vast niets.'

'Hij had vanochtend ook kunnen bellen,' wierp hij tegen. 'Trey is niet grillig zoals mijn vorige afspraakjes. Hij zou het niet vergeten, en dat houdt in dat hij geen zin had om te bellen.'

'De hufter. Ik zal ervoor zorgen dat er heel veel foto's van jou worden gemaakt terwijl je het reuze naar je zin hebt en je er sexy, chic en cool uitziet zodat hij er maandag hartstikke veel spijt van heeft.'

Cary's mond vertrok. 'O, wat kunnen vrouwen toch slinks zijn. Jammer dat Cross je vandaag niet zal zien. Mijn lul steigerde gewoon toen je in die jurk je kamer uit kwam.'

'Getver!' Ik gaf hem een dreun op zijn schouder en wierp hem een zogenaamd boze blik toe toen hij lachte.

We hadden het allebei de ideale jurk gevonden, zodra we hem zagen hangen. Het was de klassieke jurk voor een tuinfeest, met een strak lijfje en een uitwaaierende rok tot op de knie. Hij was zelfs wit met bloemen, maar daar hield de tuinvergelijking ook op.

De jurk was bijzonder doordat hij strapless was, een petticoat had met zwarte en rode lagen en er zwarte leren bloemen op genaaid waren die leken op kinky raderwieltjes. Cary had de rode Jimmy Choo's met open teen uit mijn kledingkast erbij gezocht en de oorhangers met robijntjes om het helemaal af te maken. We hadden niets met mijn haar gedaan voor het geval op het feest zou blijken dat hoeden verplicht waren. Ik voelde me mooi en was tevreden met mezelf.

Clancy reed door een imponerend hek voorzien van een monogram een oprit in en volgde de aanwijzingen van een parkeerhulp op. Cary en ik stapten bij de voordeur uit en hij nam me bij de arm toen mijn hakken in het blauwgrijze grind zakten.

Bij binnenkomst in het immense huis dat in tudorstijl was opgetrokken, werden we hartelijk welkom geheten door Gideons familie in volgorde van belangrijkheid: zijn moeder, zijn stiefvader, Christopher en zijn zus.

Ik bekeek het allemaal eens en ik moest opeens denken dat de familie Vidal met Gideon erbij helemaal perfect zou zijn. Zijn moeder en zus hadden dezelfde huidskleur als hij, hun haar glan-

zend zwart en blauwe ogen met lange wimpers. Ze waren adembenemend op een uiterst fijnbesneden manier.

'Eva!' Gideons moeder trok me naar zich toe en kuste me net
niet op beide wangen. 'Wat leuk om je eindelijk te ontmoeten. Je
ziet er schitterend uit! Je jurk is prachtig. Erg mooi.'

'Dank u.'

Ze streek over mijn haar, pakte mijn kin vast en vervolgde de
reis over mijn armen. Dat vond ik vreselijk, want ik had er de
grootste moeite mee als vreemden me aanraakten. 'Ben je van
nature blond?'

'Ja,' antwoordde ik, verrast en in de war gebracht door de vraag.
Wie vroeg nu zoiets aan een onbekende?

'Goh, wat bijzonder. Maar, welkom in ons huis. Hopelijk heb je
het naar je zin. We zijn blij dat je er bent.'

Ik voelde me op het verkeerde been gezet en was blij toen ze
haar aandacht op Cary richtte.

'En jij bent dus Cary,' zei ze zacht. 'En ik dacht nog wel dat mijn
jongens de knapste mannen op aarde waren. Ik had het duidelijk
mis. Jij bent echt goddelijk, jongeman.'

Cary glimlachte haar stralend toe. 'O, Miss Vidal, ik lig aan uw
voeten.'

Ze lachte verrukt. 'Toe, zeg maar Elizabeth. Of Lizzie, als je dat
durft.'

Ik keek weg en prompt pakte Christopher Vidal Sr. mijn hand.
Hij deed me in veel opzichten aan zijn zoon denken, met zijn
groene ogen en jongensachtige glimlach. Maar in andere opzichten vormde hij een aangename verrassing. Hij droeg een kaki-
kleurige broek, instappers en een kasjmier vest en leek meer op
een professor dan de grote baas van een platenmaatschappij.

'Eva. Ik mag toch Eva zeggen, hoop ik?'

'Graag.'

'Ik heet Chris. Zo kunnen jullie Christopher en mij beter uit
elkaar houden.' Hij hield zijn hoofd scheef terwijl hij me opnam
door zijn aparte metalen brilletje. 'Het is niet zo vreemd dat
Gideon weg is van jou. Je ogen zijn stormachtig grijs maar tegelijkertijd helder en open. Je hebt de mooiste ogen die ik ooit heb
gezien, behalve de ogen van mijn vrouw natuurlijk.'

Ik moest ervan blozen. 'Dank je.'

'Komt Gideon ook?'

'Niet dat ik weet.' Waarom wisten zijn ouders dat niet?

'We blijven hopen.' Hij gebaarde naar een bediende. 'Loop maar door naar de tuin en doe of je thuis bent.'

Christopher gaf me een knuffel en een kus op de wang en Gideons zus Ireland nam me nukkig op, zoals alleen een tiener dat kan. 'Je bent blond,' zei ze.

Jeetje. Was het soms een wet van Meden en Perzen dat Gideon op donkerharige vrouwen viel? 'En jij bent een knappe brunette.'

Cary bood me zijn arm aan en ik nam hem maar al te graag aan.

Terwijl we wegliepen, vroeg hij zachtjes: 'Had je verwacht dat ze zo zouden zijn?'

'Zijn moeder wel, maar zijn stiefvader niet.' Ik wierp een blik achterom en nam de elegante, lange, ivoorkleurige jurk in me op die Elizabeth Vidals ranke lijf nauw omsloot. Ik wist maar bitter weinig van Gideons familie af. 'Hoe wordt een jongen een zaken-man die het familiebedrijf van zijn stiefvader overneemt?'

'Heeft Cross aandelen in Vidal Records?'

'Een meerderheid zelfs.'

'Hm. Zou het een gunst zijn geweest?' opperde hij. 'Een hel-pende hand omdat de muziekindustrie een moeilijke tijd door-maakt?'

'Maar dan had hij toch ook gewoon geld kunnen geven?' vroeg ik me af.

'Misschien omdat hij een sluwe zakenman is?'

Ik zuchtte diep, wapperde de opmerking weg en zette het van me af. Ik was voor Cary op het feestje en niet voor Gideon en daar wilde ik me aan houden.

Eenmaal buiten zagen we een grote, rijk versierde tent staan. Hoewel het een zonnige dag was en iedereen buiten kon blijven, ging ik in de tent zitten aan een ronde tafel voorzien van een wit damasten tafelkleed.

Cary klopte me op mijn schouder. 'Blijf lekker zitten, ik ga net-werken.'

'Veel succes.'

Hij liep doelgericht weg.

Ik nam een slok champagne en kletste met iedereen die een praatje wilde maken. Er waren heel wat artiesten die ik goed vond en ik keek stiekem naar hen, een beetje onder de indruk. De omgeving mocht dan chic zijn en er liep een groot aantal bedienden rond, toch was de sfeer ontspannen en gezellig.

Ik vermaakte mezelf prima toen ik iemand die ik nooit meer had willen zien het terras op zag lopen. Magdalene Perez was een plaatje in een rozenrode chiffon japon die om haar knieën zwierde.

Iemand legde een hand op mijn schouder en gaf me een zacht kneepje. Mijn hart sloeg meteen sneller omdat het me deed denken aan de keer dat ik met Cary naar Gideons club was gegaan. Maar degene die nu achter me stond bleek Christopher te zijn.

'Hoi, Eva.' Hij ging naast me zitten, zette zijn ellebogen op zijn knieën en boog zich naar me toe. 'Vind je het leuk? Je zit hier wel een beetje in je eentje.'

'Het is hartstikke leuk.' Tot nu toe in elk geval wel. 'Bedankt nog voor de uitnodiging.'

'Fijn dat je bent gekomen. Mijn ouders vinden het ook fantastisch dat je er bent.' Hij grijnsde en mijn oog viel op zijn stropdas, waar ouderwetse lp's op stonden. Ik glimlachte terug. 'Heb je trek?' vroeg Christopher. 'De krabkoekjes zijn erg lekker. Als ze ermee langskomen moet je er echt een nemen.'

'Zal ik doen.'

'Ik hoor het graag als je iets nodig hebt. En ik wil straks wel met je dansen.' Hij knipoogde, kwam overeind en was weer weg.

Ireland kwam vervolgens naast me zitten op een dusdanig gracieuze manier dat duidelijk was dat ze erop geoefend had. Haar haar viel tot op haar middel en was recht afgeknipt, en ze keek me met haar prachtige ogen openhartig aan. Dat kon ik wel waarderen. Ze zag er wereldwijs uit voor haar zeventien jaar. 'Hoi.'

'Dag.'

'Waar zit Gideon?'

Ik haalde mijn schouders op. 'Ik zou het niet weten.'

Ze knikte wijs. 'Hij kan heel goed alleen zijn.'

'Is hij altijd al zo geweest?'

'Dat zal wel. Hij ging het huis uit toen ik nog heel jong was. Hou je van hem?'

Ik snakte naar adem. Toen flapte ik er zonder erbij na te denken uit: 'Ja.'

'Dat dacht ik al toen ik dat filmpje van jullie zag in Bryant Park.' Ze beet op haar weelderige lip. 'Is hij leuk? Om mee om te gaan, bedoel ik.'

'O. Nou...' Jezus, kende niemand Gideon dan echt? 'Leuk is het woord niet, maar ik verveel me geen moment met hem.'

De band zette *I've Got You Under My Skin* in en Cary dook als bij toverslag naast me op. 'Laat me eens een goede indruk maken, Ginger Rogers.'

'Ik zal mijn best doen, Fred Astaire.' Ik wierp Ireland een glimlach toe. 'Ik ben zo weer terug.'

'Over drie minuten en veertig seconden,' verbeterde ze me, als telg van een muziekfamilie.

Cary leidde me de verlaten dansvloer op en we dansten een snelle foxtrot. Ik moest er even inkomen, want door de ellende van de afgelopen dagen was ik zo stijf als een plank geworden. Maar doordat we al zo lang samen dansten kwam ik al snel in het ritme en voor ik het wist zweefden we over de vloer.

Toen de laatste noot verstorven was, bleven we buiten adem staan. Tot onze verbazing werden we beloond met een applaus. Cary boog sierlijk als een knipmes en ik hield zijn hand vast om mijn evenwicht te bewaren toen ik een reverence maakte.

Toen ik weer overeind kwam stond Gideon voor mijn neus. Geschrokken zette ik een stap naar achteren. Hij was niet echt op het feest gekleed en droeg een spijkerbroek met een overhemd met opgestroopte mouwen dat over zijn broek hing en openstond bij de kraag. Maar door zijn verschijning viel iedere aanwezige bij hem in het niet.

De hunkering die ik voelde toen ik hem zag, overviel me. Ik was me er vaag van bewust dat de zanger van de band Cary wegtrok, maar ik kon mijn ogen niet van Gideon afhouden, die me met zijn schitterende blauwe ogen strak aankeek.

'Wat doe jij hier?' beet hij me met een nijdige blik toe.

Ik schrok terug van de barse opmerking. 'Pardon?'

'Jij had hier niet moeten zijn.' Hij pakte me bij de elleboog en dirigeerde me naar het huis. 'Ik wil je hier niet hebben.'

Zijn woorden deden me meer pijn dan een klap in het gezicht. Ik trok me los uit zijn greep en liep met mijn kin in de lucht met gezwinde tred naar het huis, hopend dat ik de auto met Clancy's beschermende aanwezigheid kon halen zonder in huilen uit te barsten.

Ik hoorde een zwoele vrouwenstem Gideons naam roepen en deed een schietgebedje dat de vrouw hem lang genoeg op zou houden zodat ik weg kon komen zonder hem nog te hoeven zien.

Ik dacht dat ik het had gered toen ik het koele huis in liep.

'Wacht even, Eva.'

Ik kromp ineen toen ik Gideons stem hoorde en vertikte het hem aan te kijken. 'Rot op. Ik weet de weg.'

'Ik ben nog niet klaar...'

'Nou, ik anders wel!' Ik draaide me op mijn hakken om. 'Waar haal je het lef vandaan om me zo te vernederen! Wat denk je nu wel? Dat ik hier soms voor jou ben? Dat ik hoopte je hier te treffen zodat je zo goedgunstig zou zijn om iets tegen me te zeggen? Misschien om je over te halen me even snel ergens in een donker hoekje te neuken om je weer terug te krijgen?'

'Hou je mond, Eva.' Hij keek me met opeengeklemde kaken witheet van woede aan. 'Nou moet je eens goed naar me luisteren...'

'Ik ben hier alleen maar omdat jij niet zou komen. Ik ben hier om Cary's carrière een handje te helpen. Ga dus maar lekker feestvieren en denk niet meer aan mij. Ik kan je verzekeren dat zodra ik hier de deur uit ben, ik ook niet meer aan jou zal denken.'

'Hou nu verdomme je mond.' Hij pakte me bij de ellebogen en schudde me zo hard door elkaar dat mijn kiezen op elkaar klapten. 'Hou je bek en luister naar me.'

Ik gaf hem een klap in het gezicht waardoor zijn hoofd een kwartslag omdraaide. 'Blijf van me af.'

Grommend trok Gideon me tegen zich aan en hij kuste me zo hard dat hij mijn lippen kneusde. Hij hield me stevig bij de haren vast zodat ik geen kant op kon. Ik beet in zijn tong die hij agressief in mijn mond stak, toen in zijn onderlip en hoewel ik bloed proefde, hield hij er niet mee op. Ik duwde met alle macht tegen zijn schouders, maar hij gaf geen centimeter mee.

Ik kon Stanton wel vermoorden! Als hij en mijn doorgedraaide moeder geen spaak in het wiel hadden gestoken, had ik nu al wat Krav Maga kunnen toepassen...

Gideon kuste me vurig en langzaamaan gaf ik mijn verzet op.

Hij rook heerlijk en bekend. Zijn lichaam voelde heerlijk goed aan. Mijn tepels verraadden me, ze stonden stijf rechtop en een trage, sensuele opwinding sloeg door me heen. Mijn hart ging als een razende tekeer.

O god, ik wilde hem. De hunkering was nog geen moment weggezakt.

Hij tilde me op. Gevangen in zijn ijzeren greep kon ik nauwelijks lucht krijgen en mijn hoofd tolde. Hij droeg me een kamer in en schopte de deur achter zich dicht. Ik kon alleen een zwak kreetje uitbrengen bij wijze van protest.

We waren in de bibliotheek. Gideon drukt me tegen de zware glazen deur en hield me met zijn harde en sterke lijf gevangen. De arm die hij om mijn middel had geslagen, gleed naar beneden, zijn hand dook onder mijn rok en omvatte mijn ronde billen in de kanten boxershort. Hij drukte mijn onderlichaam stevig tegen zich aan, zodat ik voelde hoe stijf hij was, hoe opgewonden. Mijn geslachtsdeel trilde van lust, voelde pijnlijk leeg aan.

Ik stribbelde niet meer tegen. Ik liet mijn armen langs mijn zij vallen en drukte met mijn handen tegen het glas. De kribbige spanning verliet hem toen ik me overgaf en de harde kus werd een hartstochtelijke omhelzing.

'Eva,' zei hij zwaar ademend. 'Ga alsjeblieft niet tegen me in. Daar kan ik niet tegen.'

Ik deed mijn ogen dicht. 'Laat me los, Gideon.'

Hij legde zijn wang op die van mij en ademde snel en hard in mijn oor. 'Dat kan ik niet. Ik weet dat je toen van me walgde, waar ik mee bezig was...'

'Nee, Gideon!' Jezus, dacht hij nou echt dat ik dáárom bij hem weg was gegaan? 'Daarom ben ik helemaal niet...'

'Ik word knettergek zonder jou.' Zijn lippen streelden mijn nek, zijn tong likte over mijn bonzende halsslagader. Hij zoog op mijn huid en genot zinderde door me heen. 'Ik kan niet meer nadenken. Ik kan niet meer werken en ik doe geen oog meer dicht. Ik hunker naar je. Ik kan ervoor zorgen dat je me weer wilt. Als dat mag.'

De tranen stroomden over mijn wangen. Ze spatten uiteen op mijn borsten en hij likte ze weg.

Hoe kwam ik er nu ooit overheen als hij weer met me vrijde?

Hoe zou ik het kunnen overleven als hij niet met me vrijde?

'Ik blijf naar je verlangen,' fluisterde ik. 'Daar kan ik niets aan doen. Maar je hebt me pijn gedaan, Gideon. Jij, meer dan ieder ander, kan me verdriet doen.'

Hij keek me verbaasd aan. 'Heb ik jou verdriet gedaan? Hoe dan?'

'Je hebt tegen me gelogen. Je hebt me buitengesloten.' Ik pakte zijn gezicht vast omdat ik wilde dat hij het zou snappen. 'Door jouw verleden kun je me niet kwijtraken. Daar kan jij alleen voor zorgen en dat heb je ook gedaan.'

'Ik wist me geen raad,' bracht hij schor uit. 'Dat had je niet mogen zien...'

'Daar draait het nu juist om, Gideon. Ik wil alles van je weten, je goede en je slechte kanten, maar jij houdt dingen voor me verborgen. Als jij niet eerlijk tegen me bent, gaat het fout, en dat trek ik niet. Het was nu al moeilijk genoeg. De afgelopen vier dagen waren een ware hel. Nog een week, een maand... ik zou eraan onderdoor zijn gegaan.'

'Ik wil het je wel vertellen, Eva, echt. Maar zodra ik iets verkeerd doe, ga jij ervandoor. Dat doe je nu elke keer en ik wil niet steeds op eieren lopen omdat je er anders weer als een haas vandoor gaat.'

Zijn mond streek teder over mijn lippen. Ik ging er niet tegenin. Waarom zou ik ook, hij had gelijk.

'Ik hoopte dat je uit jezelf terug zou komen,' mompelde hij, 'maar ik kan niet langer bij je wegblijven. Als het moet draag ik je in mijn armen hier weg. Als ik het op die manier met jou uit kan praten, dan doe ik dat.'

Mijn hart sloeg een slag over. 'Hoopte jij dat ik terug zou komen? Maar ik dacht... Je stuurde mijn sleutels terug. Ik dacht dat het uit was.'

Hij keek me vastberaden aan. 'Het zal nooit ofte nimmer uit zijn tussen ons, Eva.'

Mijn hart brak door de aanblik van zijn knappe gezicht, zijn pijn en zijn verdriet... dat gedeeltelijk aan mij was te wijten.

Ik ging op mijn tenen staan, greep hem bij zijn dikke zijdezachte haar en kuste de rode plek waar ik hem had geslagen.

Gideon zakte iets door zijn knieën zodat we op gelijke hoogte kwamen. Hij ademde zwaar en onregelmatig en zei: 'Ik doe alles wat je zegt, en doe alles wat je wilt. Het maakt mij niet uit, als je me maar weer terugneemt.'

Misschien had ik moeten terugdeinzen door zijn grote verlangen, de hartstochtelijke waanzin, maar ik koesterde dezelfde gevoelens voor hem.

Ik streelde over zijn borst zodat hij niet langer trilde en vertelde hem waar het op stond. 'We schijnen elkaar alleen maar ongelukkig te maken. Dat mag ik je niet aandoen en ik kan ook niet tegen al die ups en downs. We hebben hulp nodig, Gideon. We functioneren allebei niet goed.'

'Ik ben vrijdag bij dokter Petersen langs geweest. Hij wil me als patiënt aannemen en als jij het daarmee eens bent, wil hij ons ook als stel helpen. Ik ging ervan uit dat als jij hem kunt vertrouwen, ik maar eens een poging bij hem moest wagen.'

'Dokter Petersen?' De zwarte Bentley die ik had gezien toen Clancy optrok bij de dokter schoot me opeens weer te binnen. Op dat moment had ik gedacht dat ik het me had verbeeld. Per slot van rekening wemelde het van de zwarte Bentleys in New York. 'Je liet me volgen.'

Hij ademde diep uit, maar sprak het niet tegen.

Ik onderdrukte mijn woede. Het kon voor hem niet meevallen om afhankelijk van iets – of iemand – te zijn waar hij geen macht over kon uitoefenen. Het punt waar het om draaide was dat hij ons een kans wilde geven en dat hij het niet bij praten alleen liet. Hij had echt stappen ondernomen. 'Het zal zwaar worden, Gideon,' waarschuwde ik hem.

'Daar ben ik niet bang voor.' Hij raakte me rusteloos aan, zijn handen gleden over mijn dijen en billen alsof hij dat net zo hard nodig had als ademhalen. 'Het enige waar ik bang voor ben is dat ik jou kwijtraak.'

Ik drukte mijn wang tegen die van hem aan. We vulden elkaar aan. Nu zijn handen bezitterig over me heen dwaalden, voelde ik mezelf toegeven. De opluchting was groot dat ik – eindelijk – weer in de armen lag van de man die mijn diepste en innigste verlangens kende en kon stillen.

'Ik wil je neuken.' Zijn mond streek over mijn wang en over mijn keel. 'Ik wil je voelen...'

'Nee. Jezus. Niet hier.' Maar zelfs ik vond het niet erg geloof-waardig overkomen. Ik wilde hem overal, altijd en hoe hij ook wilde...

'Het moet wel hier,' mompelde hij terwijl hij zich op zijn knieën liet zakken. 'Het moet nu.'

Hij scheurde mijn slipje van me af, hees mijn rok en petticoat omhoog en likte mijn spleetje, dook met zijn tong tussen mijn plooien en stortte zich vervolgens op mijn kloppende clitoris.

Ik snakte naar adem en wilde me terugtrekken, maar ik stond met mijn rug tegen de deur. Gideon was niet van plan me te laten gaan en hield me stevig met één hand vast terwijl hij met de andere mijn linkerbeen over zijn schouder legde zodat ik wijd open stond voor zijn ijverige mond.

Mijn hoofd sloeg tegen de ruit, hartstocht stroomde door mijn bloed terwijl zijn tong me helemaal gek maakte. Mijn been drukte tegen zijn rug aan om hem dichterbij te krijgen, met mijn handen hield ik zijn hoofd vast terwijl ik me tegen hem aan bewoog. Het gevoel van zijn zachte lokken tegen de gevoelige binnenkant van mijn dijen wond me nog meer op, verhoogde het besef van alles om me heen...

We bevonden ons in het huis van Gideons ouders, tijdens een feestje waarbij tientallen beroemdheden aanwezig waren, en hij zat op zijn knieën grommend en hongerig mijn natte, smachtende spleetje te likken. Hij wist precies wat hij moest doen, wat ik lekker vond en wilde. Zijn begrip van wat ik nodig had ging zijn waanzinnige likkunsten ver te boven. De combinatie van die twee was fantastisch en verslavend.

Ik schokte naar voren, mijn oogleden zwaar van het stiekeme genot. 'Gideon... ik kom zo meteen waanzinnig klaar.'

Zijn tong streek steeds weer plagend over mijn genotsknopje, zodat ik schaamteloos mijn onderlichaam tegen zijn mond aan duwde. Hij kneedde mijn blote kont, en drukte me tegen zijn tong aan terwijl hij die in me stak. Hij genoot met volle teugen van me, maar er sijpelde ook respect in door, dat was duidelijk te merken aan de manier waarop hij mijn lichaam verafgoodde, het bevredigde en er ook door bevredigd werd, alsof dat net zo belangrijk voor hem was als het bloed dat door zijn aderen stroomde.

'Ja,' zei ik kreunend terwijl ik steeds dichter tegen een orgasme aanzat. Ik was licht in mijn hoofd door de champagne en Gideons lucht die van zijn warme huid afsloeg en mijn eigen opwinding. Mijn borsten spanden zich in de steeds strakker zittende strapless-bh, mijn lijf trilde, wanhopig snakkend naar een orgasme. 'Ik kom bijna.'

Een beweging aan de andere kant van de kamer ving mijn blik en ik bleef stokstijf staan toen ik Magdalene recht aankeek. Ze stond net over de drempel, met grote ogen en open mond naar Gideons op- en neergaande achterhoofd te staren.

Maar hij was zich er niet van bewust of het kon hem niet schelen. Zijn lippen streelden over mijn clitoris, hij begon erop te sabbelen en likte erover met de punt van zijn tong.

Alles verkrampte in een felle ontlading van genot.

Het orgasme scheurde door me heen. Ik gilde, was bijna van de wereld en stootte in mijn hartstocht mijn onderlijf tegen hem aan. Gideon hield me overeind toen mijn knieën slap werden en bleef mijn trillende vlees likken totdat het orgasme was weggeëbd.

Toen ik mijn ogen weer opendeed was ons eenkoppige publiek weg.

Gideon kwam snel overeind en pakte me in een vloeiende beweging op. Hij droeg me naar de bank en legde me languit neer. Toen pakte hij mijn onderlijf en trok dat op de armleuning zodat mijn rug hol kwam te staan.

Ik keek hem aan. Waarom draaide hij me niet gewoon om om me van achteren te nemen?

Toen scheurde hij zijn knopengulp open en trok zijn grote, prachtige penis tevoorschijn en het maakte me niet meer uit hoe hij me wilde nemen, zolang hij dat maar deed. Ik jammerde zachtjes toen hij in me kwam, ik had moeite om het schitterende instrument waar ik zo naar verlangde plaats te bieden. Gideon trok me nog verder omhoog om dieper te kunnen stoten en ramde met die waanzinnig dikke, harde paal in mijn tere vlees. Zijn blik was intens en bezitterig en elke keer dat hij doorstootte ademde hij grommend uit.

Ik kreunde zuchtend, door de wrijving van zijn stootbewegingen kwam de onverzadigbare behoefte om door hem helemaal platgeneukt te worden weer terug. Alleen maar door hem.

Na nog vijf halen liet hij zijn hoofd in zijn nek vallen en bracht hij met raspende adem mijn naam uit, terwijl zijn onderlijf op me in beukte. 'Knijpen, Eva. Knijp mijn pik.'

Toen ik deed wat hij vroeg uitte hij zo'n erotisch rauwe kreet dat mijn geslachtsdeel trillend reageerde. 'Ja, engel... lekker zo.'

Ik kneep nog wat harder en hij vloekte. Hij keek me aan, zijn verbluffend blauwe ogen omfloerst door seksuele euforie. Zijn sterke lijf schudde onwillekeurig en hij kreunde in extase. Zijn penis schokte in me, een keer, twee keer, en toen kwam hij lang en fel, diep in me spuitend.

Ik had de tijd niet gekregen om weer klaar te komen, maar dat hinderde niet. Ik keek hem aan vol bewondering en met een zuiver vrouwelijk triomfantelijk gevoel. Dit had ik bij hem teweeggebracht.

Toen hij een hoogtepunt kreeg, was hij geheel en al van mij, net zoals ik van hem was tijdens mijn orgasme.

16

Gideon viel naar adem snakkend over me heen, zijn haar viel naar voren en kietelde mijn borsten. 'Godsamme, ik kan hier geen dagen buiten. Ik red zelfs geen hele werkdag zonder.'

Ik woelde door zijn bezwete haardos. 'Ik heb jou ook gemist.'

Hij nestelde zich tussen mijn borsten. 'Als je niet bij me bent, dan voel ik me... Laat me alsjeblieft niet meer in de steek, Eva, daar kan ik niet tegen.'

Hij trok me overeind totdat mijn voeten de hardhouten vloer raakten en ik voor hem stond, met zijn penis nog in me. 'Ga met me mee naar huis.'

'Ik wil Cary niet laten stikken.'

'Dan gaat hij maar met ons mee. Sst... voordat je daartegenin wilt gaan: wat hij ook op dit feestje hoopt te bereiken, daar kan ik ook voor zorgen. Het heeft totaal geen nut dat hij hier rondhangt.'

'Maar misschien vindt hij het gewoon leuk.'

'Ik wil jou hier niet hebben.' Hij was opeens weer afstandelijk, zijn stem veel te beheerst.

'Weet je wel hoe erg ik het vind als je zoiets zegt?' riep ik zacht uit met pijn in mijn hart. 'Wat mankeert me toch dat ik niet in de buurt van je familie mag komen?'

'O, engel, toch.' Hij hield me stevig beet en streelde troostend mijn rug. 'Jou mankeert niets. Het komt door dit huis. Ik wil niet... ik kán hier gewoon niet zijn. Wil je weten waar ik over droom? Ik droom over dit huis.'

'O.' Ik keek hem bezorgd en verbijsterd aan. 'Sorry, dat wist ik niet.'

Door de manier waarop ik dat zei voelde hij zich gedwongen een kus tussen mijn wenkbrauwen te planten. 'Ik heb je wel erg hard aangepakt. Dat spijt me. Ik raak altijd gespannen en geagiteerd als ik hier ben, maar dat mag ik niet op jou botvieren.'

Ik legde mijn handen op zijn wangen en keek hem aan. In zijn ogen zag ik de woelige emoties die hij altijd wist te verbergen. 'Waag het niet om je excuses aan te bieden voor wie je bent. Ik wil dat je jezelf bij mij bent. Ik wil jouw veilige haven zijn, Gideon.'

'Dat ben je al. En ik zal je wel een keer vertellen in welke opzichten allemaal.' Hij drukte zijn voorhoofd tegen dat van mij. 'Ga mee naar huis. Ik heb wat voor je gekocht.'

'O ja? Ik ben dol op cadeautjes.' En al helemaal van mijn onromantische vriend, zoals hij zelf stug volhield.

Voorzichtig haalde hij zijn penis uit me. Ik was kleddernat, want hij had rijkelijk gespoten. De eikel gleed er opeens soepel uit en zijn sperma bevochtigde de binnenkant van mijn dijen. Twee vrijpostige druppels vielen tussen mijn gespreide benen op de hardhouten vloer.

'Verdomme,' zei hij kreunend. 'Wat is dat geil. Ik krijg weer een stijve.'

Ik bekeek waarderend het onbeschaamde bewijs van viriliteit. 'Je kunt nu toch niet nog een keer?'

'Wat dacht je dan?' Hij greep mijn geslachtsdeel beet, smeerde het zaad over mijn schaamlippen uit en wreef het in alle hoekjes en gaatjes. Een geluksgevoel stroomde door me heen als een slok heerlijke likeur, een voldaan gevoel dat ik alleen kreeg door de wetenschap dat Gideon door mijn lijf en mij bevredigd werd.

'Door jou voel ik me een beest,' mompelde hij. 'Ik wil mijn merkteken op je achterlaten. Ik wil je zo volledig bezitten dat we één geheel worden.'

Mijn onderlijf begon te draaien toen hij dat zei en toen ik tegen hem aan schuurde kwam de lust weer boven die hij met zijn pompende penis in me had opgewekt. Ik wilde weer klaarkomen en wist dat ik me rot zou voelen als ik moest wachten tot we in zijn bed lagen. Bij hem was ik een sensueel wezen, fysiek op hem afgesteld en er zo van overtuigd dat hij me lichamelijk nooit pijn zou doen, dat ik... vrij was.

Ik pakte zijn pols en leidde hem om me heen zodat hij achterlangs bij me kon. Ik beet zachtjes in zijn kaak, raapte al mijn moed bij elkaar en fluisterde: 'Vinger me daar. Laat je merkteken daar achter.'

Hij bleef als versteend zitten terwijl hij snel ademhaalde. 'Ik doe niet aan anaal, Eva,' zei hij krachtig.

Ik keek hem in de ogen en zag iets duisters en gewelddadig. Iets uiterst pijnlijks.

Dat we nu juist dat met elkaar gemeen hebben, schoot er door me heen.

De rauwe hartstocht van onze lust smolt door het warme gevoel van liefde. Met een brok in mijn keel biechtte ik op: 'Ik ook niet. Niet vrijwillig, althans.'

'Maar... waarom wil je het dan?' De verwarring in zijn stem raakte me diep.

Ik drukte hem tegen me aan, legde mijn wang tegen zijn schouder en hoorde de ietwat versnelde, paniekerige hartslag. 'Omdat ik door jou Nathan kan vergeten.'

'O, Eva.' Hij legde zijn wang op mijn hoofd.

Ik nestelde me tegen hem aan. 'Door jou voel ik me veilig.'

We hielden elkaar een paar tellen vast. Ik hoorde hoe zijn hart langzamer ging kloppen en zijn ademhaling rustiger werd. Ik ademde diep in en genoot van de combinatie van zijn geur en de lucht van wilde hartstocht en onstuimige seks.

Toen zijn middelvinger uiterst voorzichtig over mijn sterretje gleed, verstarde ik en trok ik me terug. Ik keek hem aan. 'Gideon?'

'Waarom ik?' vroeg hij zacht, zijn prachtige ogen donker en woest. 'Je weet toch dat ik verknipt ben, Eva? Je hebt gezien waar ik mee bezig was toen jij me die avond wakker maakte. Je hebt het verdomme gezien. Waarom vertrouw je me dan toch je lichaam toe?'

'Ik vertrouw op mijn gevoel.' Ik streelde over de denkrimpel tussen zijn wenkbrauwen. 'Jij kunt ervoor zorgen dat mijn lichaam weer van mij wordt, Gideon. Jij bent de enige die dat kan.'

Hij deed zijn ogen dicht en drukte zijn bezwete voorhoofd tegen dat van mij. 'Heb je een stopwoord, Eva?'

Geschrokken deinsde ik achteruit om hem aan te kijken. Een paar leden van de therapiegroep hadden het gehad over Dom/sub-relaties. Sommigen hadden het nodig om de macht in handen te hebben zodat ze zich veilig konden voelen tijdens de seks. Voor anderen gold het tegendeel, zij vonden het prettig om vastgebonden en vernederd te worden om op die manier hun diepgewortelde behoefte aan pijn te bevredigen. Voor dat soort mensen was een stopwoord het teken om iemand onmiddellijk op te laten houden met waar hij ook mee bezig was. Ik zag zo gauw niet wat dat met Gideon en mij te maken had. 'En jij?'

'Dat heb ik niet nodig.' De streling tussen mijn benen werd iets minder gespannen. Hij stelde de vraag opnieuw: 'Heb je een stopwoord?'

'Nee, nooit nodig gehad. Mijn ervaringen in de slaapkamer gaan niet verder dan recht op en neer, op zijn hondjes en een vibrator.'

Zijn strenge uitdrukking verzachtte even in een glimlach. 'Gelukkig maar, anders zou ik het niet overleven.'

En nog steeds streelde hij me en stak er een donker verlangen de kop op. Gideon lukte dat, hij kon me alles doen vergeten. Bij hem waren er geen seksuele handelingen die negatieve herinneringen opriepen, geen twijfels, geen angstgevoelens. Daar had hij voor gezorgd. Daarom wilde ik hem het lijf geven dat hij van de ketens van het verleden had ontdaan.

De staande klok naast de deur sloeg het uur.

'Gideon, we zijn hier al heel lang. Straks gaan ze ons nog zoeken.'

Hij oefende iets meer druk uit op het gevoelige sterretje. 'Kan je dat nu echt wat schelen?'

Mijn onderlijf schokte naar voren. Ik raakte opnieuw opgewonden. 'Nee, het enige wat telt is jouw liefkozing.'

Met zijn andere hand pakte hij mijn haar stevig vast zodat ik mijn hoofd niet kon bewegen. 'Heb je anaal ooit lekker gevonden? Per ongeluk of expres?'

'Nee.'

'En toch vertrouw je me genoeg om me ernaar te vragen.' Hij kuste me op het voorhoofd en smeerde zijn sperma door naar achteren.

Ik pakte zijn broeksband beet. 'Dat hoef je niet...'

'Jawel, dat moet.' Zijn toon was heerlijk assertief. 'Als jij ergens naar verlangt, zal ik het jou geven. Ik ben degene die aan jouw wensen tegemoetkomt, Eva. Koste wat kost.'

'Dank je, Gideon.' Mijn onderlijf schoof rusteloos heen en weer terwijl hij me zachtjes insmeerde. 'Ik wil ook alles voor jou doen.'

'Ik heb je al verteld waar ik behoefte aan heb, Eva: macht.' Hij wreef zijn geopende mond over de mijne. 'Jij wilt dat ik je terugleid naar pijnlijke herinneringen en dat zal ik doen, als jij dat nodig hebt. Maar we moeten het heel voorzichtig aanpakken.'

'Dat weet ik.'

'We hebben allebei problemen met vertrouwen. Als we het vertrouwen verbreken, lopen we het risico alles kwijt te raken. Dus bedenk een woord dat voor jou met macht te maken heeft. Dat is jouw stopwoord, engel. Wat wordt het?'

De druk van zijn vingertopje nam steeds meer toe. Ik kreunde. 'Crossfire.'

'Hm... mooi gevonden. Zeer toepasselijk.' Hij stak zijn tong in mijn mond, raakte mijn tong heel eventjes aan en trok zich toen weer terug. Zijn vinger ging steeds weer om mijn anus heen en wreef zijn sperma over mijn sterretje. Hij gromde zacht toen mijn anus samentrok in een stille smeekbede voor meer.

Toen zijn vinger weer tegen mijn sluitspier aan zat, drukte ik me ertegenaan en gleed zijn vinger naar binnen. De sensatie van de penetratie was waanzinnig intens.

Toen ik eraan toegaf werd mijn lichaam opnieuw slap en willoos.

'Gaat het?' vroeg Gideon met raspende adem toen ik tegen hem aanzakte. 'Moet ik ermee ophouden?'

'Nee... ga door.'

Hij stak zijn vinger iets dieper in me en doordat hij over teer weefsel gleed trok mijn sluitspier samen. 'Je bent strak en bloedheet,' mompelde hij. 'En vreselijk zacht. Doe ik je pijn?'

'Nee, ga alsjeblieft door.'

Gideon trok zijn vinger er bijna uit en stak hem er toen in een langzame en soepele beweging tot de knokkel in. Ik rilde verrukt, verbijsterd dat ik genoot van die plagende vinger in mijn achterste.

'En zo?' vroeg hij hees.

'Lekker. Alles wat jij met me doet is heerlijk.'

Hij trok zijn vinger er weer uit en er toen weer diep in. Ik boog me naar voren, drukte mijn boezem tegen zijn borst en stak mijn billen naar achteren zodat hij er beter bij kon. Hij verstevigde zijn greep op mijn haar en trok mijn hoofd naar achteren om bij mijn mond te kunnen voor een gretige, natte kus. Onze open monden streken over elkaar heen, steeds fanatieker toen mijn opwinding toenam. Gideons vinger stampte in een gestaag langzaam ritme in dat verborgen sensuele plekje, en ik stootte steeds naar achteren om hem tegemoet te komen.

'Wat ben je mooi,' mompelde hij, oneindig teder. 'Ik vind het heerlijk om jou te plezieren. Ik vind het heerlijk om te zien hoe je klaarkomt.'

'Gideon.' Ik verdronk in de verrukking om weer in zijn armen te liggen, om weer zijn geliefde te zijn. In die vier dagen was ik erachter gekomen hoe beroerd ik me zou voelen als we onze problemen niet konden oplossen. Hoe saai en kleurloos mijn leven zonder hem zou zijn. 'Ik heb je nodig.'

'Dat weet ik.' Hij likte over mijn lippen en bracht mijn hoofd op hol. 'Hier ben ik. Je kutje trilt en verkrampt. Je komt zo weer klaar voor me.'

Met trillende handen reikte ik naar zijn pik, die alweer stijf was. Ik tilde mijn petticoat op zodat ik hem in mijn kleddernatte spleetje kon leiden. Hij ging een paar centimeter naar binnen, door onze staande positie kwam hij niet verder, maar dat was al genoeg. Ik sloeg mijn armen om zijn schouders en legde mijn hoofd in zijn nek toen mijn knieën slap werden. Hij liet mijn haar los, sloeg zijn arm om mijn rug en drukte me tegen zich aan.

'Eva.' Zijn vinger stootte steeds sneller in me. 'Besef je wel wat je met me doet?'

Hij drukte zijn onderlijf tegen me aan, de dikke eikel wreef over een zeer gevoelig plekje binnen in me. 'Je melkt me met die smachtende kleine kneepjes. Ik krijg zo weer een hoogtepunt door jou. Als jij klaarkomt, kom ik ook.'

Ik was me er vaag van bewust dat ik zachtjes jammerde. Ik was doordrongen van Gideons lucht en de warmte die van zijn gespierde lijf afstraalde, zijn pik die in me zat en zijn vinger die me van achteren nam. Hij was overal, om me heen en in me, ik werd op alle manieren verrukkelijk bezeten. Het orgasme kwam langzaam op. Niet alleen door het lichamelijke genot dat hij me schonk, maar ook door de wetenschap dat hij risico wilde nemen. Opnieuw, voor mij.

Hij hield zijn vinger stil en ik maande hem met een kreun door te gaan.

'Sst,' fluisterde hij. 'Er komt iemand aan.'

'O, shit! Magdalene zag ons bezig. Straks heeft ze iemand...'

'Blijf staan.' Gideon hield me stevig vast. Hij bleef staan zoals hij stond, me van voren en van achteren vullend en mijn rug strelend terwijl hij mijn jurk naar beneden trok. 'Door je rok kunnen ze niets zien.'

Ik stond met mijn rug naar de deur en drukte mijn rode hoofd tegen zijn overhemd.

De deur ging open. Het bleef even stil. 'Alles in orde?'

Christopher. Ik voelde me slecht op mijn gemak omdat ik me niet om kon draaien.

'Ja, hoor,' zei Gideon rustig, alsof er niets aan de hand was. 'Wat is er?'

Ik schrok toen hij zijn vinger weer in me heen en weer bewoog. Niet zo diep als daarvoor, maar langzame, korte stootjes waardoor mijn jurk keurig op zijn plaats bleef.

Doordat ik vreselijk opgewonden was en op het punt stond klaar te komen, drukte ik mijn nagels in zijn nek. Dat Christopher zich in de kamer bevond rakelde de erotische gevoelens alleen maar op.

'Eva?' vroeg Christopher.

Ik slikte moeizaam. 'Ja?'

'Gaat het goed?'

Gideon ging iets anders staan waardoor zijn pik in me bewoog en zijn onderlijf tegen mijn bonzende clitoris aan stootte.

'Ja... We zijn een beetje aan het... kletsen. Over. Het eten.' Ik deed mijn ogen dicht toen Gideons vinger het dunne tussenschotje aanraakte waarachter zijn pik zich bevond. Als hij weer tegen mijn clitoris aan zou komen, kwam ik klaar. Ik was te ver heen om het nog tegen te kunnen houden.

Gideons borst vibreerde tegen mijn wang toen hij zei: 'Als je weggaat, zijn we sneller klaar, dus zeg nu maar wat je wilt.'

'Ma is naar je op zoek.'

'Hoezo?' Gideon veranderde weer van positie en drukte tegen mijn clitoris aan terwijl hij op hetzelfde moment zijn vinger diep in mijn achterste stak.

Ik kwam klaar. Om niet te gillen, beet ik in Gideons gespierde borst. Hij gromde zacht en kwam ook, zijn pik schokte toen hij zijn lading hete sperma in me spoot.

De rest van het gesprek ging verloren in de roes waarin ik me bevond. Christopher zei iets, Gideon reageerde en toen ging de deur werd dicht. Gideon tilde me op de armleuning en stampte zijn pik diep in me om verder klaar te komen. Hij gromde in mijn mond toen we de ruigste, meest exhibitionische seksbeleving in mijn leven tot een goed einde brachten.

Na afloop pakte Gideon me bij de hand en leidde me naar de badkamer waar hij een washandje inzeepte en me tussen de benen waste voordat hij zijn pik schoonmaakte. De manier waarop hij voor me zorgde was lief en intiem, en toonde aan dat hoewel zijn verlangen naar mij dan primitief was, ik toch veel voor hem betekende.

'Ik wil geen ruzie meer,' zei ik zacht, vanaf mijn zitplaats op de wastafel.

Hij gooide het washandje in de ingebouwde wasgoedkoker en knoopte zijn gulp dicht. Toen kwam hij naar me toe en streelde me met zijn koude vinger over mijn wang. 'Wij hebben geen ruzie, engel. We moeten alleen leren dat we elkaar niet zo mogen laten schrikken.'

'Dat zal anders niet meevallen,' mopperde ik. Op emotioneel gebied waren we nog maagd. We deden maar wat omdat we graag wilden, maar hadden geen idee waar we mee bezig waren en om maar indruk op elkaar te maken zagen we de kleine nuances over het hoofd.

'Het maakt niet uit of het al dan niet meevalt. We redden het omdat we wel moeten.' Hij haalde zijn hand door mijn haar zodat het er enigszins fatsoenlijk uitzag. 'We hebben het er nog wel over als we thuis zijn. Maar we weten nu in elk geval wat de problemen zijn.'

Doordat hij overtuigend en vastberaden overkwam nam de rusteloosheid die de afgelopen dagen bezit van me had genomen af. Ik deed mijn ogen dicht en kwam tot rust terwijl ik genoot van het heerlijke gevoel van zijn handen in mijn haar. 'Het verbaasde je moeder nogal dat ik een blondine ben.'

'Is dat zo?'

'Mijn moeder ook. Niet dat ik een blondine ben, natuurlijk,' zei ik snel. 'Maar dat je een blondine leuk vindt.'

'Is dat zo?'

'Gideon!'

'Hm?' Hij kuste het puntje van mijn neus en streelde mijn armen.

'Ik ben dus niet jouw gebruikelijke type.'

Hij trok zijn wenkbrauwen op. 'Ik heb maar één type: Eva Tramell. Daar blijft het bij.'

Ik sloeg mijn ogen ten hemel. 'Nou, goed dan, het zal wel.'

'Wat maakt het nou uit? Ik ben toch bij jou?'

'Het maakt ook niet uit. Ik wilde het alleen graag weten. Mensen vallen nu eenmaal zelden op een ander type.'

Hij ging tussen mijn benen staan en sloeg zijn armen om mijn middel. 'Dan bof ik maar dat ik jouw type ben.'

'Gideon, jij valt niet binnen een bepaald type,' zei ik langzaam. 'Jij bent uniek.'

Zijn ogen straalden. 'Dus ik beval je wel?'

'Dat weet je best, en daarom moeten we nu als de sodemieter hier weg zijn voordat we weer als een stel konijnen tekeergaan.'

Hij drukte zijn wang tegen me aan en mompelde: 'Jij bent de enige die me helemaal gek kan maken. Wat heerlijk dat jij precies weet wat ik wil en nodig heb.'

'O, Gideon.' Ik sloeg mijn armen en benen om hem heen en hield hem zo stevig mogelijk vast. 'Jij bent hier voor mij, weet je nog wel? Om me hier weg te halen omdat je zo'n hekel aan dit huis hebt.'

'Ik zou voor jou zelfs naar de hel gaan, Eva, en dit komt daar verdomde dicht bij in de buurt.' Hij haalde raspend adem. 'Ik stond op het punt naar je huis te gaan en je aan je haren mee te slepen toen ik hoorde dat je hiernaartoe zou gaan. Je moet uit Christophers buurt blijven.'

'Dat zeg je nu aldoor. Hoezo? Hij lijkt me heel aardig.'

Gideon trok zich iets terug en haalde zijn vingers door mijn haar. Hij bleef me fel aankijken. 'Hij gaat heel ver wat rivaliteit tussen broers betreft en hij is labiel genoeg om gevaarlijk te zijn. Hij wil contact met je omdat hij me via jou kan kwetsen. Geloof me nou maar.'

Waarom zette Gideon vraagtekens bij zijn halfbroers beweegredenen? Daar moest hij wel een erg goede reden voor hebben.

Maar ook dit wilde hij me niet geheel en al uit de doeken doen. 'Ik geloof je ook. Uiteraard geloof ik je. Ik zal afstand houden.'

'Dank je.' Gideon pakte me om mijn middel en tilde me van de wastafel af. 'We gaan Cary halen en dan smeren we hem.'

We liepen hand in hand de badkamer uit. Ik was me er maar al te goed van bewust dat we heel lang weggebleven waren. De zon was aan het ondergaan en ik had geen slipje aan. Het kapot gescheurde exemplaar zat in de zak van Gideons spijkerbroek gepropt.

Hij keek me aan toen we de tent in liepen. 'Dit had ik al eerder moeten zeggen: je ziet er adembenemend uit, Eva. Die jurk staat je fantastisch, net als die sexy rode pumps.'

'Nou, ze hebben duidelijk gewerkt.' Ik stootte mijn schouder tegen hem aan. 'Dankjewel.'

'Voor het compliment? Of voor de neukpartij?'

'Sst,' wees ik hem blozend terecht.

Zijn zware fluweelzachte lach deed iedere vrouw binnen gehoorafstand het hoofd omdraaien, en een paar mannen ook. Hij legde zijn hand die ik nog steeds vasthield op mijn rug, trok me naar zich toe en gaf me een smakzoen.

'Gideon!' Zijn moeder kwam met stralende ogen en een brede glimlach op haar mooie gezicht op ons af schrijden. 'Wat fijn dat je er bent.'

Ze stond op het punt hem te omhelzen, maar zijn houding veranderde meteen en de sfeer om hem heen zinderde van een onzichtbaar krachtveld waar ik ook binnen viel.

Elizabeth bleef meteen staan.

'Moeder,' begroette hij haar even vriendelijk als een wolf met hondsdolheid. 'Daar moet je Eva voor bedanken. Ik kom haar hier weghalen.'

'Maar ze heeft het reuze naar haar zin. Ja toch, Eva? Blijf dan om haar een plezier te doen.' Elizabeth keek me smekend aan.

Ik gaf Gideon een kneepje in zijn hand. Hij kwam op de eerste plaats, daar kon niet aan getornd worden, maar ik wilde wel erg graag weten waarom hij kil deed tegen zijn moeder, terwijl zij dol op hem leek te zijn. Ze keek hem liefdevol aan, gretig zijn gezicht, dat vaag aan haar deed denken, in zich opnemend. Hoe lang was het geleden dat ze hem had gezien?

Toen vroeg ik me opeens af of ze wellicht te veel van hem hield...
Vol walging verstarde ik.

'Ja, zet Eva maar onder druk,' zei Gideon die met zijn knokkels over mijn gespannen rug streek. 'Je hebt je zin gekregen, je hebt haar ontmoet.'

'Kom van de week anders met z'n tweetjes eten.'

Hij trok zijn wenkbrauwen omhoog. Toen verplaatste hij zijn blik en ik keek ook die kant op. Daar kwam Cary arm in arm met een zeer bekende popzangeres een doolhof uit gelopen. Gideon wenkte hem naar zich toe.

'Nee, Cary moet hier blijven!' wierp Elizabeth tegen. 'Hij vrolijkt de hele boel op.'

'Ik dacht al dat je hem wel zou mogen.' Gideon liet zijn tanden zien in iets wat te grimmig was om een glimlach te zijn. 'Maar hij is wel Eva's vriend, moeder. En dus ook mijn vriend.'

Ik was enorm opgelucht toen Cary bij ons kwam staan, door zijn vlotte manier van doen werd de spanning doorbroken.

'Ik zocht je al,' zei hij. 'Ik wil eigenlijk naar huis. Dat telefoontje waar ik op zat te wachten, is gekomen.'

Zijn ogen straalden en ik wist dat Trey de beller was geweest. 'Ja, we zijn zover.'

Cary en ik gingen afscheid nemen. Gideon bleef als een bezitterige schaduw naast me lopen, uiterlijk rustig maar duidelijk afstandelijk.

We liepen weer terug naar het huis toen ik in mijn ooghoek Ireland naar Gideon zag staren. Ik bleef staan en keek hem aan. 'Ga je zusje halen zodat we gedag kunnen zeggen.'

'Pardon?'

'Ze staat daar links.' Ik keek naar rechts zodat het jonge meisje van wie ik vermoedde dat ze haar oudste broer aanbad niet zou vermoeden dat het van mij kwam.

Hij wenkte Ireland met een kort handgebaar. Ze kwam op haar gemakje naar ons toe slenteren, haar knappe gezichtje voorzien van een uiterst verveelde blik. Ik keek Cary hoofdschuddend aan, zo lang was dat voor ons nog niet geleden.

'Hé,' zei ik, Gideon bij de pols vastpakkend. 'Zeg haar dat je het jammer vindt dat je niet even met haar kon kletsen en dat ze je maar een keer moet bellen.'

Gideon keek me bevreemd aan. 'Waar zouden we over moeten kletsen, dan?'

Ik wreef over zijn gespierde armen en zei: 'Laat dat kletsen maar aan haar over.'

Hij keek stuurs. 'Ze is een tiener. Die kletst me de oren van het hoofd, lekker dan.'

Ik ging op mijn tenen staan en fluisterde: 'Als je het doet, houd je er een van mij tegoed.'

'Wat ben jij van plan?' Hij keek me even onderzoekend aan en gaf me toen brommend een harde kus. 'Zeg maar niets, maar ik houd er meerdere van je tegoed. Hoeveel, dat hoor je nog wel.'

Ik knikte. Cary draaide zijn wijsvinger rond om aan te geven dat ik Gideon om mijn vinger kon winden.

Wel zo eerlijk, dacht ik, aangezien ik ook alles voor Gideon over had.

Tot mijn verbazing kreeg Gideon van een parkeerwacht de sleutels van de Bentley aangereikt. 'Heb je zelf gereden? Waar is Angus, dan?'

'Vrije dag.' Hij drukte zijn wang tegen mijn slaap. 'Ik heb je gemist, Eva.'

Ik nam plaats op de passagiersstoel en hij deed het portier voor me dicht. Terwijl ik de gordel omdeed zag ik dat hij bij de motorkap bleef staan en twee mannen in een zwart pak aankeek die bij een gestroomlijnde zwarte Mercedes achter aan de oprit stonden. Ze knikten en stapten in de auto. Toen Gideon optrok, kwamen ze achter ons aan.

'Beveiliging?' vroeg ik.

'Ja. Ik scheurde ervandoor toen ik te horen kreeg dat je hier was, en ze waren me even kwijt.'

Cary werd door Clancy thuisgebracht, dus Gideon en ik gingen rechtstreeks naar zijn huis. Ik raakte opgewonden van het feit dat Gideon aan het stuur zat. Hij ging met het luxe voertuig om zoals hij met alles omging: vol zelfvertrouwen, agressief en met verstand van zaken. Hij reed snel maar niet roekeloos, nam de bochten van de toeristische route naar de stad soepel. Het was niet druk op de weg, pas toen we Manhattan in reden nam het verkeer drastisch toe.

Eenmaal in zijn appartement gingen we meteen naar de slaapkamer en kleedden we ons uit om een douche te nemen. Alsof hij niet van me af kon blijven, waste Gideon me van top tot teen. Daarna droogde hij me met een handdoek af en hielp me in een zeegroene, zijden, geborduurde kimono. Als laatste pakte hij een zijden pyjamabroek in dezelfde kleur voor zichzelf uit zijn la.

'Krijg ik geen slipje?' vroeg ik, en ik zag mijn la met sexy ondergoed voor me.

'Nee. Er hangt een telefoon in de keuken. Druk op sneltoets 1 en zeg tegen de man die opneemt dat hij voor mij twee porties van mijn gebruikelijke bestelling bij Peter Luger moet halen.'

'Oké.' Ik liep door de zitkamer en pleegde het telefoontje. Daarna moest ik op zoek naar Gideon, die zich in zijn kantoor bevond, waar ik nog niet was geweest.

Ik kon de kamer niet goed zien omdat er enkel een schilderijlampje aan de muur en een bureaulamp op zijn glimmende houten bureau brandden. Bovendien had ik alleen maar oog voor hem. Hij zag er, onderuitgezakt in de grote zwartleren stoel, uiterst sensueel en verleidelijk uit. Hij warmde met zijn handen een likeur op in een tulpvormig glas en door de schoonheid van zijn armspieren in beweging en zijn wasbordje tintelde mijn hele lijf.

Hij keek naar de muur waar het schilderijlampje aan hing en mijn blik werd er ook naartoe getrokken. Tot mijn verbazing zag ik daar een hele collectie vergrote foto's van ons samen hangen: onze kus voor de sportschool, wij samen tijdens een etentje, na de ruzie in Bryant Park...

De blikvanger was de foto in het midden en daar stond ik op, slapend in mijn eigen bed, verlicht door een enkele kaars die ik voor hem had aangelaten. Het was een voyeuristische opname, die meer zei over de fotograaf dan over mij.

Het raakte me diep om te zien dat hij net zo erg voor mij gevallen was als ik voor hem.

Gideon gebaarde naar het glas op zijn bureau dat hij al voor me had ingeschonken. 'Ga zitten.'

Ik gehoorzaamde nieuwsgierig. Hij kwam anders over, hij leek iets voor ogen te hebben en had rustige vastberadenheid gekoppeld aan uiterste concentratie.

Waarom gedroeg hij zich zo? En wat zou dat voor de rest van de avond inhouden?

Toen zag ik de kleine fotocollage op het bureau naast mijn glas en ik was weer gerustgesteld. De lijst leek erg op die ik op mijn bureau had staan, maar deze bevatte drie foto's van Gideon en mij samen.

'Die is voor op je werk,' zei hij rustig.

'Bedankt.' Na een paar ellendige dagen was ik eindelijk weer gelukkig. Ik drukte de lijst tegen me aan en pakte met mijn andere hand het glas.

Zijn ogen glommen terwijl ik ging zitten. 'Ik krijg de hele dag handkusjes van je toegeworpen door jouw foto op mijn bureau. Nu heb je ook iets waardoor je aan mij herinnerd wordt. Aan ons.'

Ik ademde snel uit terwijl mijn hart wat sneller klopte. 'Ik hoef niet aan ons herinnerd te worden.'

'Dat mag ik hopen.' Gideon nam een grote slok. 'Ik weet waar het met ons is misgegaan, de reden waarom we steeds problemen kregen.'

'O ja?'

'Neem een slok Armagnac, engel. Je zult het nodig hebben.'

Voorzichtig nipte ik van de likeur, het brandde in mijn keel, maar ik vond het meteen al lekker. Ik nam een iets grotere slok.

Gideon draaide het glas tussen zijn handen en nam ook een slok terwijl hij me bedachtzaam gadesloeg. 'Wat vond je geiler, Eva, seks in de limousine toen jij de overhand had of in het hotel toen ik de touwtjes in handen had?'

Ik schoof rusteloos heen en weer, ik had geen idee waar hij naartoe wilde. 'Jij vond het toch ook lekker in de limousine? Op dat moment, bedoel ik. Uiteraard niet achteraf.'

'Ik vond het heerlijk,' zei hij gemeend. 'De aanblik van jou in die rode jurk terwijl je op me zit en me kreunend vertelt hoe lekker mijn pik in je zit, zal me mijn leven lang bijblijven. Als je me ooit weer eens de baas wilt zijn, hoef je het maar te vragen.'

Ik kreeg kramp in mijn maag. Mijn nekspieren verstijfden. 'Gideon, ik vind het zo langzamerhand een beetje eng worden. Je hebt het steeds maar over stopwoorden en de baas willen zijn... Volgens mij wil je iets waar ik niet rijp voor ben.'

'Jij zit te denken aan vastbinden en pijn. Ik heb het over vrijwillige machtsovername.' Gideon keek me onderzoekend aan. 'Wil je nog wat drinken? Je ziet erg bleek.'

'Vind je het gek?' Ik zette het lege glas neer. 'Het lijkt er verdacht veel op dat je mij zit te vertellen dat je een Dominant bent.'

'Engel, dat wist je toch al?' Hij glimlachte vriendelijk en sexy. 'Wat ik je duidelijk wil maken, is dat jij onderdanig bent.'

17

Ik vloog overeind.

'Nee, nee,' zei hij op een gevaarlijk hese toon. 'Je mag nog niet weg. We zijn nog niet klaar.'

'Ik zou niet weten waar je het over hebt.' Dat iemand de baas over me speelde – dat ik het recht niet meer zou hebben om iets te weigeren! – zou mij niet meer gebeuren. 'Je weet wat ik heb meegemaakt. Ik moet net als jij de touwtjes in handen hebben.'

'Ga zitten, Eva.'

Ik bleef staan om te laten zien dat ik het meende.

Hij glimlachte breed en ik smolt als sneeuw voor de zon. 'Weet je wel dat ik helemaal stapelgek op je ben?' mompelde hij.

'Je bent inderdaad stapel als jij denkt dat ik jouw bevelen op ga volgen en al helemaal wat de seks aangaat.'

'Hou nou op, Eva. Je weet ook wel dat ik je niet wil slaan, straffen, pijn doen, vernederen of je wil rondcommanderen alsof je een hondje bent. Die dingen passen niet bij ons.' Gideon ging rechtop zitten, boog zich naar voren en zette zijn ellebogen op zijn bureau. 'Jij betekent alles voor me. Ik koester je. Ik wil je beschermen en een veilige haven voor je zijn. Daarom zitten we erover te praten.'

Jezus! Hoe kon het toch dat hij zo fantastisch maar tegelijkertijd zo gestoord was? 'Ik wil helemaal niet gedomineerd worden!'

'Jij wilt iemand die je kunt vertrouwen... Nee, niets zeggen, Eva, laat me uitpraten.'

Ik sputterde niet meer tegen.

'Je hebt me verzocht je weer vertrouwd te maken met handelingen die je pijn deden en je angst aanjoegen. Het feit dat je zoveel vertrouwen in me stelt betekent heel veel voor mij en ik zal jou dan ook beslist niet willen teleurstellen. Dat kan ik me niet veroorloven, Eva. We moeten het goed doen.'

Ik sloeg mijn armen over elkaar. 'Ik zal wel erg blond zijn, maar ik dacht toch echt dat ons seksleven fantastisch was.'

242

Gideon zette zijn glas neer en ging door alsof hij me niet had gehoord. 'Je wilde daarstraks dat ik aan een verlangen van jou tegemoetkwam, en daar heb ik aan voldaan. Nu moeten we zien te...'

'Als ik niet goed genoeg voor je ben, zeg het dan gewoon!' Ik plaatste de fotolijst en het glas op het bureau hoewel ik ze het liefst naar zijn hoofd had gesmeten. 'Maak het niet mooier dan het is door...'

Hij stoof om het bureau heen en pakte me beet voordat ik de kans kreeg meer dan een paar stappen achteruit te zetten. Zijn mond sloot zich over de mijne en hij hield me gevangen in zijn armen. Ook deze keer pakte hij me op. Hij droeg me naar de muur en zette me ertegenaan terwijl hij mijn armen boven mijn hoofd optilde en ze bij de pols vasthield.

Ik kon geen kant op, terwijl hij licht door de knieën ging en met zijn erectie over mijn spleetje wreef. Een keer, twee keer. Zijde schuurde tegen mijn opgezwollen clitoris. Hij beet zachtjes door de stof heen in mijn tepel en een rilling voer door me heen terwijl ik bedwelmd raakte door de frisse geur van zijn warme huid. Naar adem snakkend zakte ik tegen hem aan.

'Zie je nu dat je je binnen de kortste keren aan me overgeeft?' Zijn lippen streken over mijn voorhoofd. 'En dat geeft je een lekker gevoel, ja toch? Zo hoort het te zijn.'

'Dat is niet eerlijk.' Ik keek hem aan. Hoe kon hij nu van me verwachten dat ik anders zou reageren? Ik mocht dan verknipt en verward zijn, ik was als was in zijn handen.

'Het is niet alleen eerlijk, het is ook nog eens waar.'

Mijn blik gleed over zijn prachtige inktzwarte manen en zijn schitterende unieke gezicht. Het verlangen naar hem was zo groot dat het gewoon pijn deed. Dat hij ook beschadigd was, versterkte mijn liefde voor hem alleen maar. Ik had soms het gevoel dat hij een deel van mij was.

'Ik kan er niets aan doen dat ik opgewonden door je raak,' prevelde ik. 'Mijn lijf is erop gemaakt om toe te geven en te ontspannen zodat jij die grote pik van je in me kunt steken.'

'Eva. Nu even eerlijk. Jij wilt dat ik je domineer. Jij moet me kunnen vertrouwen want alleen dan kan ik voor je zorgen. Daar is niets mis mee. Het omgekeerde gaat ook voor mij op. Jij moet genoeg vertrouwen in me kunnen stellen om mij die macht te geven.'

Hij stond zo dicht tegen me aan dat ik niet goed na kon denken, mijn lijf was zich maar al te zeer van hem bewust. 'Ik ben níét onderdanig.'

'Je bent bij mij. Laten we wel wezen, je hebt al die tijd al aan me toegegeven.'

'Omdat je goed in bed bent! En veel ervaring hebt. Natuurlijk mocht je met me doen wat je maar wilde.' Ik beet op mijn lip om het trillen tegen te houden. 'Ik vind het alleen erg dat het voor jou lang niet zo opwindend was.'

'Dat is gelul, Eva. Je weet best dat ik het heerlijk vind om met je te vrijen. Als het kon, zou ik het de hele dag door doen. Het is niet zomaar een spelletje waar ik op kick.'

'Gaat het er dan om waar ik op kick? Is dat de bedoeling?'

'Ja, volgens mij wel.' Hij fronste zijn wenkbrauwen. 'Je bent van streek. Ik wilde je niet... Hè, verdomme, ik dacht dat het goed was om erover te praten.'

'Gideon.' De tranen sprongen in mijn ogen. Hij keek me net zo gekwetst en in de war aan als ik me voelde. 'Je breekt mijn hart.'

Hij liet mijn polsen los, zette een stap naar achteren en tilde me weer op. Hij droeg me zijn kantoor uit en door de gang naar een dichte deur. 'Maak de deur open,' zei hij zacht.

We kwamen in een door kaarsen verlichte kamer die flauw naar verf rook. Ik was stomverbaasd en snapte niet hoe we vanuit Gideons huis in mijn slaapkamer terecht waren gekomen.

'Hoe kan dat nou?' Ik had het gevoel alsof we met behulp van telekinese van het ene huis naar het andere waren overgebracht. 'Heb jij me hiernaartoe verhuisd?'

'Nee, dat niet.' Hij liet me op de grond zakken, maar hield zijn arm om me heen geslagen. 'Ik heb je slaapkamer nagebouwd aan de hand van de foto die ik gemaakt heb toen je sliep.'

'Maar waarom?'

Wat kregen we nou? Waarom zou hij dat doen? Wilde hij me op die manier soms weghouden van zijn nachtmerries?

Die gedachte bezorgde me een steek van pijn. Ik had het gevoel dat Gideon en ik steeds verder van elkaar verwijderd raakten.

Hij streek met zijn handen door mijn vochtige haar, maar daardoor nam mijn agitatie alleen maar toe. Ik wilde het liefst zijn hand wegslaan en naar de andere kant van de kamer lopen, bij hem vandaan.

'Als het je allemaal wat te veel wordt,' zei hij zacht, 'kun je hiernaartoe gaan en de deur dichtdoen. Ik laat je hier met rust. Op die manier heb je een plek waar je je terug kunt trekken zonder dat je me in de steek hoeft te laten.'

Er schoot van alles door me heen, maar het enige wat ik uit kon brengen, was: 'Maar we slapen nog wel samen?'

'Elke avond.' Gideons mond rustte op mijn voorhoofd. 'Wat dacht je dan? Wat is er, Eva? Wat zit je dwars?'

'Wat me dwarszit?' viel ik uit. 'Waar jij goddomme mee bezig bent! Wat is er in de vier dagen dat we uit elkaar waren met je gebeurd?'

Hij klemde zijn kaken op elkaar. 'We zijn nooit uit elkaar geweest, Eva.'

De telefoon ging in de andere kamer over. Ik vloekte binnensmonds. Ik wilde praten maar eigenlijk wilde ik ook dat hij wegging.

Hij gaf me een kneepje in mijn schouder en liet me toen los. 'Daar zul je het eten hebben.'

Ik liep niet met hem mee de kamer uit, ik kon toch geen hap door mijn keel krijgen. Ik ging op het bed liggen dat precies op het mijne leek, pakte een kussen beet en deed mijn ogen dicht. Ik hoorde Gideon niet terugkomen, maar merkte dat hij naast het bed kwam staan.

'Ik eet liever niet in mijn eentje,' zei hij tegen mijn rug.

'Nou, dan beveel je me toch samen met je te eten?'

Hij zuchtte en kwam tegen me aan liggen. Ik kon zijn warmte goed gebruiken, want ik had overal kippenvel. Hij bleef een hele tijd stil liggen, zodat ik me kon troosten met zijn nabijheid. Of misschien troostte hij zich wel met mijn nabijheid.

'Eva.' Hij streelde over de zijden mouw. 'Ik kan er niet tegen als je ongelukkig bent. Zeg wat.'

'Ik zou niet weten wat. Ik dacht dat het eindelijk goed tussen ons zat.' Ik drukte het kussen steviger tegen me aan.

'Keer je nou niet van me af, Eva. Daar ga ik kapot aan.'

Ik had juist het gevoel dat hij me van zich af duwde.

Ik draaide me om en wierp hem op zijn rug. Mijn kimono viel open toen ik op hem ging zitten. Ik krabde met mijn nagels over de zongebruinde huid van zijn brede borst. Ik draaide met mijn onderlijf zodat mijn blote spleetje over zijn pik gleed. Door de dunne stof van zijn pyjamabroek voelde ik hem helemaal. Aan de manier waarop zijn ogen donker werden en zijn prachtige mond zich opende om sneller adem te halen, wist ik dat hij ook mij nat en wel kon voelen.

'Vind je dit nu zo erg?' vroeg ik, heen en weer bewegend. 'Denk je nu dat je me niet kunt geven waar ik naar verlang omdat ik nu bovenop zit?'

Gideon legde zijn handen op mijn dijen. Zelfs die onschuldige aanraking kwam dominant over.

De vastberadenheid en uiterste concentratie die ik nog niet zo lang geleden had opgemerkt, werden me nu duidelijk, hij had zijn wilskracht de vrije hand gegeven.

De enorme kracht die in hem huisde werd nu als een hittestraal op mij gericht.

'Ik heb je al eens verteld,' zei hij met omfloerste stem. 'Dat ik je op allerlei manieren zal pakken.'

'Ja, ja. Ik heb heus wel door dat je me hoe dan ook domineert.'

Hij glimlachte geamuseerd.

Ik boog me voorover en likte plagend over zijn platte tepel. Ik ging zoals hij vroeger ook met mij had gedaan helemaal over hem heen liggen en stak mijn handen onder zijn verrukkelijke kont om zijn strakke billen stevig vast te houden en hem dicht tegen me aan te drukken. Zijn pik was een dikke paal tegen mijn buik, waardoor de felle begeerte weer de kop opstak.

'Ga je me straffen met genot?' vroeg hij rustig. 'Want dat kun jij doen. Jij kunt me op de knieën krijgen, Eva.'

Ik liet mijn hoofd op zijn borst zakken en zuchtte diep. 'Kon dat maar.'

'Maak je maar geen zorgen. We lossen dit heus wel op.'

'Jij bent overtuigd van je gelijk.' Ik kneep mijn ogen tot spleetjes. 'Je wilt per se gelijk krijgen.'

'Net als jij.' Gideon likte over zijn onderlip en mijn geslachtsdeel kneep hunkerend samen.

Er stond een heel scala aan emoties in zijn ogen te lezen. Hoe onze relatie er ook voor stond, het was duidelijk dat we als een blok voor elkaar waren gevallen.

En dat wilde ik ter plekke bewijzen.

Gideon strekte zijn nek terwijl ik met mijn mond over zijn borst streelde. 'O, Eva.'

'U staat op het punt iets bijzonders te beleven, Mr. Cross.'

En hij beleefde inderdaad iets bijzonders. Daar zorgde ik wel voor.

Voldaan zat ik aan Gideons eettafel; ik zag hem voor me zoals hij even daarvoor eruit had gezien: nat van het zweet en hijgend en mij vervloekend terwijl ik de tijd nam om van zijn verrukkelijke lijf te genieten.

Hij nam een hap van de steak die warm was gebleven dankzij een opwarmla en zei rustig: 'Jij bent onverzadigbaar.'

'Ja, hallo. Jij bent adembenemend knap, sexy en ook nog eens groot geschapen.'

'Fijn dat ik ben goedgekeurd. En ik ben ook nog eens waanzinnig rijk.'

Ik gebaarde om me heen naar zijn huis dat op zijn minst vijftig miljoen dollar waard was. 'Lekker belangrijk.'

'Voor mij wel, ja.' Zijn mond vertrok.

Ik prikte een gebakken aardappeltje aan mijn vork en bedacht dat een gerecht van Peter Luger bijna net zo lekker was als seks. Maar net niet helemaal. 'Je geld kan me alleen maar schelen als je daardoor kunt ophouden met werken en de hele dag in je nakie rond kunt lopen als mijn seksslaaf.'

'Financieel kan ik me dat zeker veroorloven. Maar je zult je algauw gaan vervelen en me de laan uit sturen, en wat moet ik dan?' Hij keek geamuseerd. 'Jij vindt dat jij je gelijk wel hebt bewezen zo?'

Ik slikte een hap door en zei: 'Moet ik het je soms opnieuw bewijzen?'

'Het feit dat je nog steeds geil bent, bewijst anders wel dat ik gelijk heb.'

'Hm.' Ik nam een slok wijn. 'Volgens mij ben je aan het projecteren.'

Hij wierp me een blik toe en nam gedachteloos nog een hap

van de malste steak die ik ooit had geproefd.

Rusteloos en bezorgd, ademde ik diep in en vroeg toen: 'Zou je het zeggen als je seksueel niet aan je trekken komt?'

'Doe niet zo belachelijk, Eva.'

Waarom zou hij er anders over begonnen zijn na onze vierdaagse breuk? 'Het komt vast ook doordat ik niet echt je type ben. En we hebben ook nog geen een van de speeltjes gebruikt die jij in je hotelkamer...'

'Zo kan ie wel weer.'

'Pardon?'

Gideon legde zijn bestek neer. 'Ik wil niet naar je luisteren terwijl jij jezelf tot op het bot afkraakt.'

'O, mag jij soms als enige aan het woord zijn, dan?'

'Je mag gerust ruzie zoeken, Eva, maar ik neuk je toch niet.'

'Waarom denk je...' Ik hield mijn mond toen hij me woedend aankeek. Hij had gelijk. Ik had weer zin. Ik wilde hem hard en hartstochtelijk boven op me hebben, waar hij zowel mijn genot als het zijne in de hand had.

Hij schoof zijn stoel naar achteren en zei kortaf: 'Wacht even.'

Hij kwam even later terug, zette een zwartleren doosje naast mijn bord en ging weer zitten. Het was alsof ik een klap in mijn gezicht kreeg. De angst, ijzig kil, sloeg als eerste toe. Meteen daarop gevolgd door een withete hunkering.

Mijn handen trilden in mijn schoot. Ik kneep ze samen en merkte dat mijn hele lijf trilde. Ik keek Gideon wanhopig aan.

Hij streelde met zijn vingertoppen over mijn wang waardoor de trillende angst grotendeels afnam zodat alleen de pijnlijke hunkering achterbleef.

'Het is geen trouwring,' mompelde hij teder. 'Nog niet, want daar ben je nog niet rijp voor.'

Ik verschrompelde vanbinnen, maar toen zag ik in dat het daar inderdaad nog te vroeg voor was. We waren er geen van beiden rijp voor. Maar mocht ik me hebben afgevraagd hoe gek ik op Gideon was, dan wist ik dat nu.

Ik knikte.

'Maak maar open,' zei hij.

Angstvallig pakte ik het doosje op en onhandig maakte ik het dekseltje open. 'O.'

Op zwart fluweel lag een ring zoals ik er nog nooit een had gezien. Twee gouden strengen waren in elkaar vervlochten en op elk kruisvormig tussenstukje fonkelde een diamantje.

'Gekruiste banden,' zei ik zacht. 'Als in je naam Cross.'

'Niet echt. De banden zijn bedoeld om de vele strengen naar jou te vertegenwoordigen, dus niet als bondage. Maar zeker, wij hebben een band samen. Een heel hechte.' Hij dronk zijn wijn op en schonk onze glazen bij.

Ik zat als verdoofd, te verbijsterd om het te kunnen bevatten. Wat hij allemaal tijdens onze breuk had gedaan – de foto's, de ring, Dr. Petersen, de nagebouwde slaapkamer en dat hij me had laten volgen – maakte me duidelijk dat ik waarschijnlijk geen moment uit zijn gedachten was geweest.

'Je gaf me mijn sleutels terug,' fluisterde ik verdrietig.

Hij pakte mijn hand. 'Daar had ik zo mijn redenen voor. Jij liep weg in je ochtendjas, Eva. Wat had er allemaal niet kunnen gebeuren als Cary niet thuis was geweest om je binnen te laten?'

Ik bracht zijn hand naar mijn mond en drukte er een kus op, toen liet ik zijn hand los en deed ik het dekseltje dicht. 'Hij is schitterend, Gideon. Hartstikke bedankt. Het doet me heel veel.'

'Maar je zult hem niet dragen,' constateerde hij.

'Na het gesprek dat we hebben gehad, komt het op mij over als een halsband.'

Hij dacht even na en knikte toen. 'Daar kon je weleens gelijk in hebben.'

Ik had pijn in mijn hoofd en in mijn hart. Ik had vier nachten bijna niet geslapen. Ik kon niet begrijpen waarom hij me nodig had. Hoewel ik het wel logisch vond dat ik hem nodig had. Alleen al in New York waren duizenden vrouwen die zo mijn plaats in konden nemen, maar er was maar één Gideon Cross.

'Ik stel je vast teleur, Gideon. Na wat we allemaal hebben besproken... ik krijg de indruk dat we weer terug bij af zijn.'

Hij schoof zijn stoel naar achteren, boog zich naar me toe en raakte mijn wang aan. 'Dat is echt niet zo.'

'Wanneer moeten we naar dokter Petersen?'

'Ik ga dinsdags alleen. Nadat jij met hem hebt gesproken en inderdaad de relatietherapie wilt volgen, kunnen we samen op donderdag gaan.'

'Dat is maar liefst twee uur per week. En dan moet je er nog naartoe ook en weer terug. Dat is nogal wat.' Ik streek het haar uit zijn gezicht. 'Dank je.'

Gideon greep mijn hand en kuste de binnenkant. 'Ik zie het niet als een opoffering, Eva.'

Hij ging naar zijn kantoortje om nog wat te werken voor het slapengaan en ik liep met het sieradendoosje naar de badkamer. Terwijl ik mijn tanden poetste en mijn haar borstelde wierp ik er af en toe een blik op.

Er zinderde iets onderhuids, een constant verlangen dat na het aantal orgasmen dat ik in de loop van de dag had gehad eigenlijk niet mogelijk was. Het was een door emotie gedreven verlangen naar Gideon om mezelf ervan te verzekeren dat het goed zat tussen ons.

Ik pakte het sieradendoosje op en liep ermee naar mijn kant van Gideons bed waar ik het op het nachtkastje zette. Ik wilde het de volgende ochtend na een goede nachtrust meteen zien.

Zuchtend hing ik de prachtige nieuwe kimono over het voeteneind en stapte in bed. Na een hele tijd woelen viel ik eindelijk in slaap.

Midden in de nacht werd ik wakker met een bonkend hart en een oppervlakkige, snelle ademhaling. Ik bleef even gedesoriënteerd liggen totdat ik weer wist waar ik was. Ik verstarde toen ik het weer wist en luisterde of Gideon weer een nachtmerrie had. Toen zag ik hem rustig naast me liggen, gelijkmatig ademhalend, en ik slaakte opgelucht een zucht.

Hoe laat was hij gaan slapen? Nadat we een tijdje gescheiden waren geweest, vond ik het zorgelijk dat hij blijkbaar de behoefte had om even alleen te zijn.

Toen werd het me opeens duidelijk. Ik was opgewonden. En niet zo'n beetje ook.

Mijn borsten waren gezwollen en zwaar, mijn tepels ingetrokken en strak.

Ik had een hunkerend gevoel binnen in me en mijn spleetje was nat. Terwijl ik daar in het maanlicht lag, besefte ik dat ik door mijn smachtende lijf wakker was geworden. Had ik een erotische droom gehad? Of kwam het doordat Gideon naast me lag?

Ik kwam half overeind en keek naar hem. Het dekbed kwam tot zijn middel en zijn gespierde bovenlichaam en armen waren bloot. Zijn rechterarm lag boven zijn hoofd en omlijstte de donkere haren om zijn waanzinnig knappe gezicht. Zijn linkerarm lag tussen ons in op het dekbed, de vuist gebald, waardoor de aderen een netwerk vormden op zijn arm. Zelfs slapend zag hij er fel en krachtig uit.

De spanning in me, het gevoel dat ik naar hem toe werd getrokken door de stille uitoefening van zijn gigantische wil, werd steeds duidelijker merkbaar. Het was onmogelijk dat hij in zijn slaap mijn overgave af wilde dwingen, maar toch kreeg ik dat gevoel, alsof een onzichtbaar koord me naar hem toe trok.

De hitte tussen mijn benen werd me te veel en ik drukte mijn hand op het heftig trillende spleetje, in de hoop op die manier het verlangen te stillen. Het werd er alleen maar erger door.

Ik kon niet stil blijven liggen. Ik gooide het dekbed van me af en ging op de rand van het bed zitten. Ik kon een glas warme melk drinken met een scheut cognac. Maar ik verstarde plotseling toen ik in het maanlicht het leren sieradendoosje op het nachtkastje zag staan. Ik dacht aan de ring en de opwinding werd nog intenser. De gedachte om een halsband van Gideon te dragen bracht een verhitte hunkering in me teweeg.

Je bent gewoon geil, verweet ik mezelf.

Een van de meisjes in de therapiegroep had verteld over hoe haar 'meester' haar altijd mocht gebruiken, op welke manier dan ook. Ik vond dat niets opwindends hebben, totdat ik Gideon de rol van de meester toebedeelde. Ik vond het heerlijk als hij opgewonden werd. Ik vond het heerlijk als hij door mij klaarkwam.

Ik streek over het dekseltje. Met een trillende zucht pakte ik het doosje en maakte ik het open. Ik deed de koude ring aan de ringvinger van mijn rechterhand.

'Vind je hem mooi, Eva?'

Ik sidderde toen ik Gideons stem hoorde, zwaarder en heser dan ik gewend was. Hij had naar me liggen kijken.

Hoe lang was hij al wakker? Was hij in zijn slaap net zo op mij afgesteld als ik op hem?

'Ik vind hem prachtig.' Ik vind jou prachtig.

Ik zette het doosje weg, draaide me naar hem om en zag dat hij overeind in bed zat. Zijn ogen glommen waardoor ik zelfs nog meer opgewonden raakte, maar het beangstigde mij ook een beetje. Het was een onverhulde blik, zoals de blik die hij me had toegeworpen toen we elkaar leerden kennen en waardoor ik letterlijk voor hem gevallen was. Hij was fel, bezitterig en doorweven van duistere, opwindende spanning. Zijn schitterende gezicht leek onverbiddelijk in de schaduw, zijn kaak strakgespannen toen hij mijn rechterhand pakte en een kus op de ring drukte die hij me had geschonken.

Ik ging op mijn knieën op bed zitten en sloeg mijn armen om zijn nek. 'Neem me. Je mag met me doen wat je wilt.'

Hij pakte mijn billen beet en kneep erin. 'Wat doet het met je als je zoiets zegt?'

'Het is bijna net zo lekker als de orgasmen die je me gaat geven.'

'O, een uitdaging.' Het puntje van zijn tong ging plagend over mijn lippen, me verleidend met het vooruitzicht van een kus die hij opzettelijk nog niet gaf.

'Gideon!'

'Ga op je rug liggen, engel, en pak het kussen met beide handen beet.' Hij wierp me een verdorven glimlach toe. 'Wat er ook gebeurt, je mag niet loslaten. Begrepen?'

Ik slikte moeizaam en volgde zijn aanwijzingen op. Ik was zo opgewonden dat ik door de onophoudelijke krampen in mijn hongerige geslachtsdeel al bijna kwam.

Hij schopte het dekbed naar beneden. 'Doe je benen wijd en trek ze op.'

Mijn adem stokte en mijn tepels stonden recht overeind. God, wat was Gideon toch sexy. Ik hijgde van opwinding en ging in gedachten na wat er allemaal kon gaan gebeuren. Mijn spleetje kneep hunkerend samen.

'O, Eva,' bromde hij zacht en hij streelde met zijn wijsvinger over mijn natte gleufje. 'Moet je zien hoe graag je me wilt. Het is een fulltime baan om dit lieve kutje te bevredigen.'

De vinger werd in mijn gezwollen vlees gestoten. Ik verstrakte, op het punt van klaarkomen. Hij trok zijn vinger uit me en likte hem schoon. Mijn onderlijf schokte onwillekeurig, mijn lichaam kwam omhoog naar hem toe.

'Het is jouw schuld dat ik zo geil ben,' bracht ik hijgend uit. 'Jij hebt dagenlang je taak verzaakt.'

'Dan moet ik dat maar gauw goedmaken.' Hij boog zich voorover, zijn schouders onder mijn dijen en bewerkte mijn trillende vlees met het puntje van zijn tong. Telkens weer likte hij mijn schaamlippen, maar mijn clitoris liet hij links liggen. Ik smeekte hem me te neuken, maar hij bleef doorgaan.

'Gideon, alsjeblieft.'

'Sst. Je moet er helemaal klaar voor zijn.'

'Ik ben er klaar voor. Ik was er al klaar voor voordat je wakker werd.'

'Dan had je me eerder wakker moeten maken. Ik zal altijd voor je zorgen, Eva. Daar leef ik voor.'

Jammerend van ellende, drukte ik mijn onderlijf tegen zijn plagende tong. Pas toen ik kleddernat was en wanhopig snakte naar een van zijn lichaamsdelen in me, kroop hij over me heen en nam plaats tussen mijn gespreide dijen.

Hij keek me aan. Zijn pik, gloeiend heet en stijf rechtop, lag op mijn schaamlippen. Ik wilde hem in me voelen. 'Schiet op,' bracht ik hijgend uit. 'Schiet op.'

Met een geoefende heupbeweging ramde hij hem diep in me en schoof ik naar boven in het bed.

'O, god,' zei ik, naar adem happend, krampend om de dikke paal die bezit van me nam. Dit wilde ik al vanaf het moment dat we in zijn kantoor hadden gepraat, hier had ik naar verlangd toen ik voor het eten over zijn keiharde erectie had gewreven, naar gehunkerd zelfs toen ik op zijn stijve klaarkwam.

'Niet klaarkomen,' fluisterde hij in mijn oor. Hij pakte mijn borsten en bewerkte mijn tepel met zijn duim en wijsvinger.

'Hè?' Ik was ervan overtuigd dat als hij even diep ademhaalde ik een orgasme zou krijgen.

'En blijf het kussen vasthouden.'

Gideon bewoog langzaam en loom in me. 'Je wilt het kussen loslaten,' mompelde hij en hij drukte zijn mond tegen het gevoelige plekje onder mijn oor. 'Je wilt mijn haar vastpakken en je nagels over mijn rug halen. En als je bijna klaarkomt wil je mijn kont pakken en me dicht tegen je aan drukken zodat ik nog dieper in je kom te zitten. Ik word er beregeil van als je je zo laat gaan, als je me toont hoe lekker je het vindt als ik in je zit.'

'Dit is niet eerlijk,' zei ik kreunend, me maar al te zeer bewust van het feit dat hij me opzettelijk op zat te geilen. De woorden die hij met zijn hese stem uitte werden in hetzelfde meedogenloze ritme uitgestoten als zijn pompende onderlijf. 'Je maakt me gek.'

'Geduld is een schone zaak.' Zijn tong ging langs mijn oorschelp en op hetzelfde moment dat hij aan mijn tepels trok, stak hij hem naar binnen.

Ik kwam zijn volgende stoot tegemoet en kwam bijna klaar. Gideon kende mijn lijf van haver tot gort, wist alle geheimpjes en erogene zones. Hij liet zijn pik bedreven in en uit me glijden, steeds weer het gevoelige plekje rakend waardoor ik sidderde van verrukking.

Hij stootte omhoog om bij weer andere plekjes te komen. Ik maakte een klaaglijk geluidje, ik was bloedheet, was wanhopig verzot op hem. Ik kreeg kramp in mijn vingers, zo hard hield ik het kussen beet en ik sloeg met mijn hoofd erop omdat mijn lichaam zich wilde ontladen. Hij kon me zover krijgen door alleen al in me te bewegen. Hij was de enige man die genoeg ervaring had om me een intensief vaginaal orgasme te bezorgen.

'Je mag niet komen,' zei hij weer met hese stem. 'Stel het uit.'

'Dat l-lukt niet. Het is zo lekker. O, Gideon...' Tranen biggelden over mijn wangen. 'Ik... ik verlies me in jou.'

Ik huilde zachtjes, bang dat ik te snel zou toegeven dat ik van hem hield en zo de tere band tussen ons in de war zou schoppen.

'O, Eva.' Hij wreef met zijn wang over mijn natte gezicht. 'Ik heb zo heftig gehoopt dat ik iemand zoals jij zou leren kennen, dat je niet anders kon dan in mijn leven komen.'

'Alsjeblieft,' smeekte ik zachtjes. 'Niet zo snel.'

Gideon tilde zijn hoofd op om me aan te kijken en kneep tegelijkertijd net hard genoeg in mijn tepels om een beetje pijn te doen. De tere spieren in me spanden zich zo sterk aan dat zijn volgende stoot hem een kreun ontlokte.

'Alsjeblieft,' smeekte ik weer, trillend van de inspanning om maar niet klaar te komen. 'Ik kom als je niet langzamer aan doet.'

Hij keek me met een vurige blik aan terwijl hij nog even gestaag en gekmakend op me in beukte. 'Wil je dan niet klaarkomen, Eva?' zei hij zo sexy dat ik ter plekke een moord voor hem had gepleegd. 'Maar daar zit je toch al de hele avond naartoe te wer-ken?'

Mijn nek strekte zich terwijl zijn mond over mijn keel streelde. 'Pas als jij zegt dat het mag,' bracht ik moeizaam uit. 'Pas... als jij het zegt.'

'Engel.' Hij streek de haren uit mijn bezwete gezicht. Hij kuste me hartstochtelijk, respectvol, stak zijn tong ver in mijn mond.

Ja...

'Kom voor me klaar,' moedigde hij me aan terwijl hij nog snel-ler in me stootte. 'Kom klaar, Eva.'

Hij had het nog niet gezegd, of het orgasme scheurde door me heen, me overspoelend met allerlei sensaties. Mijn lichaam schokte, mijn geslachtsdeel trok zich samen en mijn clitoris spande zich. Ik kwam gillend klaar. Aanvankelijk waren het on-verstaanbare klanken maar toen riep ik zijn naam. Telkens weer als hij zijn prachtige pik in me ramde zodat mijn orgasme maar bleef aanhouden en ik keer op keer klaarkwam.

'Sla je armen om me heen,' zei hij met raspende adem toen ik niet meer kon. 'Hou me vast.'

Ontheven van het bevel om het kussen vast te houden, sloeg ik mijn armen en benen om zijn bezwete lichaam. Hij stampte zijn pik diep en heftig in me om tot een orgasme te komen.

Grommend kwam hij klaar, zijn hoofd in zijn nek terwijl hij minutenlang in me spoot. Ik hield hem vast totdat we waren af-gekoeld en we weer rustig konden ademhalen.

Toen Gideon eindelijk van me af ging, bleef hij dicht in de buurt. Hij kwam tegen mijn rug aan liggen en fluisterde: 'Ga maar slapen.'

Ik kan me niet herinneren of ik nog iets terug heb gezegd voor-dat ik als een blok in slaap viel.

18

Maandagochtenden kunnen dus wél heerlijk zijn, mits doorge-bracht met Gideon Cross. We reden naar kantoor terwijl ik met mijn rug tegen hem aan zat en hij zijn arm over mijn schouder legde zodat we elkaars hand vast konden houden.

Hij speelde met de ring die hij me had gegeven en ik stak mijn benen naar voren om de klassieke vleeskleurige pumps te bewon-deren die hij me had gegeven, samen met nog wat kleren die ik kon dragen als ik bleef slapen. Om deze week te beginnen had ik een strakke zwarte jurk met een krijtstreepje aangetrokken en daarop een smal blauw riempje in de kleur van zijn ogen. Hij had een uitstekende smaak, dat moest ik hem nageven.

Tenzij hij natuurlijk een van zijn 'bevriende' brunettes de aan-kopen had laten doen?

Ik zette die gedachte snel van me af.

Terwijl ik in de laden neusde die hij in de badkamer voor me had leeggeruimd, ontdekte ik al mijn gebruikelijke make-upspul-len en toiletartikelen. Ik vroeg maar niet hoe hij wist wat mijn merk was, want dat kon ik waarschijnlijk beter niet weten. Ik zag het maar als een attent gebaar. Hij dacht aan alles.

Het hoogtepunt die ochtend was toen ik Gideon hielp een van zijn zeer sexy pakken aan te trekken. Ik knoopte zijn overhemd dicht; hij stopte hem in zijn broek. Ik ritste zijn gulp dicht; hij strikte zijn stropdas. Hij trok zijn gilet aan; ik streek de op maat gemaakte stof strak over het even mooie overhemd. Ik vond het verbijsterend dat ik het net zo sexy vond om hem aan te kleden als om hem uit te kleden. Het was net of ik mijn eigen cadeau inpakte.

Iedereen zag hoe mooi de verpakking was, maar alleen ik kende hem en wist hoe waardevol hij was. Zijn lieve glimlachjes en zijn zware hese lach, zijn zachte strelingen en de felheid van zijn hartstocht waren alleen voor mij bestemd.

De Bentley bonkte licht over een kuil in de weg en Gideon verstevigde zijn greep. 'Wat ga je na het werk doen?'

'Ik heb vandaag mijn eerste Krav Maga-les,' zei ik enthousiast.

'O, dat is waar ook.' Zijn lippen streken over mijn slaap. 'Ik kom een keer kijken als je oefeningen doet. Door de gedachte alleen al krijg ik een stijve.'

'We hebben toch vastgesteld dat je overal een stijve van krijgt?' vroeg ik plagend terwijl ik hem met mijn elleboog aanstootte.

'Wel zolang het met jou te maken heeft. En dat komt mooi uit, want jij bent nu eenmaal onverzadigbaar. Sms me als je klaar bent, dan zie ik je bij jou thuis.'

Ik zocht in mijn tas naar mijn smartphone om me ervan te verzekeren dat de batterij niet leeg was en zag dat ik een bericht van Cary had ontvangen. Het was een filmpje plus een sms waarin stond: Is X zich ervan bewust dat zijn broer een lul is? Blijf bij CV uit de buurt, meis xkusjesx

Ik speelde het filmpje af, maar het duurde even voordat ik doorhad wat het was. Toen het eindelijk tot me doordrong verstarde ik.

'Wat is dat?' vroeg Gideon met zijn mond in mijn haar. Toen verstarde ook hij, waardoor ik wist dat hij over mijn schouder mee zat te kijken.

Cary had het filmpje op het tuinfeest van de Vidals geschoten. Aan de hoge heg op de achtergrond te zien bevond hij zich in de doolhof en door de bladeren in het beeld was duidelijk dat hij zich verstopt had. De camera was gericht op een stel dat elkaar hartstochtelijk omhelsde. De vrouw was in tranen maar nog steeds beeldschoon en de man overdekte haar met kusjes en streelde haar zachtjes, terwijl ze hem over haar toeren wat vertelde.

Ze hadden het over Gideon en mij, over hoe ik mijn lichaam gebruikte om aan zijn geld te komen.

'Maak je geen zorgen,' troostte Christopher Magdalene, die erg van streek was. 'Je weet hoe snel Gideon zich verveelt.'

'Maar bij haar is hij anders. Volgens mij... denkt hij dat hij van haar houdt.'

Hij kuste haar op het voorhoofd. 'Ze is zijn type niet.'

Ik kneep stevig in Gideons hand.

We zagen Magdalenes gedrag langzaam veranderen. Ze reageerde op Christophers strelingen, haar stem werd liever, haar mond opende zich. Het was duidelijk dat hij haar lichaam goed kende, hij wist precies waar hij moest aaien en waar hij moest wrijven. Toen ze aan zijn verleidelijke kunsten toegaf, schoof hij haar jurk omhoog en neukte hij haar. Het was maar al te duidelijk dat hij misbruik van haar maakte. Dat was aan de walgelijk triomfantelijke blik te zien toen hij haar naaide tot ze niet meer op haar benen kon staan.

De Christopher in het filmpje was amper te herkennen. Zijn gezicht, zijn houding, zijn stem... alsof ik naar een andere man zat te kijken.

Ik was blij toen de batterij van de smartphone het opgaf en het scherm zwart werd. Gideon sloeg zijn armen om me heen.

'Getsie,' fluisterde ik, me voorzichtig tegen hem aan nestelend om zijn kraag niet met make-up te besmeuren. 'Dat was echt erg. Ik heb gewoon medelijden met haar.'

Hij ademde hoorbaar uit. 'Zo is Christopher nu eenmaal.'

'Eikel. Die zelfvoldane blik op zijn smoel... Bah,' zei ik rillend.

Hij drukte zijn mond in mijn haar en mompelde: 'Ik had verwacht dat hij Maggie met rust zou laten. Onze moeders kennen elkaar al heel lang. Ik vergeet steeds weer wat een hekel hij aan me heeft.'

'Hoe komt dat?'

Ik vroeg me af of de nachtmerries die Gideon had met Christopher te maken hadden, maar zette het toen van me af. Dat kon niet. Gideon was een aantal jaren ouder en sowieso een stuk sterker. Hij zou Christopher de kans niet hebben gegeven.

'Hij baalt ervan dat vroeger alle aandacht naar mij uitging,' zei Gideon vermoeid. 'Ze maakten zich zorgen over hoe ik met de zelfmoord van mijn vader omging. Dus hij wil alles hebben wat van mij is. Maakt niet uit wat.'

Ik draaide me om en stak mijn armen onder zijn colbert om hem goed te kunnen voelen. Zijn toon raakte me. Zijn ouderlijk huis was een plek waar hij nachtmerries over had en hij hield afstand van zijn familie.

Niemand had ooit van hem gehouden. Zo simpel – en zo ingewikkeld – lag het.

'Gideon?'

'Hm?'

Ik legde mijn hoofd in mijn nek om hem aan te kijken. Zachtjes streelde ik over zijn wenkbrauwen. 'Ik hou van je.'

Er ging een heftige rilling door hem heen, zo erg dat ik er zelfs van heen en weer schudde.

'Ga nou niet over de rooie,' stelde ik hem snel gerust en ik wendde mijn blik af zodat hij zich kon vermannen. 'Daar hoef je verder helemaal niets mee te doen. Ik wou je alleen vertellen hoe ik me voelde. Vergeet het maar weer.'

Hij greep me bij mijn nek en zijn andere hand hield mijn middel zo stevig vast dat het bijna pijn deed. Ik kon geen kant uit en Gideon drukte me tegen zich aan alsof hij bang was dat ik anders weg zou waaien. Zijn ademhaling ging moeizaam, zijn hart ging als een razende tekeer. Hij zei niets meer tijdens het ritje, maar hij liet me ook niet los.

Ik zou het hem ooit nog een keer zeggen, maar wat de eerste keer betrof, vond ik dat we er allebei best goed mee om waren gegaan.

Om tien uur liet ik vierentwintig langstelige rode rozen bij Gideons kantoor afleveren met een begeleidend briefje:

Om te vieren dat er rode jurken en autoritjes zijn.

Tien minuten later kreeg ik een interne envelop met een correspondentiekaartje erin waarop stond:

Dat doen we snel weer.

Om elf uur liet ik een boeket met zwart-witte lelies bij zijn kantoor bezorgen met een briefje:

Ter ere van zwart-witte cocktailjurken en dat ik de bibliotheek in werd gesleurd...

Tien minuten later kwam zijn reactie:

Nog even en ik sleur je op de grond.

Tussen de middag ging ik winkelen. Ik wilde een ring kopen. Pas in de zevende winkel zag ik een ring die naar mijn mening helemaal perfect was. Hij was van platina, bewerkt en bezet met zwarte diamantjes. Het soort ring dat me deed denken aan macht en bondage. Het was een ring voor dominanten, erg groot en mannelijk. Hij was erg duur en het zou maanden duren voordat ik de ring had afbetaald, maar dat was zeker de moeite waard.

Ik belde Gideons kantoor en kreeg Scott aan de lijn, die Gideons overvolle agenda dusdanig aanpaste dat ik Gideon even een kwartier kon spreken.

'Hartstikke bedankt, Scott.'

'Graag gedaan. Ik vond het erg leuk dat hij die bloemen van jou kreeg. Ik heb hem nog nooit zo blij zien glimlachen.'

God, wat hield ik van die man. Ik zou er alles aan doen om Gideon gelukkig te maken. Zoals hij al zei: daar leefde ik voor.

Ik toog glimlachend weer aan het werk. Om twee uur liet ik een bloemstuk met tijgerlelies bij Gideons kantoor afgeven, gevolgd door een briefje in een interne envelop:

Als dank voor alle wilde seks.

Zijn reactie:

Laat de Krav Maga-les schieten, ik laat je veel harder werken.

Tegen de tijd dat het tien over halfvier was – vijf minuten voor mijn afspraak met Gideon – sloegen de zenuwen toe. Mijn knieen knikten toen ik opstond en ik liep onrustig heen en weer in de lift naar boven. Nu het zover was om hem de ring te geven, was ik bang dat hij misschien helemaal niet van ringen hield. Hij droeg er in elk geval geen een.

Was het wellicht aanmatigend en bezitterig van mij om hem er een te geven alleen maar omdat ik zijn ring droeg?

De roodharige receptioniste liet me zonder meer binnen en toen Scott me bij de deur zag, stond hij meteen op en schonk hij me een brede grijns. Scott leidde me Gideons kantoor binnen en deed de deur achter me dicht.

Het rook er heerlijk naar bloemen waardoor het strak en modern ingerichte kantoor een stuk gezelliger overkwam.

Gideon keek op van zijn computer en zijn wenkbrauwen schoten omhoog toen hij zag dat ik het was. Hij sprong meteen overeind. 'Eva, wat is er aan de hand?'

Ik zag hem omschakelen van werk naar privé en zijn blik verzachtte toen hij naar me keek.

'Er is niks aan de hand. Ik wou alleen...' Ik haalde diep adem en liep naar hem toe. 'Ik heb iets voor je.'

'Nog iets? Heb ik soms iets vergeten?'

Ik zette het juweliersdoosje midden op zijn bureau. Toen keerde ik hem, opeens misselijk, mijn rug toe. Ik twijfelde eraan of ik er wel verstandig aan deed. Achteraf vond ik het een stom idee.

Hoe kon ik hem duidelijk maken dat hij het rustig kon zeggen als hij het niet wilde? Alsof het nog niet erg genoeg was dat ik tegen hem had gezegd dat ik van hem hield, kwam ik ook nog eens met een ring op de proppen. Hij hoorde vast de bruidsmars al in de verte...

Het sieradendoosje werd openklapt en Gideon hield zijn adem in. 'Eva.'

Zijn stem was laag en gevaarlijk. Ik draaide me voorzichtig om, ineenkrimpend door zijn gefronste wenkbrauwen en strenge blik. De knokkels van de hand die het doosje vasthield waren wit.

'Is het te veel?' vroeg ik met een benepen stemmetje.

'Ja.' Hij zette het doosje neer en liep om het bureau naar me toe. 'Veel te veel. Ik heb geen rust in mijn kont, ik kan me niet concentreren. Ik blijf maar aan jou denken. Ik ben verdomme rusteloos, en dat ben ik nooit als ik aan het werk ben. Daar heb ik het te druk voor. Maar jij hebt me in je netten verstrikt.'

Ik wist heel goed hoe zijn werk hem opslokte, toch had ik daar niet bij stilgestaan toen ik hem – steeds weer opnieuw – wilde verrassen. 'Sorry, Gideon. Stom van me.'

Zijn sexy manier van lopen verraadde hoe goed hij was in bed. 'Je hoeft je niet te verontschuldigen. Ik vond het ontzettend leuk.'

'Echt waar?' Hij deed de ring om zijn rechterringvinger. 'Ik wou je blij maken. Past hij? Ik moest het op de gok...'

'Hij past perfect. Jij bent perfect.' Gideon pakte mijn handen en kuste mijn ring. Toen keek hij toe terwijl ik zijn ring kuste. 'Eva, wat ik voor je voel, doet gewoon pijn.'

Mijn hart ging sneller kloppen. 'Vind je dat erg?'

'Ik vind het heerlijk.' Hij legde zijn handen om mijn gezicht en de ring voelde koud aan op mijn wang. Hij kuste me hartstochtelijk, zijn mond dwingend op de mijne, zijn tong die liederlijk bedreven in mijn mond stootte.

Ik wilde meer, maar hield me in, want ik had mezelf die dag al te veel laten gaan. Bovendien was hij dusdanig afgeleid door mijn onverwachte bezoekje dat hij was vergeten de ruit ondoorzichtig te maken en kon iedereen ons zien.

'Wat zei je tegen me in de auto?' fluisterde hij.

'Hm... dat weet ik niet meer.' Ik streek over zijn gilet. Het beangstigde me om hem weer te zeggen dat ik van hem hield. Hij had er heftig op gereageerd en ik wist niet of hij doorhad wat het voor onze relatie betekende. Voor hem. 'Wat ben je toch ongelooflijk knap. Elke keer dat ik je zie ben ik er weer van onderste-boven. Maar goed... ik wil niet het risico lopen dat ik je wegjaag.'

Hij boog zich naar me toe en drukte zijn voorhoofd tegen dat van mij. 'Je hebt er spijt van dat je het hebt gezegd, hè? De bloemen, de ring...'

'Vind je hem echt mooi?' vroeg ik bezorgd, terwijl ik hem aandachtig aankeek om te zien of hij wel de waarheid sprak. 'Als je hem lelijk vindt hoef je hem niet om te doen, hoor.'

Zijn vingers streelden mijn oorschelp. 'Hij is perfect. Hij vertegenwoordigt de manier waarop je mij ziet en het is me een eer hem te dragen.'

Ik vond het heerlijk dat hij het begreep. Maar dat kwam natuurlijk omdat hij mij begreep.

'Als het soms bedoeld is om me voor te bereiden op dat je je woorden terug wilt nemen...' begon hij, met een verrassend zorgelijke blik.

Ik kon de smeekbede in zijn ogen niet weerstaan. 'Ik zei het uit de grond van mijn hart, Gideon.'

'Dan zal ik het je opnieuw laten zeggen,' dreigde hij, verleidelijk grommend. 'Ik zal het je zelfs laten schreeuwen.'

Ik grinnikte en zette een stap naar achteren. 'Ga maar gauw weer aan het werk, gevaarlijke man.'

'Om vijf uur kun je met me meerijden.' Ik liep naar de deur. 'Ik wil dat je geen slipje aanhebt en een nat kutje hebt als je instapt. Als je je daarvoor moet vingeren, kun je maar beter niet klaarkomen, want daar zul je voor gestraft worden.'

Straf. Er ging een siddering door me heen, maar echt bang was ik niet. Ik kon erop vertrouwen dat Gideon niet te ver zou gaan. 'En ben jij er dan ook klaar voor?'

Hij glimlachte scheef. 'Heb je dat ooit anders meegemaakt? Bedankt, Eva, ik heb vandaag genoten.'

Ik wierp hem een kushandje toe en zag zijn ogen broeierig worden. De manier waarop hij naar me keek bleef me de rest van de dag bij.

Om zes uur kwam ik geheel en al doorgeneukt thuis aan. Ik wist wat me te wachten stond toen ik na werktijd in plaats van de Bentley de limousine van Gideon aan de stoep zag staan. Hij wierp me op de achterbank toen ik instapte en bewerkte me vakkundig met zijn tong voordat hij me vol overgave neukte.

Ik was blij dat ik een goede conditie had. Anders zou ik door Gideons onverzadigbare lust en zijn gigantische uithoudingsvermogen inmiddels al een vaatdoekje zijn. Niet dat je mij zou horen klagen hoor.

Clancy stond in de hal van mijn flatgebouw op me te wachten toen ik aan kwam rennen. Mocht het hem al opvallen dat mijn jurk vreselijk gekreukeld was, mijn wangen rood waren en mijn haar in de war zat, dan liet hij dat niet merken. Ik kleedde me snel om en we gingen op weg naar Parkers sportschool. Ik hoopte maar dat de introductieles niet veel voorstelde want mijn benen waren nog slap na twee intensieve orgasmen.

Tegen de tijd dat we in Brooklyn bij het verbouwde pakhuis aankwamen, keek ik er helemaal naar uit. Er waren een stuk of twintig mensen aan het trainen en Parker liep rond om aanwijzingen te geven en mensen aan te moedigen. Toen hij me zag, kwam hij naar me toe en liep met me naar een mat achterin, waar ik kon oefenen.

'En... hoe gaat het in zijn werk?' vroeg ik, om wat van de spanning kwijt te raken.

Hij glimlachte, waardoor zijn gezicht er een stuk interessanter en aantrekkelijker op werd. 'Zenuwachtig?'

'Een beetje wel.'

'We gaan er eerst voor zorgen dat je sterker wordt en we gaan aan je uithoudingsvermogen en je alertheid werken. Dan ga ik je ook trainen om bij een aanval niet stokstijf van schrik toe te kijken zonder te weten wat je moet doen.'

Voordat we aan de slag gingen, vond ik dat ik best sterk was en redelijk veel uithoudingsvermogen had, maar ik kwam er al snel achter dat het nog niet veel voorstelde. Hij maakte me allereerst bekend met de toestellen en waar alles was, en vervolgens legde hij een aantal vecht- en rusthoudingen uit. De warming-up bestond uit gymoefeningen met gewichten en vervolgens moesten we elkaars schouders en knieën weten aan te tikken terwijl de ander dat moest zien te verhinderen.

Parker was er natuurlijk uiterst bedreven in, maar ik kreeg al snel de smaak te pakken. Over het algemeen deden we echter grondoefeningen en daar beet ik me helemaal in vast. Ik wist maar al te goed wat het betekende om onderop te liggen en de underdog te zijn.

Mocht Parker al het onderliggende fanatisme hebben opgemerkt, dan zei hij er niets van.

Toen Gideon die avond op kwam dagen, lag ik in bad bij te komen. Hoewel ik kon zien dat hij had gedoucht na zijn sessie met zijn personal trainer, kleedde hij zich toch uit en kwam bij me in bad. Ik ging tussen zijn benen zitten en jammerde zacht toen hij me heen en weer wiegde.

'Is het zo lekker?' vroeg hij plagend terwijl hij zachtjes in mijn oorlelletje beet.

'Niet te geloven dat een uur stoeien met een heerlijke vent zo vermoeiend kan zijn!' Cary had gelijk gehad dat Krav Maga je blauwe plekken bezorgde, ik kon er hier en daar al een paar zien en wat hadden we nu helemaal gedaan?

'Ik zou vreselijk jaloers zijn,' mompelde Gideon, mijn borsten knedend, 'ware het niet dat Smith getrouwd is en kinderen heeft.'

Ik snoof; dat soort dingen hoorde hij helemaal niet te weten. 'Weet je soms ook wat voor schoenmaat hij heeft?'

'Nog niet.' Hij moest lachen toen ik geërgerd gromde en dat ontlokte mij weer een lach, want zo vaak had ik hem dat niet horen doen.

We moesten het een keer hebben over het feit dat hij alles wilde weten, maar nu nog niet. We hadden de afgelopen tijd al te veel aanvarinkjes gehad en Cary's vermaning dat we samen ook veel lol moesten hebben, klonk nog na in mijn hoofd.

Ik draaide de ring aan Gideons vinger rond en vertelde hem over het gesprek dat ik op zaterdag met mijn vader had gevoerd en dat de andere agenten hem hadden gepest met mijn afspraak-jes met dé Gideon Cross.

Hij zuchtte. 'Sorry.'

Ik keek hem aan. 'Daar kun jij toch niets aan doen? Jij bent nu eenmaal waanzinnig aantrekkelijk en dus zeer nieuwswaardig.'

'Ooit,' zei hij droogjes, 'kom ik erachter of mijn knappe gezicht nu wel of geen voordeel is.'

'Nou, wat mij betreft wel, hoor.'

Gideon glimlachte even en hij streelde me over mijn wang. 'Alleen jouw mening telt voor mij. En natuurlijk die van je vader. Ik wil graag dat hij me mag, Eva. Hij moet niet denken dat ik zijn dochter haar privéleven ontneem door al die publiciteit.'

'Hij mag jou vast wel. Hij wil dat ik gelukkig word.'

Hij ontspande en trok me dichter naar zich toe. 'Maak ik je gelukkig?'

'Ja.' Ik legde mijn hoofd op zijn hart. 'Ik vind het heerlijk bij jou. Ik mis je als je niet bij me bent.'

'Je zei dat je geen ruzie meer wilde,' zei hij zacht in mijn haar. 'Daar moet ik steeds aan denken. Heb je er genoeg van dat ik het elke keer weer verpest?'

'Dat doe je helemaal niet. En ik heb het af en toe ook verknald. Aan relaties moet je werken, en dan hebben de meeste mensen niet eens zulke krankzinnig goede seks als wij. Wij boffen enorm wat dat betreft.'

Hij schepte steeds weer water met zijn hand op en goot dat over mijn rug, wat heerlijk ontspannend werkte. 'Ik kan me mijn vader niet echt herinneren.'

'O, nee?' Ik bleef zo rustig mogelijk zitten zodat hij niet zou merken hoe verbaasd ik was. Of hoe graag ik meer over hem wilde weten. Hij had het nog niet over zijn ouders gehad. Ik wilde hem het liefst bestoken met vragen, maar ik kon beter niet aandringen als hij er nog niet klaar voor was...

Zijn borst ging op en neer toen hij diep zuchtte. Er klonk iets in door waardoor ik hem snel aankeek en mijn voornemen om het voorzichtig aan te pakken in de wind sloeg.

Ik streek over zijn gespierde borst. 'Wil je me vertellen wat je je nog wel kunt herinneren?'

'Alleen een paar... indrukken. Hij was niet vaak thuis. Hij was bijna altijd aan het werk. Ik denk dat ik dat van hem geërfd heb.'

'Die werkverslaving – noem je dat zo? – hebben jullie dan misschien gemeen, maar verder niets.'

'Hoe weet jij dat nou?' beet hij me toe.

Ik streek het haar uit zijn gezicht. 'Sorry, Gideon, maar jouw vader was een oplichter die de consequenties van zijn daden niet onder ogen durfde te komen. Zo ben jij niet.'

'Dat klopt.' Hij was even stil. 'Maar volgens mij kon hij niet goed met mensen omgaan, draaide alles alleen om hem.'

Ik keek hem aandachtig aan. 'Gaat dat volgens jou ook voor jou op?'

'Dat weet ik niet,' zei hij stilletjes.

'Nou, ik weet het wel, en jij bent dus heel anders.' Ik drukte een kus op het puntje van zijn neus. 'Jij bent heel zorgzaam.'

'Dat is maar goed ook.' Hij drukte me tegen zich aan. 'Ik moet er niet aan denken dat je iemand anders zou hebben, Eva. Het idee alleen al, dat een of andere vent je zo ziet, je aanraakt... Daar zou ik witheet van worden.'

'Dat gaat niet gebeuren, Gideon.' Ik wist hoe hij zich voelde. Het zou onverdraagzaam voor me zijn als hij met iemand anders naar bed ging.

'Door jou is alles veranderd. Ik wil je nooit meer kwijt.'

Ik knuffelde hem. 'Ik jou ook niet.'

Gideon boog mijn hoofd naar achteren en kuste me vurig.

Als we zo door zouden gaan, zouden we een overstroming veroorzaken. Ik maakte me los uit zijn omhelzing. 'Ik moet eerst wat eten voordat jij me weer bespringt, gevaarlijke man.'

'Zei de vriendin terwijl ze haar naakte, natte lijf tegen me aan schuurde.' Hij zakte onderuit met een perverse glimlach om zijn lippen.

'Zullen we een goedkope chinees bestellen en gewoon uit de bakjes eten?'

'Ja, maar dan wel een goede chinees.'

19

Cary kwam bij ons in de huiskamer zitten voor een portie uitstekende chinees, een zoete pruimenwijn en tv op maandagavond. Terwijl we van de ene naar de andere zender zapten en in een deuk lagen vanwege de belachelijke namen van bepaalde reality-shows, keek ik naar de twee belangrijkste mannen in mijn leven. Ze konden goed met elkaar overweg, hielden elkaar voor de gek en zeken elkaar af zoals alleen mannen dat doen. Ik had Gideon nog niet zo meegemaakt en vond het prachtig.

Terwijl ik een kant van de bank in beslag nam, zaten de twee mannen in kleermakerszit op de grond met de salontafel als eettafel. Ze hadden allebei een joggingbroek aan en een strak T-shirt en ik genoot van de aanblik. Een meisje kon maar boffen.

Cary liet zijn knokkels kraken om met veel omhaal zijn geluks-koekje te openen. 'Eens zien. Zal ik rijk worden? Beroemd? De ware Jacoba of Jacob leren kennen? Naar het buitenland reizen? Wat hebben jullie?'

'Die van mij is echt stom,' zei ik. '"Uiteindelijk zal alles duidelijk worden." Nou, die had ik zelf ook wel kunnen verzinnen.'

Gideon maakte die van hem open en las hardop voor. '"U zult spoedig rijk zijn."'

Ik snoof.

Cary keek me even aan. 'Niet te geloven, toch? Hé, je hebt het koekje van iemand anders gejat, Cross.'

'Hij kan maar beter uit de buurt blijven van andermans koekje,' merkte ik droog op.

Gideon boog zich voorover en pakte de helft van mijn koekje. 'Maak je maar geen zorgen, engel. Ik wil alleen maar jouw koekje.' Hij stak het koekje met een knipoog in zijn mond.

'Getver,' mompelde Cary. 'Mag ik even een teiltje.' Hij brak met veel vertoon zijn koekje doormidden en fronste toen zijn wenkbrauwen. 'Wat krijgen we nou?'

Ik boog me naar hem toe. 'Wat staat erop?'

'Confucius zegt,' verzon Gideon ter plekke, 'dat een man die de hele dag zijn hand in zijn zak heeft zich lullig voelt.'

Cary gooide zijn halve koekje naar Gideons hoofd, die het handig opving en grinnikte.

'Geef hier.' Ik snaaide het papiertje uit Cary's hand en las het. En kreeg een lachbui.

'Heel leuk, Eva,' zei Cary.

'En?' wilde Gideon weten.

'"Neem nog een koekje."'

Gideon glimlachte. 'Te pakken genomen door een koekje.'

Cary wierp de rest van het koekje naar hem.

Het deed me denken aan de avonden die ik met Cary doorbracht toen ik nog studeerde en ik vroeg me af hoe Gideon zich op de universiteit had gedragen. Wat ik er zo over had gelezen, had hij een paar jaar op de universiteit van Columbia gezeten, waarna hij de studie had gestaakt om de zakenwereld in te stappen.

Ging hij met andere studenten om? Was hij naar feestjes gegaan, met Jan en alleman naar bed geweest en had hij voortdurend laveloos rondgehangen? Hij had zoveel zelfbeheersing dat ik me dat niet kon voorstellen, en toch ging hij nu wel zo met Cary en mij om.

Precies op dat moment keek hij me glimlachend aan, en mijn hart draaide zich om. Hij zag er eindelijk eens zo jong uit als hij was, knap en erg normaal. We waren een normaal stel van in de twintig dat gezellig thuis zat met een huisgenoot en zich vermaakte met de tv. Hij was gewoon mijn vriend die bij me thuis was. Het was allemaal dikke pret en dat beeld betekende veel voor me.

De bel van de intercom ging en Cary sprong overeind om op te nemen. Hij keek me glimlachend aan. 'Misschien is het Trey wel.'

Ik knikte hoopvol naar hem.

Maar toen Cary even later de deur ging opendoen, kwam de blondine met de ellenlange benen het huis binnen zetten.

'Hoi,' zei ze, met een blik op de etensresten op de salontafel. Ze keek met een goedkeurend oog naar Gideon die vlot en krachtig beleefd opstond van de grond. Ze schonk me een meesmuilende glimlach, keek Gideon stralend aan en stak haar hand naar hem uit. 'Tatiana Cherlin.'

Hij drukte haar de hand. 'Eva's vriend.'

Mijn wenkbrauwen schoten omhoog bij die woorden. Wilde hij zijn identiteit verborgen houden? Of zijn privacy? Voor mij maakte het niet uit, ik vond het prachtig.

Cary kwam de kamer in met een fles wijn en twee glazen. 'Kom maar,' zei hij, knikkend in de richting van zijn slaapkamer.

Tatiana zwaaide even en liep voor Cary uit. Ik vroeg Cary woordeloos: waar ben je mee bezig?

Hij knipoogde en fluisterde: 'Ik neem nog een koekje.'

Gideon en ik hielden het niet veel later voor gezien en gingen naar mijn slaapkamer. Terwijl we ons uitkleedden, stelde ik hem de vraag die me dwarszat. 'Had je toen je studeerde ook al een neukkamer?'

Hij trok zijn T-shirt over zijn hoofd. 'Pardon?'

'Je weet wel, zoals je hotelkamer. Je houdt er duidelijk veel van, dus ik vroeg me af of je toen ook al zoiets geregeld had.'

Hij schudde zijn hoofd terwijl ik me verlustigde aan zijn goddelijk mooie torso en smalle heupen. 'Ik heb nu met jou meer seks gehad dan in de afgelopen twee jaar.'

'Daar geloof ik niks van,' zei ik.

'Ik beulde me af op het werk en in de sportschool, dus over het algemeen was ik gewoon te moe om ook maar iets te doen. Ik kreeg af en toe weleens een aanbod dat ik niet afsloeg, maar verder had ik weinig met seks tot ik jou leerde kennen.'

'Gelul.' Ik kon me niet voorstellen dat dat waar was.

Hij wierp me een blik toe toen hij met een zwartleren toilettas de badkamer in liep. 'Trek mijn woorden vooral in twijfel, Eva, dan zul je eens zien wat er gebeurt.'

'Wat dan?' Ik kwam hem achterna, genietend van de aanblik van zijn strakke achterwerk. 'Ga je me soms bewijzen dat je rustig zonder seks kunt door me weer te grazen te nemen?'

'Daar zijn twee mensen voor nodig.' Hij ritste de tas open en haalde er een nieuwe tandenborstel uit die hij uit de verpakking haalde en in mijn tandenborstelbeker zette. 'Jij hebt net zo vaak als ik het initiatief genomen. Jij hebt het net zo hard nodig als ik.'

'Dat is zo. Maar...'

'Maar?' Hij trok een la open en zag tot zijn misnoegen dat die vol was en trok die eronder open.

'Andere wastafel,' zei ik, glimlachend om zijn aanname dat hij zonder meer ook een la bij mij zou krijgen en zijn frons toen hij geen lege ontdekte. 'Die zijn allemaal voor jou bestemd.'

Gideon ging naar de andere wasbak en stopte de spullen uit zijn toilettas in de laden. 'Maar wat?' vroeg hij weer en hij zette een fles shampoo en doucheschuim in de douche.

Ik stond tegen de wastafel aan en sloeg mijn armen over elkaar terwijl hij zijn terrein afbakende in mijn badkamer. Hij wist precies waar hij mee bezig was, en iedereen die van de badkamer gebruikmaakte zou meteen weten dat er een man in mijn leven was.

Het viel me in dat ik dat ook bij hem had gedaan. Zijn personeel wist nu vast dat hun baas een relatie had. Dat vond ik een fijne gedachte.

'Ik dacht tijdens het eten aan je studententijd,' ging ik door, 'en stelde me voor hoe het zou zijn geweest als ik je toentertijd had leren kennen. Ik zou helemaal weg van je zijn geweest. Ik zou er alles aan hebben gedaan om ook maar een glimp van je op te vangen. Ik zou ervoor zorgen dat ik dezelfde lessen volgde als jij, zodat ik tijdens het college kon dagdromen over hoe ik je in mijn handen kon krijgen.'

'Seksmaniak.' Hij kuste het puntje van mijn neus toen hij langs me liep om zijn tanden te poetsen. 'We weten allebei maar al te goed wat er zou zijn gebeurd als ik jou had gezien.'

Ik borstelde mijn haar en poetste mijn tanden, toen haalde ik een washand over mijn gezicht. 'En, had je een neukkamer voor de weinige keren dat een of andere trut het geluk had om jou het bed in te krijgen?'

Hij keek in de spiegel naar mijn ingezeepte gezicht. 'Ik ging altijd naar het hotel.'

'Had je alleen daar seks? Voor je mij kende?'

'Dat is de enige plek waar ik seks met wederzijdse toestemming had,' zei hij stilletjes, 'voordat ik jou kende.'

'O.' Mijn hart brak.

Ik liep naar hem toe en pakte hem van achteren beet. Ik wreef met mijn wang over zijn rug.

We stapten in bed en gingen dicht tegen elkaar aan liggen. Ik verstopte mijn gezicht in zijn nek en ademde zijn lucht in. Hij had een gespierd lijf, maar toch voelde hij zacht aan. Hij was warm en sterk en een en al man. Door de gedachte aan hem alleen al werd ik heet.

Ik legde mijn been over hem heen en ging boven op hem zitten, terwijl ik me vasthield aan zijn middel. Het was donker, dus ik kon hem niet zien, maar dat was ook niet nodig. Ik was gek op zijn gezicht – hoewel hij er niet altijd even blij mee was – maar door de manier waarop hij me aanraakte en tegen me fluisterde raakte ik pas echt opgewonden. Alsof er verder niemand voor hem telde, niemand die hij liever bezat.

'Gideon.' Meer hoefde ik niet te zeggen.

Hij ging zitten, sloeg zijn armen om me heen en kuste me vurig. Toen draaide hij de rollen om, hij ging op me liggen en bedreef op een bezitterige manier de liefde met me die zo teder was dat hij me tot in mijn ziel raakte.

Ik schrok wakker. Er lag iemand boven op me, die me zowat plette en me met een harde stem smerige, lelijke woorden toebeet. Paniek kreeg me in zijn greep en ik kreeg geen lucht meer.

Nee, niet weer. Nee, alsjeblieft niet...

Mijn stiefbroer legde zijn hand over mijn mond en spreidde ruw mijn benen. Ik voelde hoe het harde ding tussen zijn benen blind tegen me aan ragde om in me te komen. Mijn kreten werden gedempt door zijn hand die op mijn lippen drukte en ik kromp ineen terwijl mijn hart zo hard sloeg dat ik bang was dat hij zou knappen. Nathan was erg zwaar. Zwaar en sterk. Ik kon hem niet van me af krijgen. Ik kon hem niet wegduwen.

Hou op! Ga van me af. Blijf van me af. O, god... alsjeblieft, doe dat niet meer met me... niet weer...

Waar was mammie? Mammie!

Ik schreeuwde, maar Nathans hand lag over mijn mond. Hij drukte me neer zodat mijn hoofd in het kussen wegzakte. Hoe meer ik tegenstribbelde, hoe lekkerder hij dat vond. Hijgend als een hond reed hij tegen me aan... om in me te komen...

'Nu zul je weten hoe het voelt.'

Ik bleef doodstil liggen. Ik kende de stem. Die was niet van Nathan.

Het was geen droom. Het was nog steeds een nachtmerrie.

O nee. Knipperend met mijn ogen wilde ik wanhopig graag in het donker iets zien. Het bloed bulderde in mijn oren. Ik kon niets horen.

Maar ik herkende zijn geur. Herkende zijn aanraking, hoe ruw ook. Herkende het gevoel van zijn lichaam op dat van mij, ook al wilde hij zich aan me vergrijpen.

Gideons erectie stootte tegen mijn lies. In paniek kwam ik met alle macht omhoog. Zijn hand gleed van mijn mond.

Ik haalde diep adem en schreeuwde.

Zijn borst ging op en neer en hij gromde: 'Het is allemaal wel wat minder leuk als jij degene bent die wordt geneukt, hè?'

'Crossfire,' bracht ik naar adem snakkend uit.

De deur vloog open en het licht dat van de hal kwam verblindde me. Meteen daarna werd Gideon godzijdank van me af getrokken. Ik draaide me op mijn zij en snikte het uit. Vervormd door de tranen zag ik dat Cary Gideon door de kamer tegen de muur aan smakte waarbij het dunne tussenwandje een deuk opliep.

'Eva! Gaat het?' Cary knipte het lampje op het nachtkastje aan en vloekte toen hij zag dat ik mezelf in foetuspositie heen een weer wiegde.

Toen Gideon rechtop ging staan draaide Cary zich woedend naar hem om. 'Als je verdomme ook maar een voet verzet voordat de politie hier is sla ik je helemaal verrot!'

Ik slikte moeizaam door mijn zere keel en kwam overeind. Ik keek Gideon aan en zag de slaap uit zijn ogen verdwijnen om plaats te maken voor het besef dat er iets vreselijk mis was.

'Droom,' wist ik met moeite uit te brengen en ik hield Cary tegen die net de telefoon wilde pakken. 'Hij d-droomt.'

Cary wierp een vluchtige blik op Gideon, die naakt als een wild dier op de grond zat gehurkt. Cary liet zijn arm langs zijn zij vallen. 'Jezus,' verzuchtte hij. 'En ik dacht nog wel dat ik verknipt was.'

Ik schoof van het bed af, ziek van angst stond ik te trillen op mijn benen. Mijn knieën knikten en Cary wist me nog net op tijd op te vangen. Hij liet zich samen met mij op de grond zakken en hield me stevig vast terwijl ik in snikken uitbarstte.

'Ik slaap op de bank.' Cary haalde een hand door zijn haar en stond tegen de muur in de gang aan. De deur van mijn slaapkamer stond open en Gideon zat wit weggetrokken op mijn bed. 'Ik haal voor hem ook wel beddengoed en een kussen. Het lijkt me beter dat hij nu niet in zijn eentje naar huis gaat. Hij zit er helemaal doorheen.'

'Dank je, Cary.' Hij drukte me iets steviger tegen zich aan. 'Is Tatiana er nog?'

'Nee, natuurlijk niet, we neuken alleen maar.'

'Hoe zit het met Trey?' vroeg ik stilletjes, terwijl ik alweer aan Gideon moest denken.

'Ik hou van Trey. Jullie tweeën zijn de beste mensen die ik ken.' Hij boog zich naar voren en kuste me op het voorhoofd. 'Maar wat niet weet wat niet deert. Dus maak je er nou maar niet druk over en laat mij nou maar voor jou zorgen.'

Ik keek hem in tranen aan. 'Ik weet het gewoon niet meer.'

Cary zuchtte, zijn groene ogen somber en serieus. 'Je moet eens nagaan of je dit allemaal wel aankunt, meis. Sommige mensen kunnen nu eenmaal niet beter worden. Kijk maar naar mij. Ik heb een fantastische vent en ik doe het met een meid die ik niet kan uitstaan.'

'Cary...' Ik legde mijn hand op zijn schouder.

Hij pakte hem en gaf er een kneepje in. 'Als je me nodig hebt, dan weet je waar ik ben.'

Gideon ritste net zijn plunjezak dicht toen ik de slaapkamer weer in liep. Hij keek me aan en de angst sloeg me om het hart. Niet voor mij, maar voor hem. Ik had nog nooit iemand gezien die er zo verloren en kapot uitzag. De lege blik in zijn schitterende ogen beangstigde me. Er zat geen leven in. Hij zag grauw en zijn adembenemende gezicht zag er afgepeigerd uit.

'Wat doe je?' fluisterde ik.

Hij deed een stap naar achteren alsof hij zo ver mogelijk bij me uit de buurt wilde blijven. 'Ik ga weg.'

Het baarde me zorgen dat ik bij de gedachte alleen te zijn opluchting voelde. 'We hadden afgesproken dat we elkaar niet in de steek zouden laten.'

'Maar toen had ik je nog niet belaagd!' viel hij uit, eindelijk weer eens wat pit tonend.

'Je was niet bij bewustzijn.'

'Jij mag nooit meer het slachtoffer zijn, Eva. Godallemachtig, je moet er toch niet aan denken wat er had kunnen gebeuren...' Hij ging met zijn rug naar me toe staan, zijn schouders opgetrokken; dat vond ik bijna net zo beangstigend als de aanval.

'Als je nu weggaat heeft ons verleden het van ons gewonnen.' Mijn woorden kwamen keihard aan. De lampen in mijn kamer brandden allemaal, alsof alleen door licht de schaduwen uit onze ziel verbannen konden worden. 'Als je nu de handdoek in de ring gooit, blijf je misschien maar gewoon weg en zal ik wellicht geen moeite doen om je te behouden. Dan zijn we voorgoed uit elkaar, Gideon.'

'Maar hoe kan ik nu blijven? Hoe kun je dat zelfs maar willen?' Hij draaide zich naar me om en keek me zo smachtend aan dat de tranen me weer in de ogen sprongen. 'Ik maak er nog liever een einde aan dan jou pijn te doen.'

Daar was ik erg bang voor. Ik kon me nauwelijks voorstellen dat de Gideon die ik kende – de dominante sterke oerkracht – zelfmoord zou plegen, maar de Gideon die hier stond was een heel ander mens. En het kind van een suïcidale ouder.

Ik frunnikte aan de zoom van mijn T-shirt. 'Jij zou me nooit kwaad doen.'

'Je bent bang voor me,' zei hij met gebroken stem. 'Dat zie ik aan je. Ik ben bang voor mezelf. Bang om in mijn slaap jou iets aan te doen en je kwijt te raken.'

Hij had gelijk. Ik was ook bang. De angst verkilde me vanbinnen.

Ik had het explosieve geweld in hem leren kennen. De knagende woede. En we brachten elkaar in vervoering. Ik had hem op het tuinfeest een klap in zijn gezicht gegeven en zoiets had ik nog nooit gedaan.

Onze relatie was nu eenmaal wellustig en emotioneel, aards en ruig. Het vertrouwen tussen ons zorgde ervoor dat we eerlijk tegen elkaar waren en ons kwetsbaar maar ook gevaarlijk opstelden. En we waren er nog lang niet.

Hij ging met zijn hand door zijn haar. 'Eva, ik...'

'Ik hou van je, Gideon.'

'Godallemachtig.' De blik die hij me toewierp grensde aan walging. Of die op mij of zichzelf gericht was, was me niet duidelijk. 'Hoe kun je dat nu zeggen?'

'Omdat het nu eenmaal zo is.'

'Maar jij ziet alleen maar dit' – hij gebaarde naar zichzelf – 'en niet mijn gestoorde, verwrongen geest.'

Ik snakte naar adem. 'En dat zeg jij? Terwijl je verdomde goed weet hoe gestoord en verwrongen ik ben?'

'Misschien val je alleen op mensen die jou slecht behandelen,' zei hij verbitterd.

'Nu moet je ophouden. Ik weet dat je je rot voelt, maar door naar mij uit te halen ga je je echt niet beter voelen.' Ik keek op de klok hoe laat het was en zag dat het vier uur in de ochtend was. Ik liep naar hem toe om van mijn angst om hem aan te raken en door hem aangeraakt te worden af te komen.

Hij stak zijn hand omhoog alsof hij me tegen wilde houden. 'Ik ga naar huis, Eva.'

'Blijf op de bank slapen. Ga er alsjeblieft niet tegenin, Gideon. Als je weggaat, heb ik geen ogenblik rust meer.'

'Dat zal nog erger zijn als ik blijf.' Hij keek me aan, verloren en boos en vervuld van een diep verlangen. Zijn ogen smeekten me om vergiffenis, maar hij zou het niet aanvaarden als ik hem die schonk.

Ik pakte zijn hand, de steek van ongerustheid onderdrukkend die ik kreeg toen ik hem aanraakte. Ik was nog op van de zenuwen, mijn keel en mond deden nog pijn, de herinneringen aan zijn pogingen om me te penetreren – die me aan Nathan deden denken – waren maar al te levendig. 'We s-slaan ons er wel doorheen,' stelde ik hem gerust en ik baalde ervan dat mijn stem trilde. 'Jij gaat naar dokter Petersen en dan gaan we van daaruit verder.'

Hij hief zijn hand alsof hij me over mijn wang wilde strelen. 'Als Cary er niet geweest was...'

'Maar hij was er wel, en er is verder niets aan de hand met me. Ik hou van je. We slaan ons er wel doorheen.' Ik knuffelde hem en stak mijn armen onder zijn overhemd om zijn blote huid te voelen. 'Het verleden krijgt de kans niet om het voor ons te verzieken.'

Ik wist niet zeker wie ik daarvan moest overtuigen.

'Eva.' Hij drukte me zo stevig tegen zich aan dat ik bijna geen lucht meer kreeg. 'Het spijt me. Ik ga eraan kapot. Vergeef het me, alsjeblieft... ik wil je niet kwijt.'

'Dat gaat ook niet gebeuren.' Met mijn ogen dicht concentreerde ik me op hoe hij aanvoelde. Hoe hij rook. Mezelf voorhoudend dat ik nooit bang voor hem was geweest.

'Het spijt me heel erg.' Zijn bevende handen volgden de kromming van mijn wervelkolom. 'Ik zal er alles aan doen...'

'Sst. Ik hou van je. Alles komt goed.'

Hij draaide zich naar me toe en kuste me teder. 'Vergeef het me, Eva. Ik heb je nodig. Ik ben bang voor wat ik zonder jou zal worden...'

'Ik blijf bij je.' De huid op mijn rug tintelde onder zijn rusteloze handen. 'Ik ben hier. Ik laat je niet meer in de steek.'

Hij stond doodstil, ademde hard tegen mijn lippen. Toen drukte hij zijn mond op die van mij. Mijn lichaam reageerde op zijn verleidelijke kus. Ik ging onwillekeurig meer tegen hem aan staan, trok hem dichter naar me toe.

Hij pakte mijn borsten beet en ging met zijn duim over mijn tepels totdat ze recht overeind stonden en snakten naar meer. Ik kreunde zowel uit angst als begeerte en hij rilde toen hij dat hoorde.

'Eva...?'

'Ik... ik kan het niet.' De herinnering aan hoe ik wakker was geworden, stond me nog te levendig voor de geest. Ik vond het vreselijk om nee te zeggen omdat ik wist dat hij me net zo nodig had als ik hem toen ik hem over Nathan had verteld. Om te bewijzen dat de lust er nog steeds was, dat hoeveel littekens we ook op hadden gelopen, het niet uitmaakte wat ons beiden betrof.

Maar ik kon niet anders. Nog niet. Ik was nog te geschokt en kwetsbaar. 'Hou me vast, Gideon, alsjeblieft.'

Hij knikte en sloeg zijn armen om me heen.

Ik liet me op de grond zakken en trok hem met me mee, in de hoop dat ik hem zover zou krijgen dat hij in slaap zou vallen. Ik ging tegen hem aan liggen, legde mijn been over hem heen en sloeg mijn arm over zijn gespierde buik. Hij drukte me teder tegen zich aan, gaf me een kus op het voorhoofd en zei steeds weer opnieuw hoe erg hij het vond.

'Laat me niet in de steek,' fluisterde ik. 'Blijf bij me.'

Gideon zei niets, deed geen toezeggingen, maar hij liet me ook niet los.

Enige tijd later werd ik wakker en hoorde ik Gideons hart gelijkmatig slaan. De lampen brandden nog en de grond gaf niet erg mee.

Gideon lag op zijn rug, zijn knappe gezicht jong in de slaap, zijn overhemd iets omhooggekropen waardoor zijn navel en wasbordje open en bloot lagen.

Hij was de man van wie ik hield. Hij was de man die me met zijn lijf genot schonk, wiens attente gedrag me telkens weer diep raakte. Hij was gebleven. En aan de frons op zijn voorhoofd te zien, had hij het nog steeds moeilijk.

Ik stak mijn hand in zijn joggingbroek. Voor het eerst sinds ik hem kende was hij slap, maar hij werd al snel stijver en dikker terwijl ik hem voorzichtig over de hele lengte streelde. Ik was zowel bang als opgewonden, maar de gedachte dat ik hem kwijt kon raken, joeg me meer angst aan dan leven met zijn verleden.

Hij bewoog en drukte me tegen zich aan. 'Eva...?'

Deze keer kon ik het wel over mijn lippen krijgen. 'We moeten het achter ons laten,' zei ik in zijn mond. 'Daar kun jij voor zorgen.'

'Eva.'

Hij kwam tegen me aan liggen en ontdeed me voorzichtig van mijn shirt. Ik was al net zo voorzichtig toen ik hem uitkleedde. We behandelden elkaar alsof we van porselein waren. De band die tussen ons bestond was dunner dan anders; we maakten ons zorgen over de toekomst en de pijn die we de ander door onze scherpe kantjes toe konden brengen.

Hij zoog zachtjes mijn tepel naar binnen. Het was zo lekker dat ik naar adem snakte en mijn borst naar voren drukte. Hij streelde me van mijn borst naar mijn heup en weer terug, steeds weer opnieuw, tot mijn hart als een gek tekeerging.

Hij kuste mijn borsten en mompelde verontschuldigingen en verlangens in een gebroken stem vol spijt en ellende. Hij likte over mijn rechtopstaande tepel voordat hij eraan ging sabbelen.

'Gideon.' De zachte bewegingen ontketenden een diepe begeerte in mijn schichtige geest. Mijn lichaam had zich al gewonnen gegeven en verlangde naar het genot en de schoonheid van dat van hem.

'Wees niet bang,' fluisterde hij. 'Trek je niet terug.'

Hij kuste mijn navel en ging door naar beneden. Zijn haar streelde over mijn buik en hij opende me met bevende handen en richtte zich op mijn clitoris. De vederlichte, plagende likjes en kleine stootjes in mijn trillende spleetje brachten me bijna tot waanzin.

Ik trok mijn rug hol en smeekte hem hees om door te gaan. Mijn hele lijf stond strak gespannen totdat ik het niet meer kon houden. En toen bezorgde hij me met een enkel zacht likje een orgasme.

Ik gilde het uit, de hete ontlading schokte door mijn kronkelende lichaam.

'Ik kan niet zonder je, Eva.' Gideon knielde over me heen terwijl ik nog naschokte van genot. 'Dat red ik niet.'

Ik veegde de sporen weg die de tranen op zijn wangen hadden achtergelaten en keek hem in de roodomrande ogen. Het deed me pijn hem te zien lijden. 'Zie me maar eens kwijt te raken, dat lukt je echt niet.'

Hij pakte zijn pik en leidde hem langzaam en met beleid bij me naar binnen. Ik drukte mijn hoofd tegen de grond terwijl hij steeds verder in me kwam en met elke centimeter bezit van me nam.

Toen hij helemaal in me zat, stootte hij rustig en welbewust in me. Ik deed mijn ogen dicht en dacht aan de band die we samen hadden. Toen ging hij op me liggen, zijn buik op die van mij en de paniek sloeg opeens bij me toe. De angst was terug en ik wist niet zeker of ik wel door wilde gaan.

'Kijk me aan, Eva.' Zijn stem was hees en onherkenbaar.

Dat deed ik en ik zag zijn pijn.

'Bedrijf de liefde met me,' smeekte hij ademloos. 'Laten we samen de liefde bedrijven. Raak me aan, engel. Pak me beet.'

'Ja.' Ik drukte mijn handen plat op zijn rug en bewoog ze over zijn huiverende spieren naar zijn kont. Ik omvatte het harde, soepele vlees, hem aanmoedigend sneller en dieper te gaan.

Door de gelijkmatige stootbewegingen van zijn dikke pik in mijn samengeknepen spleetje sloeg de extase in hete golven door me heen. Wat was hij lekker. Ik sloeg mijn benen om zijn zwoegende onderlijf en ademde steeds sneller terwijl de ijskoude kilte in mijn hart langzaam smolt. Hij keek me aan.

De tranen stroomden langs mijn slapen. 'Ik hou van je, Gideon.'

'Alsjeblieft...' Hij kneep zijn ogen dicht.

'Ik hou van je.'

Door zijn vaardig pompende onderlijf, zijn stotende pik, bracht hij me weer bijna tot een orgasme. Mijn geslacht kneep zich om hem samen, zodat hij diep in me zou blijven.

'Kom klaar, Eva,' bracht hij hijgend uit.

Ik deed mijn best, deed mijn best om de angst te overwinnen dat hij boven op me lag. De angst vermengde zich met lust, maar het lukte me niet te ontspannen.

Hij gromde hees door pijn en spijt.

'Je moet komen, Eva... ik moet je voelen... Alsjeblieft...'

Hij pakte me bij de billen zodat ik iets schuiner kwam te liggen en raakte telkens weer het gevoelige plekje binnen in me. Hij ging maar door, onvermoeibaar, hij neukte me lang en diep tot ik me eindelijk liet gaan en ik heftig klaarkwam. Ik beet in zijn schouder om de kreten te dempen terwijl ik onder hem lag te schokken, trillend van extase door de spiertrekkinkjes binnen in me. Hij gromde, een uiting van gekweld genot.

'Weer,' beval hij me en hij stootte nog dieper wat me een verrukkelijke pijn bezorgde. Dat hij ons weer genoeg vertrouwde om een scheutje pijn toe te voegen deed mijn twijfels geheel en al wegnemen. We mochten elkaar dan vertrouwen, we leerden gaandeweg ook op onze intuïtie te vertrouwen.

Ik kwam weer klaar en wel zo wild dat ik kramp in mijn tenen kreeg. Ik voelde dat Gideon zoals vanouds mijn billen steviger vastgreep en knelde mijn benen nog meer om hen heen om hem aan te moedigen me vol te spuiten.

'Nee!' Hij worstelde zich los, ging zitten en hield zijn arm voor zijn ogen. Hij strafte zichzelf door zijn lichaam het genot van het mijne te ontzeggen.

Zijn borst zwoegde glimmend van het zweet op en neer. Zijn pik lag log op zijn buik en zag er met de dikke paarse eikel en opgezwollen aderen woest uit.

Ik dook met mijn handen en mond eropaf en lette niet op zijn felle protesten. Ik trok hem snel af met mijn hand en zoog tegelijkertijd de gevoelige kop af. Zijn dijen trilden, zijn benen schopten onophoudelijk.

'Verdomme, Eva, godver.' Hij verstijfde en snakte naar adem, stak zijn handen in mijn haar en schokte met zijn onderlijf. 'O, verdomme. Zuig me leeg... O, christus...'

Zijn zaad spoot uit hem en ik stikte er zowat in. Mijn mond was vol sperma, maar ik slikte het door en bleef hem melken tot hij niet meer kon en hij me sidderend smeekte op te houden.

Ik ging rechtop zitten en Gideon nam me in zijn armen. Hij liet me op de grond zakken en legde toen zijn gezicht in mijn hals en huilde tot de zon opkwam.

Ik had dinsdag voor mijn werk een zwarte zijden blouse met lange mouwen en een broek aangetrokken omdat ik afstand wilde scheppen tussen mezelf en de rest van de wereld. Gideon pakte in de keuken mijn hoofd vast en streelde met een hartverscheurende tederheid met zijn lippen over mijn mond. Hij was er nog niet helemaal overheen.

'Lunch?' vroeg ik, omdat ik vond dat we de band tussen ons moesten bevestigen.

'Ik heb al een zakenlunch.' Hij streek door mijn loshangende haar. 'Ga je mee? Angus zet je weer op tijd af voor je werk.'

'Ja, leuk.' Ik dacht aan zijn agenda voor de komende avonden die hij naar mijn smartphone door had gestuurd, de ene meeting en afspraak na de andere. 'En morgen hebben we toch dat liefdadigheidsetentje in het Waldorf-Astoria?'

Hij keek me liefdevol aan. In zijn werkkleding zag hij er zwaarmoedig maar toch beheerst uit. Ik wist wel beter.

'Je geeft het niet op, hè?' vroeg hij stilletjes.

Ik stak mijn rechterhand op om hem de ring te laten zien. 'Je zit aan me vast, Cross. Wen er maar aan.'

In de auto, onderweg naar het werk, trok hij me op zijn schoot en dat deed hij ook toen we voor de lunch naar Jean Georges reden. Tijdens het eten, dat Gideon voor me bestelde en dat heerlijk was, zei ik niet meer dan een stuk of tien woorden.

Ik zat rustig naast hem, mijn linkerhand onder het tafellaken op zijn gespierde dij; mijn manier om duidelijk te maken dat ik bij hem hoorde. Dat wij bij elkaar hoorden. Hij had zijn hand over die van mij gelegd, warm en sterk, terwijl hij een nieuw pand besprak dat aan St. Croix in aanbouw was. We hielden elkaar tijdens de hele maaltijd vast, we aten liever met maar één hand dan elkaar los te laten.

In de loop van de dag raakten wij allebei de bittere nasmaak van de avond ervoor kwijt. Het zou het zoveelste litteken voor hem worden, de zoveelste nare herinnering die hem altijd bij zou blijven, een herinnering die ik met hem deelde en die ons angst aanjoeg, maar die verder geen macht over ons had. Want dat zouden we niet toestaan.

Angus stond na mijn werk klaar om me naar huis te rijden. Gideon zou nog even doorwerken en daarna meteen doorgaan naar Dr. Petersen. Ik gebruikte het ritje om mezelf voor te bereiden op de volgende les van Parker. Ik had erover gedacht om niet te gaan, maar vond het toch belangrijk om me aan de afspraak te houden. Mijn leven was al behoorlijk ongeordend, dus de weinige dingen die regelmaat brachten, wilde ik wel behouden.

Na anderhalf uur grondoefeningen en elkaar aantikken in Parkers sportschool, was ik blij toen Clancy me thuis afzette. Ik was ook trots dat ik toch was gegaan, terwijl ik er eigenlijk geen zin in had gehad.

In de hal zag ik Trey bij de balie staan.

'Hoi,' zei ik. 'Ga je mee naar boven?'

Hij keek me met zijn bruine ogen vriendelijk aan en glimlachte vrolijk. Trey had iets liefs, hij was op een eerlijke manier naïef, wat wel heel anders was dan de vorige partners die Cary had gehad. Of misschien zou ik moeten zeggen dat Trey 'normaal' was, wat voor de meeste mensen in Cary's en mijn leven niet opging.

'Cary is er niet,' zei hij. 'Ze hebben net voor me gebeld.'

'Kom gerust met me mee, dan kun je boven op hem wachten. Ik ga toch niet meer weg.'

'Nou, als je het echt niet erg vindt.' Hij liep met me mee en ik zwaaide naar het meisje bij de balie en zette koers naar de liften. 'Ik heb iets voor hem.'

'Natuurlijk vind ik het niet erg,' verzekerde ik hem en ik glimlachte hem toe.

Hij nam mijn joggingbroek en hemdje in zich op. 'Heb je net gesport?'

'Ja, hoewel ik eerlijk gezegd liever iets anders had gedaan.'

Hij lachte en we liepen de lift in. 'Ik ken dat.'

Terwijl we naar boven gingen, bleef het stil. Het was een geladen stilte.

'Gaat het goed verder?' vroeg ik hem.

'Nou...' Trey verstelde de riem van zijn rugzak. 'Cary is al een paar dagen zichzelf niet.'

'O?' Ik beet op mijn lip. 'Hoe dat zo?'

'Ja, dat weet ik niet precies. Ik kan er mijn vinger niet op leggen. Maar ik krijg de indruk dat er iets mis is, alleen weet ik niet wat.'

Ik dacht aan de blondine en kromp ineen. 'Misschien maakt hij zich druk over de Grey Isles-opdracht en wil hij jou daar niet mee belasten. Hij weet best dat jij al genoeg aan je hoofd hebt met je werk en studie.'

De spanning in zijn schouders nam af. 'Ja, dat zou best kunnen. Dat lijkt me logisch. Oké. Dankjewel.'

We liepen de flat in en ik zei dat hij maar net moest doen of hij thuis was. Trey liep naar Cary's kamer om daar zijn spullen neer te zetten en ik keek of er berichten op mijn voicemail stonden.

Ik hoorde iemand gillen in de hal en stond al op het punt het alarmnummer te bellen terwijl ik schrikbeelden voor me zag van indringers en geweld. Er werd nog meer geschreeuwd en ik herkende opeens Cary's stem.

Ik haalde opgelucht adem. Met de telefoon in mijn hand liep ik de gang op om te kijken wat er nu weer aan de hand was. Ik botste bijna tegen Tatiana op die terwijl ze haar blouse dichtknoopte de hoek om kwam zetten.

'Oeps,' zei ze met een onverschillige grijns. 'Tot ziens.'

Door Treys geschreeuw hoorde ik de deur niet eens achter haar dichtgaan.

'Verdomme nog aan toe, Cary. We hebben het erover gehad! Je had het me beloofd!'

'Je maakt van een mug een olifant,' snauwde Cary. 'Het stelt allemaal niets voor.'

Trey kwam zo snel Cary's slaapkamer uit stormen dat ik mezelf plat moest drukken tegen de muur om niet omvergelopen te worden. Cary kwam achter hem aan, met een laken om zijn middel geknoopt. Terwijl hij langs me heen liep keek ik hem met samengeknepen ogen aan, wat aan hem een grof gebaar ontlokte.

Ik liet ze hun gang gaan en vluchtte mijn douche in, boos op Cary dat hij voor de zoveelste keer iets moois in zijn leven had verknald. Ik bleef maar hopen dat het een keer goed zou gaan, maar dat scheen te hoog gegrepen voor hem.

Toen ik een halfuur later de keuken in liep was het doodstil in de flat. Ik stortte me op het eten en kookte een varkenshaas met nieuwe aardappeltjes en asperges, Cary's lievelingskostje, voor het geval hij thuis bleef eten en wel een oppepper kon gebruiken.

Ik zette net het vlees in de oven toen ik tot mijn verbazing Trey de gang in zag lopen. Dat stak me. Ik vond het vreselijk om hem ontdaan en huilend weg te zien gaan. Mijn medelijden maakte plaats voor diepe teleurstelling toen Cary de keuken in kwam lopen, ruikend naar mannenzweet en seks. Hij keek me woedend aan terwijl hij naar de wijnkoelkast liep.

Ik sloeg mijn armen over elkaar en keek woedend terug. 'Dat lijkt me een goede manier om het weer goed te maken: je geliefde, die net getuige is geweest van je ontrouw, naaien op het bed waar hij je op betrapt heeft.'

'Kop dicht, Eva.'

'Hij heeft vast een hekel aan zichzelf nu hij toch weer heeft toegegeven.'

'Hou verdomme je bek, ja?'

'Ook goed.' Ik draaide me om en strooide zout en peper over de aardappeltjes voordat ik ze bij het vlees in de oven zette.

Cary griste een wijnglas uit de kast. 'De afkeuring straalt gewoon van je af. Kap daarmee. Hij zou lang niet zo nijdig zijn geweest als hij me betrapt had met een vent.'

'O, dus het is eigenlijk zijn schuld?'

'Zal ik jou eens wat vertellen: jouw liefdesleven gaat nu ook niet bepaald van een leien dakje.'

'Dat is onder de gordel, Cary. Het is niet eerlijk om je op mij af te reageren. Jij hebt het verknald en vervolgens doe je er nog een schepje bovenop. Het is je eigen schuld.'

'Jij mag wel een toontje lager zingen. Jij gaat naar bed met een vent die je elke dag kan verkrachten.'

'Dat slaat nergens op!'

Hij snoof en leunde tegen het aanrecht, zijn gezicht vertrokken van woede. 'Als jij nu zegt dat hij er niets aan kon doen omdat hij sliep toen hij je aanviel, dan gaat dat ook op voor dronkenlappen en drugsverslaafden. Die weten ook niet wat ze doen.'

De waarheid kwam hard aan, evenals het feit dat hij me opzettelijk pijn wilde doen. 'Een fles kun je nog laten staan, maar je kunt niet stoppen met slapen.'

Cary ging rechtop staan, trok de fles wijn open die hij had gepakt, schonk twee glazen in en schoof er een mijn kant op. 'Ik weet hoe het is om een relatie met mensen te hebben die je pijn doen. Jij houdt van hem. Jij wilt hem beschermen. Maar wie beschermt jou, Eva? Ik zal niet altijd in de buurt zijn als je bij hem bent, en het gaat een keer mis.'

'Dus je wilt het hebben over verdriet in een relatie, Cary?' beet ik hem toe, om hem van de pijnlijke waarheid over mijn relatie af te leiden. 'Heb je Trey soms belazerd om jezelf te beschermen? Leek het je beter om hem teleur te stellen voordat hij de kans kreeg om dat bij jou te doen?'

Cary's mond stond verbeten. Hij tikte zijn glas tegen dat van mij dat nog op het aanrecht stond. 'Proost, op ons, de ernstig verknipte lui. Gelukkig hebben we elkaar nog.'

Hij liep op hoge poten de keuken uit en ik liep leeg als een luchtballon. Ik had het wel verwacht, het was te mooi om waar te zijn. Blijheid en geluk waren me maar heel af en toe gegund, en zelfs dan waren ze maar een illusie.

Er lag altijd iets op de loer. En voor je het wist viel het aan en maakte het alles kapot.

20

Gideon belde aan vlak voordat ik het eten uit de oven haalde. Hij had een kledinghoes in zijn ene en een laptopkoffertje in zijn andere hand. Ik had me zorgen gemaakt dat hij liever alleen wilde zijn na zijn afspraak met Dr. Petersen en mijn opluchting was groot toen hij belde dat hij onderweg was. Toch voelde ik me niet helemaal op mijn gemak toen ik de deur openmaakte en hem zag staan.

'Hoi,' zei hij zachtjes en hij liep met me mee naar de keuken. 'Het eten ruikt heerlijk.'

'Hopelijk heb je honger als een paard. Ik heb heel veel gekookt en het ziet er niet naar uit dat Cary mee-eet.'

Gideon legde zijn spullen op de bar en kwam voorzichtig naar me toe, ondertussen mijn gezicht nauwlettend in de gaten houdend. 'Ik heb een paar dingen meegenomen voor als ik blijf slapen, maar als je dat liever niet hebt, is dat ook geen punt. Het is aan jou, zeg het maar.'

Ik zuchtte diep, de angst zou mij niet leiden. 'Ik wil dat je blijft.'

'Ik doe niets liever.' Hij kwam naast me staan. 'Mag ik je in mijn armen nemen?'

Ik ging tegen hem aan staan en omhelsde hem. 'Graag.'

Hij legde zijn wang tegen die van mij en knuffelde me stevig. De omhelzing was lang niet zo vanzelfsprekend en ongedwongen als vroeger. We waren toch wat schichtig geworden.

'Hoe gaat het?' mompelde hij.

'Ik ben blij dat jij er bent.'

'Maar je bent nog wel zenuwachtig.' Hij kuste me op mijn voorhoofd. 'Dat ben ik ook. Ik weet niet hoe het ons gaat lukken om ooit weer in slaap te vallen.'

Ik ging iets naar achteren en keek hem aan. Daar was ik ook bang voor en het gesprek dat ik met Cary had gehad, hielp ook niet echt. Het gaat een keer mis...

'We komen er wel uit,' zei ik.

Hij was even stil. 'Heb je ooit nog wat van Nathan gehoord?'

'Nee.' Maar ik was altijd bang dat ik hem weer zou zien, per ongeluk of moedwillig. Hij liep op dezelfde aardbol rond als ik... 'Hoezo?'

'Nee niks, ik moest er opeens aan denken.'

Ik bekeek hem aandachtig en kreeg een brok in mijn keel van zijn gekwelde blik. 'Zomaar opeens?'

'Wij hebben met ons tweeën een heel arsenaal aan littekens.'

'Denk je dat het ons niet gaat lukken?'

Gideon schudde zijn hoofd. 'Dat weet ik niet.'

Ik wist het ook niet meer. Hoe kon ik hem overtuigen als ik er zelf aan twijfelde of mijn liefde en zijn verlangen genoeg waren om onze relatie stand te laten houden?

'Waar denk je aan?' vroeg hij.

'Aan eten. Ik val om van de honger. Ga jij even vragen of Cary ook komt? Dan kunnen we aan tafel.'

Cary lag te slapen, dus Gideon en ik staken kaarsen aan en aten met z'n tweetjes keurig aan de eettafel, gekleed in een oud T-shirt en een pyjamabroek die we hadden aangetrokken nadat we hadden gedoucht. Ik vond het vervelend van Cary, maar het was wel erg prettig om nu alleen te zijn met Gideon.

'Ik heb gisteren met Magdalene op kantoor geluncht,' zei hij nadat we een paar happen hadden genomen.

'O?' Terwijl ik op zoek was naar een ring had Magdalene gezellig met mijn vent gegeten?

'Dat toontje is nergens voor nodig,' wees hij me terecht. 'Ze zat te eten in mijn kantoor dat vol stond met jouw bloemen terwijl je me een kushandje toewierp vanaf mijn bureau. Jij was net zo aanwezig als zij.'

'Sorry, automatische reactie.'

Hij pakte mijn hand en drukte er een kusje op. 'Ik ben blij dat je nog steeds jaloers kunt worden.'

Ik zuchtte. Mijn emoties gingen de hele dag al alle kanten op. Ik had geen idee wat ik allemaal voelde. 'Heb je haar nog over Christopher verteld?'

'Dat was de bedoeling van de lunch. Ik heb haar het filmpje laten zien.'

'Hè?' Ik fronste mijn wenkbrauwen, want de batterij van mijn smartphone was in zijn auto leeg geweest. 'Hoe heb je dat voor elkaar gekregen?'

'Ik heb je mobieltje meegenomen naar kantoor en met een usb-stick het filmpje gedownload. Was het je gisteravond niet opgevallen toen ik je mobieltje teruggaf dat de batterij weer opgeladen was?'

'Nee.' Ik legde het bestek neer. Gideon mocht dan dominant zijn, hij moest wel weten waar mijn grenzen lagen. 'Je kunt niet zomaar mijn telefoon hacken, Gideon.'

'Ik heb hem niet gehackt. Je hebt hem helemaal niet beveiligd.'

'Daar gaat het niet om! Je hebt verdomme mijn privacy geschonden. Jezus...' Waarom begreep nu niemand eens dat ik ook grenzen had? 'Hoe zou jij het vinden als ik in je spullen rond ging neuzen?'

'Ik heb niets te verbergen.' Hij haalde zijn smartphone uit zijn binnenzak en reikte hem me aan. 'En jij ook niet.'

Ik had nu geen zin in ruzie – onze situatie was al instabiel genoeg – maar hier moest ik paal en perk aan stellen. 'Het doet er niet toe of er iets is wat jij niet mag zien. Ik heb recht op privacy en jij hoort het me te vragen voordat je aan mijn spullen komt en je dingen toe-eigent. Je mag niet zomaar pakken wat je wilt.'

'En in hoeverre was dat filmpje privé?' vroeg hij met gefronste wenkbrauwen. 'Je hebt het me zelf laten zien.'

'Je bent net mijn moeder, Gideon!' riep ik uit. 'Tegen zoveel onlogica kan ik niet op.'

Hij schrok van mijn felle uitval, duidelijk verrast door het feit dat ik er van streek door raakte. 'Oké, sorry, hoor.'

Ik nam een grote slok wijn om mijn woede en ongemak in te tomen. 'Sorry omdat ik boos ben of omdat je het hebt gedaan?'

Na een paar tellen zei Gideon: 'Sorry omdat je kwaad bent.'

Hij begreep er geen bal van. 'Snap je nu echt niet dat je verkeerd bezig bent?'

'Eva.' Hij zuchtte en haalde een hand door zijn haar. 'Ik heb elke dag zo'n zes uur seks met je. Als je daarbuiten dan grenzen stelt, kan ik dat niet serieus nemen.'

'Ik stel die grenzen niet voor niets. Ze zijn belangrijk voor me. Als je iets wilt weten, dan kun je me dat gewoon vragen.'

'Prima.'

'Dit mag niet meer gebeuren,' maande ik. 'Dat meen ik, Gideon.'

Hij klemde zijn kaken op elkaar. 'Ja, dat weet ik nu wel.'

Omdat ik echt geen ruzie wilde, liet ik het daarbij. 'Wat zei ze, toen ze het filmpje zag?'

Hij ontspande zich. 'Het viel rauw op haar dak. En al helemaal omdat ik het ook had gezien.'

'Zij heeft ons in de bibliotheek gezien.'

'We hebben het daar niet echt over gehad, maar wat viel er verder nog te zeggen? Ik ga me niet verontschuldigen omdat ik in een afgesloten kamer met mijn vriendin vrijde.' Hij zakte onderuit in zijn stoel en zuchtte diep. 'Maar dat ze Christopher in het filmpje zag en wat hij echt van haar vindt, dat vond ze heel erg. Het valt niet mee als je ziet dat je misbruikt wordt. En al helemaal niet als het om iemand gaat die je denkt te kennen, iemand van wie je dacht dat hij om je gaf.'

Ik verborg mijn reactie door onze glazen bij te schenken. Hij leek te weten waar hij het over had. Wat was hem allemaal wel niet aangedaan?

Na een snelle slok wijn vroeg ik: 'Hoe ga jij ermee om?'

'Tja, ik kan er weinig aan doen. Ik heb al zo vaak een poging gedaan om met Christopher te praten. Ik heb het met geld geprobeerd. Ik heb dreigementen geuit. Maar wat ik ook doe, het maakt niet uit. Ik heb door schade en schande geleerd dat ik weinig meer kan doen dan puinruimen. En jou bij hem uit de buurt houden.'

'Ik kan je daarbij helpen.'

'Mooi.' Hij nam een slok en keek naar me over de rand van het glas. 'Wil je niet weten hoe het bij dokter Petersen is gegaan?'

'Dat gaat me niets aan. Tenzij je het me wilt vertellen.' Ik keek hem recht in de ogen en hoopte dat hij dat inderdaad zou doen. 'Ik ben er voor je als je een luisterend oor nodig hebt, maar ik ga je niet uithoren. Als je zover bent om het mij te vertellen, dan hoor ik het wel. Evengoed wil ik wel graag weten wat je van hem vond.'

'Ik heb hem nog maar één keer meegemaakt, natuurlijk.' Hij glimlachte. 'Hij liet me maar praten. Dat gebeurt me niet vaak.'

'Ja. Als je blijft praten benader je de dingen van een andere kant en denk je: goh, wat raar dat ik het nog niet zo heb bekeken!'

Gideons vingers gingen langs de steel van zijn glas. 'Hij heeft een kalmeringsmiddel voorgeschreven dat ik voor het slapengaan moet innemen. Ik heb het net bij de apotheek gehaald.'

'Wat vind je daarvan?'

Hij keek me opgejaagd en gepijnigd aan. 'Het kan niet anders. Ik wil bij je zijn en als ik pillen moet slikken zodat het voor jou geen kwaad kan, dan moet dat maar. Dokter Petersen zei dat de pillen in combinatie met therapie vruchten hebben afgeworpen bij "atypische sekssomnia". Daar moet ik dan maar op vertrouwen.'

Ik gaf hem een kneepje in zijn hand. Dat hij medicijnen wilde innemen was heel wat, en al helemaal voor iemand die al heel lang het probleem voor zich uit had geschoven. 'Dank je.'

Gideon hield mijn hand stevig vast. 'Er zijn blijkbaar zoveel mensen die eraan lijden dat er onderzoek naar is gedaan. Hij vertelde me over een geval waarin een man twaalf jaar lang in zijn slaap zijn vrouw besteeg voordat ze hulp zochten.'

'Mijn god, twaalf jaar lang?'

'Een van de redenen waarom ze er zo lang mee hadden gewacht, was omdat de man beter presteerde in zijn slaap,' zei Gideon droogjes. 'Als dat geen klap voor je ego is, dan weet ik het ook niet meer.'

Ik keek hem aan. 'Zeg dat wel.'

'Erg toch?' De glimlach zakte weg. 'Maar voel je niet verplicht om samen met mij te slapen, Eva. Het is geen toverpil. Ik ga net zo lief op de bank slapen of naar huis, hoewel ik persoonlijk dan voor de bank ga. Geen beter begin van de dag dan me samen met jou klaarmaken voor werk.'

'Dat vind ik ook.'

Gideon pakte mijn hand en drukte er een kus op. 'Ik had nooit gedacht dat ik dit mee zou mogen maken... Dat er iemand is die zoveel van me afweet. Dat iemand tijdens het eten over stommiteiten die ik heb begaan kan praten omdat ze me gewoon neemt zoals ik ben... Ik ben waanzinnig blij met je, Eva.'

Ik werd helemaal warm vanbinnen. Wat kon hij toch lieve en mooie dingen zeggen.

'En ik met jou, topper.' Ik was meer dan blij omdat ik van hem hield. Maar dat hield ik wijselijk voor me. Ooit zou hij ook zover zijn. Ik ging door totdat hij voor de volle honderd procent onherroepelijk van mij was.

Met zijn blote benen op de salontafel en de laptop op zijn schoot kwam Gideon zo ontspannen over, zo op zijn plek, dat ik moeite had mijn aandacht bij de tv te houden.

Hoe kan het? vroeg ik mezelf af. Dat deze waanzinnig sexy man wat met mij heeft.

'Zit niet zo te staren,' mompelde hij met zijn ogen op de laptop gericht.

Ik stak mijn tong naar hem uit.

'Is dat soms een hint, Miss Tramell?'

'Hoe kun je dat nu zien, terwijl je zit te werken?'

Hij keek op en zijn blauwe ogen straalden kracht en hitte uit. 'Ik zie je voortdurend, engel. Vanaf het moment dat je in mijn leven kwam, zie ik alleen jou nog maar.'

Op woensdagochtend werd ik wakker van Gideons pik die me van achteren enterde, een beter begin van de dag zou ik zo gauw niet weten.

'Kijk aan,' zei ik hees, terwijl ik de slaap uit mijn ogen wreef en hij me om mijn middel beetpakte en tegen zijn warme, gespierde borst aantrok. 'Wat ben jij hitsig vanochtend.'

'Jij bent elke ochtend weer beeldschoon en sexy,' zei hij zacht en hij knabbelde aan mijn schouder. 'Het is gewoon heerlijk om naast je wakker te worden.'

We vierden een nacht onafgebroken slaap met een handvol orgasmen.

Tussen de middag lunchte ik met Mark en Steven in een heerlijk Mexicaans restaurant dat in een souterrain gevestigd was. We liepen een klein betonnen trapje af en kwamen uit in een verrassend groot restaurant met in zwart gestoken personeel en heel veel licht.

'Je moet hier ook eens met je vent naartoe gaan,' stelde Steven voor, 'en hem een van die granaatappelmargarita's voor je laten bestellen.'

'Zijn die dan zo lekker?'

'Dat kun je wel stellen.'

Toen de serveerster onze bestelling op kwam nemen, flirtte ze uitbundig met Mark, al knipperend met haar jaloersmakend lange wimpers. Mark flirtte terug. In de loop van de maaltijd werd de enthousiaste roodharige serveerster – die volgens haar naambordje Shawna heette – steeds vrijer en ze raakte Mark elke keer dat ze langskwam even aan op zijn schouder en zijn nek. Marks praatjes werden wat uitdagender, tot ik me zorgen ging maken over Steven, die zich met een rood hoofd zat te verbijten. Ik was slecht op mijn gemak en van mij mocht de gespannen maaltijd snel voorbij zijn.

'Zullen we vanavond afspreken?' zei Shawna tegen Mark toen ze met de rekening aankwam. 'Eén nacht met mij en je bent voorgoed genezen.'

Ik hapte naar adem. Meende ze dat nu echt?

'Kun je om zeven uur?' zei Mark op een sexy toontje. 'Weet waar je aan begint, Shawna, als je eenmaal een zwarte in bed hebt gehad, wil je niet meer anders.'

Ik verslikte me in een slok water.

Steven sprong meteen overeind om me op mijn rug te kloppen. 'Jezus, Eva,' zei hij lachend. 'We waren je aan het plagen. Je hoeft niet meteen dood te gaan.'

'Wat zeg je?' bracht ik al hoestend moeizaam uit.

Hij liep grijnzend om me heen en legde zijn arm om de schouders van de serveerster. 'Eva, dit is mijn zusje Shawna. Shawna, dit is Eva, die ervoor zorgt dat Mark overeind blijft.'

'Dat komt goed uit,' zei Shawna. 'Want jij zorgt ervoor dat Mark overeind komt.'

Steven schonk me een knipoog. 'Daarom mag ik ook blijven.'

Nu broer en zus naast elkaar stonden zag ik de gelijkenis. Ik zakte onderuit in de stoel en keek Mark met samengeknepen ogen aan. 'Wat een rotstreek. Ik dacht dat Steven en jij laaiende ruzie zouden krijgen.'

Mark stak zijn handen ter overgave in de lucht. 'Het was zijn idee. Hij is de regelnicht, weet je nog wel?'

Steven grinnikte en zei: 'Ach, Eva, je weet best dat Mark altijd alles regelt.'

Shawna haalde een visitekaartje uit haar zak en gaf dat aan mij. 'Mijn nummer staat achterop. Bel me een keertje. Ik kan je alles over deze twee vertellen. Dan kun je ze mooi terugpakken.'

'Verrader!' riep Steven geschokt uit.

'Ach,' zei Shawna, haar schouders ophalend, 'wij meiden moeten voor elkaar opkomen.'

Na het werk gingen Gideon en ik naar zijn sportschool. Angus zette ons voor de deur af en we liepen naar binnen. Het was erg druk en in de kleedkamer was bijna geen ruimte om me om te kleden. Ik stopte mijn spullen in een kastje en liep naar de gang waar Gideon stond te wachten.

Ik zwaaide naar Daniel, de trainer met wie ik tijdens mijn eerste bezoekje aan CrossTrainer had gesproken, en kreeg meteen een klap op mijn kont.

'Hé,' riep ik, en ik sloeg Gideons hand weg. 'Laat dat.'

Hij trok zachtjes aan mijn paardenstaart zodat ik mijn hoofd naar achteren moest buigen en gaf me een lange, wellustige kus om duidelijk te maken van wie ik was.

De manier waarop hij aan mijn haar trok was vreselijk opwindend. 'Als je me op deze manier wilt waarschuwen,' fluisterde ik tegen zijn lippen, 'dan moet ik je wel vertellen dat je me er eerder mee aanmoedigt.'

'Nou, dan moet ik maar wat strenger worden.' Hij beet zachtjes in mijn onderlip. 'Maar ik zou daar heel voorzichtig mee zijn, Eva.'

'Wees gerust, ik weet nog wel wat andere manieren.'

Gideon stapte op de loopband zodat ik me kon verlustigen aan zijn lijf dat glom van het zweet... en nog wel in het openbaar. Ik had hem al heel vaak bezweet en wel gezien, maar het bleef een geil gezicht.

En wat was hij sexy met zijn haar in een staartje. En de spieren die zich onder zijn lichtgebruinde huid spanden. En de soepele, krachtige manier waarop hij liep. Het was om van te watertanden als hij, de elegante zakenman, zijn kostuum uittrok en zijn dierlijke kant tevoorschijn kwam.

Ik kon mijn ogen niet van hem afhouden en gelukkig hoefde dat ook niet. Hij was per slot van rekening van mij, en van dat idee werd ik helemaal vrolijk. Bovendien keek iedere vrouw in de zaal naar hem. Terwijl hij van het ene naar het andere fitnesstoestel ging werd hij door tientallen bewonderende blikken gevolgd.

Toen hij me zag lonken, wierp ik hem een veelbetekenende blik toe en likte ik over mijn onderlip. Hij trok zijn wenkbrauw op en glimlachte spijtig, waar ik heerlijke kriebels van kreeg. Ik kon me niet herinneren dat ik ooit zo mijn best had gedaan in de sportschool. De anderhalf uur waren voorbij voordat ik er erg in had.

Tegen de tijd dat we weer in de Bentley zaten en onderweg waren naar zijn huis, had ik het niet meer. Ik keek Gideon om de haverklap uitnodigend aan.

Hij pakte mijn hand. 'Wacht jij maar even.'

Ik keek hem ontzet aan. 'Pardon?'

'Je hebt me wel verstaan.' Hij kuste mijn vingers en schonk me toen ook nog een verdorven glimlach. 'Dan is het straks des te lekkerder, engel.'

'Maar nu zou het ook al hartstikke lekker zijn.'

'Moet je je voorstellen hoe we straks na het eten van geiligheid niet meer weten wat we moeten doen.'

Ik boog me naar hem toe zodat Angus het niet kon horen. 'Dat weten we toch al niet, of we nu wachten of niet. Dus kunnen we net zo goed niet wachten.'

Maar hij liet zich niet overhalen. Het werd een regelrechte kwelling. Hij wilde dat we elkaar uitkleedden voor een hete douche, waarbij we elkaar streelden en betastten, en daarna hielpen we elkaar in de kleren voor het diner. Hij ging op chic in een smoking, maar zonder vlinderdasje. Zijn spierwitte overhemd stond open bij de kraag zodat er wat blote huid te zien was. De cocktailjurk die hij voor me uitkoos was een champagnekleurig zijden gevalletje van Vera Wang met een strak strapless lijfje en een blote rug. De rok was voorzien van een petticoat en viel net boven de knie.

Ik moest erom lachen, want hij zou wild worden als hij me de hele avond in die jurk zag. Het was een beeldschone japon en ik was er weg van, maar hij was wel bedoeld voor lange, slanke vrouwen en niet voor kleine, weelderige types. Om het nog een beetje fatsoenlijk te houden, liet ik mijn haar los over mijn borsten hangen, maar aan Gideons blik te zien maakte het niet veel uit.

'Godallemachtig, Eva.' Hij deed alles op zijn plaats in zijn broek. 'Bij nader inzien is die jurk toch niet zo geschikt om in het openbaar te dragen.'

'Het is nu te laat om me om te kleden.'

'Maar ik dacht dat hij veel meer om het lijf had.'

Ik haalde grijnzend mijn schouders op. 'Tja, je hebt hem zelf gekocht.'

'Ik heb me bedacht. Hoe lang kan het nu duren om hem uit te trekken?'

Ik likte met mijn tong over mijn onderlip en zei: 'Weet ik niet. Probeer het maar uit, zou ik zo zeggen.'

Hij keek me strak aan. 'Dan komen we hier nooit weg.'

'Mij hoor je niet klagen.' Hij zag er verschrikkelijk sexy uit en ik wilde hem – zoals altijd – in me voelen.

'Kun je er geen jasje of zo overheen dragen? Een parka wellicht? Of een regenjas?'

Ik pakte lachend mijn handtasje van de ladekast en gaf hem een arm. 'Maak je maar geen zorgen, ze zullen jou zo nauwlettend in de gaten houden dat ik helemaal niet opval.'

Hij keek me nors aan toen ik hem de slaapkamer uit trok. 'Nee, maar serieus, zijn je borsten soms gegroeid? Ze puilen gewoon uit dat bovenstukje.'

'Ik ben vierentwintig, Gideon,' zei ik droogjes. 'Ze groeien echt niet meer. Zo zijn ze al jaren.'

'Ja, maar ik hoor ze als enige te zien, aangezien ik ook de enige ben die ze mag aanraken.'

We liepen naar de zitkamer. Ondertussen genoot ik van de ingetogen schoonheid van Gideons huis. De uitnodigende warmte. Het was prachtig antiek ingericht, maar toch verrassend aangenaam. Het schitterende uitzicht vanuit de gebogen ramen vulde de inrichting aan maar overschaduwde die niet.

De combinatie van donker hout, bewerkte steen, warme kleuren en felle kleuraccenten deed duur aan, net als de kunstwerken aan de muur, maar het was wel een smaakvolle uitstalling van welvaart. Ik kon me niet voorstellen dat iemand niet durfde te gaan zitten of iets niet aan durfde te raken. Het was een uitnodigende kamer.

We gingen met de privélift naar beneden en Gideon draaide

zich naar me om toen de deuren dichtschoven. Hij sjorde meteen het lijfje omhoog.

'Als je niet uitkijkt,' waarschuwde ik hem, 'trek je de rok boven mijn billen.'

'Verdomme.'

'We kunnen een hoop lol hebben. Ik doe net of ik een dom blondje ben dat op je pik en miljoenen aast en jij bent gewoon jezelf, de playboy-miljardair met zijn nieuwe speeltje. Jij hoeft er alleen maar verveeld en toegeeflijk bij te staan terwijl ik tegen je opwrijf en je kirrend vertel hoe fantastisch je wel niet bent.'

'Ik zie daar de lol niet van in.' Toen kreeg hij opeens een inval. 'Wat dacht je van een shawl?'

Toen we aankwamen bij het galadiner ten bate van een nieuw blijf-van-mijn-lijfhuis voor vrouwen en hun kinderen, werden we naar een horde persfotografen geleid, waardoor mijn angst voor ontdekking weer keihard toesloeg. Ik richtte me maar op Gideon, want hij kon mijn aandacht van alles afleiden. En omdat ik hem gadesloeg zag ik in hem de omslag van mens tot publiek figuur plaatsvinden.

Het masker gleed soepel op zijn plaats. Zijn irissen verkilden tot ijsblauw en zijn sensuele mond werd een streep. Zijn sterke wil was bijna tastbaar om ons heen. Tussen ons en de wereld was een schild opgetrokken, louter en alleen omdat hij dat wilde. Ik wist dat niemand me zou benaderen of aan zou spreken, totdat hij hun een teken gaf dat het mocht.

Blikken kon Gideon echter niet weren en hij werd flink bekeken toen we door de balzaal liepen. Ik kreeg bijna een zenuwtrekje van alle aandacht die hij genereerde, maar hij trok zich er niets van aan.

Als ik al van plan was geweest om tegen hem te kirren en me tegen hem op te wrijven, dan was ik de enige niet. We stonden nog niet stil of hij werd van alle kanten belaagd. Ik deed een stapje opzij om plaats te maken voor iedereen die zijn aandacht wilde trekken en ging op zoek naar champagne. Waters Field & Leaman had kosteloos reclame gemaakt voor het gala en ik zag hier en daar wat mensen die ik kende.

Ik wist een glas van het dienblad van een langslopende ober te grissen en hoorde toen iemand mijn naam roepen. Ik draaide me om en zag Stantons neef met een grote glimlach op me afkomen. Hij was van mijn leeftijd en had een bos donker haar en groene ogen. Ik kende hem van de keren dat ik bij mijn moeder was langsgegaan toen ze op vakantie was en vond het leuk hem weer te zien.

'Martin!' Ik begroette hem met open armen en we omhelsden elkaar even. 'Hoe gaat het? Je ziet er fantastisch uit.'

'Dat wou ik nou ook net zeggen.' Hij nam mijn jurk waarderend op. 'Ik hoorde dat je naar New York was verhuisd en was al van plan op visite te komen. Hoe lang woon je hier al?'

'Nog niet zo lang. Een paar weken maar.'

'Drink je champagne op,' zei hij, 'dan gaan we dansen.'

De wijn sprankelde nog lekker door me heen toen we op de tonen van Billie Hollidays *Summertime* de dansvloer op stapten.

'En,' zei hij, 'heb je al werk?'

Tijdens het dansen vertelde ik hem alles over mijn baan en vroeg ik wat hij zoal deed. Het verbaasde me niet toen hij vertelde dat hij voor Stantons beleggingsmaatschappij werkte en dat hem dat goed afging.

'Ik kom een keer langs op je werk, dan gaan we uit lunchen,' stelde hij voor.

'Dat lijkt me leuk.' Ik deed een stap naar achteren toen het nummer was afgelopen en botste tegen iemand op. Die pakte me bij mijn middel om me tegen te houden en ik keek achterom en zag dat het Gideon was.

'Hallo,' zei hij zacht, met zijn ijzige blik op Martin gevestigd. 'Stel ons eens voor.'

'Gideon, dit is Martin Stanton. We kennen elkaar al een paar jaar. Hij is een neef van mijn stiefvader.' Ik haalde diep adem en waagde de sprong. 'Martin, dit is de man in mijn leven, Gideon Cross.'

'Cross.' Martin grijnsde en stak zijn hand uit. 'Ik weet uiteraard wie je bent. Leuk kennis te maken. Als het allemaal goed gaat zie ik je wellicht een keer op een familiefeest.'

Gideon sloeg zijn arm om mijn schouders. 'Reken maar van yes.'

Martin werd door een bekende geroepen en hij boog zich voorover om me een kus op de wang te geven. 'Ik bel je nog wel over die lunch. Komt volgende week uit?'

'Ja, leuk.' Ik was me maar al te goed bewust van Gideon die gespannen naast me stond, hoewel hij, toen ik even een blik op hem wierp, rustig en ongeïnteresseerd leek.

Gideon trok me mee voor een dans toen Louis Armstrongs *What a Wonderful World* werd opgezet. 'Ik weet niet of ik hem wel mag,' mompelde hij.

'Martin is heel erg aardig.'

'Zolang hij zich maar realiseert dat je van mij bent.' Hij drukte zijn wang tegen mijn slaap en legde zijn hand op mijn blote rug. Op de manier waarop hij mij vasthield kon niemand eraan twijfelen dat ik bij hem hoorde.

Ik vond het heerlijk om voor al die mensen dicht tegen zijn verrukkelijke lijf aan te worden gedrukt. Genietend liet ik me in zijn ervaren armen meevoeren. 'Hè, heerlijk zo.'

Hij drukte zijn neus onder mijn oor en mompelde: 'Dat is ook de bedoeling.'

Ik was in de zevende hemel. Net zolang als het nummer duurde.

We liepen net de dansvloer af toen ik een glimp opving van Magdalene die aan de andere kant stond. Ik herkende haar niet meteen, want ze had haar haar in een steil pagekapsel laten knippen. Ze zag er slank en chic uit in een eenvoudig zwarte cocktailjurk, maar werd overschaduwd door de oogverblindende brunette met wie ze in gesprek was.

Gideon hield zijn pas in en liep even een tikje langzamer voordat hij zijn gebruikelijke tempo weer oppakte. Ik keek al naar de grond omdat ik dacht dat er misschien iets lag, toen hij zachtjes zei: 'Ik wil je aan iemand voorstellen.'

Ik keek waar we naartoe gingen. De vrouw bij Magdalene had Gideon gezien en draaide zich naar hem om. Ik voelde hoe zijn arm verstrakte onder mijn vingers toen hij haar aankeek.

Het was me meteen duidelijk waarom.

De vrouw, wie ze ook mocht zijn, was stapelverliefd op Gideon. Het stond op haar gezicht en in haar prachtige lichtblauwe ogen te lezen. Ze was werkelijk beeldschoon en bijna onwerkelijk frêle. Haar steile haar was pikzwart en viel tot op haar middel. Haar japon was in dezelfde ijzige blauwe tint als haar ogen, haar huid was gebruind door de zon en ze was lang en perfect gevormd.

'Corinne,' begroette hij haar, de heesheid van zijn stem nog duidelijker hoorbaar. Hij liet me los en pakte haar handen beet. 'Ik wist niet dat je er weer was. Anders had ik je opgehaald.'

'Ik heb anders wel een paar berichten op je voicemail thuis ingesproken,' zei ze met een beschaafde en welluidende stem.

'Ach, ik ben de laatste tijd bijna nooit thuis.' Alsof hij daardoor weer aan mij moest denken, liet hij haar handen los en trok me naar zich toe. 'Corinne, dit is Eva Tramell. Eva, Corinne Giroux. Een oude vriendin.'

Ik stak mijn hand naar haar uit en zij drukte die.

'Vrienden van Gideon zijn ook mijn vrienden,' zei ze met een hartelijke glimlach.

'Nu maar hopen dat dat ook voor vriendinnen opgaat.'

Ze keek me veelbetekenend aan. 'Al helemaal voor vriendinnen. Als ik hem even van je mag lenen, dan wil ik hem aan iemand voorstellen.'

'Maar natuurlijk,' zei ik uiterlijk kalm, maar inwendig raasde er een orkaan.

Gideon drukte een vluchtig kusje op mijn slaap voordat hij een stap naar Corinne toe zette en haar zijn arm aanbood, waarna Magdalene en ik opgelaten bij elkaar stonden.

Ik had gewoon medelijden met haar, ze zag er zo terneergeslagen uit. 'Wat zit je haar goed, Magdalene, het staat heel mooi.'

Ze wierp me met samengeperste lippen een blik toe en toen zuchtte ze gelaten. 'Dank je, het was weer eens tijd voor iets anders. In veel opzichten, denk ik zo. Bovendien heeft het geen zin meer om op haar te lijken, want zij is weer terug.'

'Sorry, waar heb je het over?'

'Over Corinne.' Ze bekeek me aandachtig. 'Je hebt geen idee waar ik het over heb, hè? Gideon en zij zijn een jaar lang verloofd geweest. Zij hield het voor gezien, trouwde een rijke Fransman en emigreerde naar Europa. Maar het huwelijk hield geen stand. Ze zitten nu midden in de scheiding en zij is weer teruggekeerd naar New York.'

Verloofd. Het bloed trok uit mijn gezicht en ik keek naar de man van wie ik hield, die met de vrouw van wie hij ooit had gehouden, zat te praten terwijl hij zijn hand op haar rug legde toen ze zich lachend naar hem toe boog.

Terwijl mijn maag zich omdraaide van jaloezie en kille angst, viel het me op dat ik voetstoots had aangenomen dat hij voor mij geen echte relatie had gehad. Stom van me. Hij was een sexy man, ik had beter moeten weten.

Magdalene tikte me op de schouder. 'Ga toch zitten, Eva, je ziet lijkbleek.'

Ik stond zwaar adem te halen en mijn hart ging als een razende tekeer. 'Ja, laat ik dat maar doen.'

Ik liep naar de dichtstbijzijnde stoel en plofte erin neer. Magdalene kwam naast me zitten.

'Je houdt van hem,' zei ze. 'Sorry, dat wist ik niet. En sorry voor wat ik heb gezegd toen we elkaar leerden kennen.'

'Jij houdt ook van hem,' zei ik effen, mijn blik wazig. 'Op dat moment hield ik nog niet van hem.'

'Dat is geen excuus, vind ik.'

Ik pakte dankbaar een glas champagne aan toen dat me werd aangeboden en ook een voor Magdalene voordat de ober weer rechtop ging staan en verder liep. We toosten, een zielige vertoning van twee afgewezen vrouwen onder elkaar. Ik wilde weg. Ik wilde opstaan en weglopen. Ik wilde dat Gideon zag dat ik wegging, zodat hij wel achter me aan moest komen. Ik wilde hem laten merken dat hij me verdriet deed. Stomme, kinderachtige, kwetsende gedachten waar ik niet trots op was.

Het was fijn dat Magdelene in stilte met me meeleed. Ze wist maar al te goed hoe het was om van Gideon te houden en naar hem te verlangen. Dat ik bespeurde dat ze zich net zo rot als ik voelde, hield in dat Corinne wel degelijk een bedreiging vormde.

Had hij de hele tijd om haar getreurd? Kwam het door haar dat hij niet naar andere vrouwen had gekeken?

'Ah, hier zit je.'

Ik keek op en zag Gideon voor me staan, uiteraard met Corinne nog steeds aan zijn arm. Ik zag hen samen als stel. Ze vormden eenvoudigweg een waanzinnig schitterend paar.

Corinne ging naast me zitten en Gideon streelde me even over de wang. 'Ik moet even met iemand praten,' zei hij. 'Kan ik straks iets voor je meenemen?'

'Stoli met cranberrysap, een grote.' Ik kon wel een roesje gebruiken.

'Oké.' Hij draaide zich om, maar aan zijn opgetrokken wenkbrauw was te zien dat hij het maar niets vond.

'Wat leuk om je te leren kennen, Eva,' zei Corinne. 'Gideon heeft al zoveel over je verteld.'

'Dat kan nooit zoveel zijn. Jullie hebben maar eventjes gepraat.'

'O, maar we spreken elkaar elke dag.' Ze glimlachte en er was zelfs geen spoortje onechtheid of valsheid in haar uitdrukking te bespeuren. 'We zijn al heel lang bevriend.'

'Wel wat meer dan bevriend,' zei Magdalene nadrukkelijk.

Corinne keek Magdalene fronsend aan en ik besefte dat ik dat niet had mogen weten. Wie had het stil willen houden voor me, Gideon of zij, of allebei? Waarom zou je iets willen verbergen als er verder niets aan de hand was?

'Ja, dat klopt,' gaf ze met grote tegenzin toe. 'Maar dat is alweer een aantal jaar geleden.'

Ik keek haar aan. 'Je houdt nog steeds van hem.'

'Neem me dat maar eens kwalijk. Iedere vrouw die met hem omgaat wordt verliefd op hem. Hij is knap en ongenaakbaar. Een onweerstaanbare combinatie.' Ze glimlachte. 'Hij zei dat hij door jou meer over zichzelf praat. Daar ben ik blij om.'

Ik had bijna gezegd: dat heb ik anders niet voor jou gedaan. Maar toen stak een verraderlijke twijfel de kop op en een kwetsbare plek binnen in me sloot zich onmiddellijk af.

Deed ik het voor haar zonder het te beseffen?

Ik draaide het lege champagneglas almaar rond op de tafel. 'Jullie zouden gaan trouwen.'

'En ik was zo stom om hem te laten stikken.' Ze legde haar hand op haar keel en haar smalle vingers leken rusteloos naar een halsketting te zoeken die ze anders altijd droeg. 'Ik was nog jong en hij joeg me soms angst aan. Hij was erg bezitterig. Pas nadat ik getrouwd was, kwam ik erachter dat iemand beter bezitterig dan onverschillig kan zijn. Wat mij betreft dan.'

Ik keek weg, moeizaam de misselijkheid wegslikkend die Corinnes woorden hadden veroorzaakt.

'Wat ben je stil,' zei ze.

'Wat moet ze dan zeggen?' zei Magdalene fel.

We hielden alle drie van hem. Hij kon ons alle drie krijgen. De keuze was aan hem.

'Ik moet je wel even zeggen,' begon Corinne, met haar heldere blauwe ogen op mij gericht, 'dat Gideon me verteld heeft dat je veel voor hem betekent. Ik heb echt alle moed bij elkaar moeten schrapen om hiernaartoe te komen en jullie samen te zien. Ik heb een paar weekenden geleden zelfs een vlucht geannuleerd. Ik belde hem en stoorde hem bij een of ander liefdadigheidsgebeuren waar hij een speech moest geven, de arme man, om hem te zeggen dat ik onderweg was en of hij me wilde helpen bij mijn terugkomst.'

Ik bevroor ter plekke en had het gevoel dat ik zo breekbaar was als glas. Ze had het vast over het etentje op de avond dat Gideon en ik voor het eerst met elkaar seks hadden gehad. De avond dat wij zijn limousine inwijdden en hij meteen daarna zich had teruggetrokken en weg was gegaan.

'Toen hij me terugbelde,' ging ze door, 'zei hij dat hij een vriendin had en dat hij ons als ik weer terug was aan elkaar voor wilde stellen. Ik durfde het niet aan. Dit is voor het eerst dat hij me wil voorstellen aan een vriendin.'

O, lieve hemel. Ik wierp Magdalene een blik toe. Gideon was er die avond vanwege haar als een haas vandoor gegaan. Vanwege Corinne.

21

'Pardon.' Ik stond op en ging op zoek naar Gideon. Hij stond bij de bar en ik liep naar hem toe.

Hij had twee glazen in de hand en draaide de barkeeper net zijn rug toe, toen ik hem onderschepte. Ik pakte mijn glas en sloeg het in één keer achterover, zodat de ijsklontjes pijnlijk tegen mijn tanden sloegen.

'Eva...' Er klonk een licht verwijt door in zijn stem.

'Ik ga weg,' zei ik botweg, en ik liep om hem heen om het lege glas op de bar te zetten. 'Dat beschouw ik niet als je in de steek laten, want ik zeg het je nu om je de kans te geven met me mee te gaan.'

Hij zuchtte diep en ik zag dat hij mijn bui begreep. Hij wist dat ik op de hoogte was. 'Ik kan nu niet weg.'

Ik draaide me om.

Hij pakte me bij de arm. 'Je weet best dat ik hier niet kan blijven als jij ervandoor gaat. Je maakt je druk om niets, Eva.'

'Om niets?' Ik keek veelbetekenend naar zijn hand die mijn arm vasthield. 'Ik heb je gewaarschuwd dat ik van streek raak en jaloers word. Deze keer heb ik een goede reden.'

'En omdat je me daarvoor gewaarschuwd hebt, mag je je ook belachelijk gedragen?' Hij keek me aan alsof er niets aan de hand was en sprak zacht en rustig. Van een afstandje zou het niemand opvallen dat er iets aan de hand was, maar het was wel in zijn ogen te zien. Die brandden vol lust en ijzige woede. Hij kon als geen ander die twee combineren.

'Wie is er nu belachelijk bezig? Hoe zit het met Daniel de personal trainer? Of Martin, nota bene een neef van mijn stiefvader?' Ik boog me voorover en fluisterde: 'Ik heb geen van beiden geneukt, laat staan dat ik met een van hen van plan was te trouwen! En ik spreek ze verdomme geen van beiden elke dag!'

Hij pakte me opeens bij mijn middel en drukte me dicht tegen zich aan. 'Jij kunt nu wel een flinke beurt gebruiken,' fluisterde hij in mijn oor en hij beet zachtjes in het lelletje. 'Ik had het niet uit moeten stellen.'

'Misschien was het met voorbedachten rade,' beet ik hem toe. 'Voor het geval je een oude vlam zou zien, met wie je veel liever het bed induikt.'

Gideon sloeg zijn borrel achterover, legde toen zijn sterke arm om me heen zodat ik geen vin kon verroeren en leidde me door de menigte naar de deur. Hij haalde zijn smartphone uit zijn zak en belde door dat de limousine voorgereden moest worden. Tegen de tijd dat we naar buiten liepen, stond de lange, gestroomlijnde auto al aan de stoep. Angus hield het portier open en Gideon duwde me de auto in terwijl hij tegen de chauffeur zei: 'Ga maar rondjes rijden.'

Toen stapte hij meteen na mij in, zodat ik zijn adem op mijn blote rug voelde. Ik kroop naar de volgende stoel om zo ver mogelijk bij hem vandaan te komen...

'Zitten,' beval hij.

Ik zakte op de vloerbedekking op de grond terwijl ik moeizaam ademhaalde. Al vluchtte ik naar de andere kant van de wereld, ik kon er niet onderuit dat Corrine Giroux veel beter bij Gideon paste dan ik. Zij was sereen en onverstoorbaar, een rustgevende aanwezigheid, zelfs voor mij, degene die helemaal uit haar dak ging toen ze van haar bestaan hoorde. Corinne was het ergste wat me had kunnen overkomen.

Hij greep me bij mijn haar, om me op mijn plek te houden. Hij zette zijn benen om me heen en hield me zo stevig vast dat mijn hoofd zachtjes naar achteren werd getrokken tot ik zijn schouder aanraakte. 'Ik zal je geven waar we allebei naar snakken, Eva. We neuken net zolang tot je het etentje aankunt. En maak je geen zorgen over Corinne, want zij is binnen in de balzaal en ik zit binnen in jou.'

'Ja,' fluisterde ik, terwijl ik mijn droge lippen likte.

'Jij bent de onderdanige, Eva,' zei hij bars, 'vergeet dat niet. Ik heb je af en toe je gang laten gaan. Ik heb me aan jou aangepast. Ik zal er alles aan doen om je bij me te houden en je gelukkig te maken. Maar je kunt me niet temmen en me ook niet de baas zijn. Dat ik aan je tegemoetkom is geen zwakte.'

Ik slikte moeizaam, brandend van verlangen. 'Gideon...'

'Pak de hendel boven het raam met beide handen vast. Je laat pas los als ik dat zeg, begrepen?'

Ik gehoorzaamde en stak mijn handen door de leren lus. Terwijl ik hem stevig vasthield, ging mijn lichaam tintelen en werd ik me ervan bewust hoe goed hij op de hoogte was van wat ik nodig had. Mijn minnaar kende me door en door.

Gideon stak zijn handen in mijn lijfje en kneep in mijn gezwollen, gespannen borsten. Toen hij mijn tepels pakte en eraan trok, viel de spanning in één keer van me af en liet ik mijn hoofd op zijn schouder rusten.

'O, god.' Hij legde zijn mond op mijn slaap. 'Wat is het heerlijk als jij je zo aan me overgeeft... in één keer, alsof je daar de hele tijd op gewacht hebt.'

'Neuk me,' smeekte ik hem, verlangend naar de verbinding. 'Alsjeblieft.'

Hij liet mijn haar los, reikte onder mijn jurk en trok mijn slipje naar beneden. Zijn colbert vloog langs me heen en kwam op de stoel terecht. Vervolgens stak hij zijn handen aan de voorkant tussen mijn benen. Hij gromde toen hij voelde hoe opgezwollen en nat ik was. 'Jij bent voor mij gemaakt, Eva. Je kunt niet lang zonder mij in je.'

Hij bereidde me voor, streek met zijn ervaren vingers langs mijn spleetje en bevochtigde mijn clitoris en schaamlippen. Hij stak twee vingers in me, ter voorbereiding van zijn lange, dikke pik.

'Wil je me neuken, Gideon?' vroeg ik hees, ernaar hunkerend om zijn stotende vingers te pareren, maar tegengehouden door de lus die niet verder rekte.

'Ik wil niets liever.' Zijn mond ging over mijn keel en mijn schouders, de warme fluweelzachte tong verleidelijk likkend over mijn huid. 'Ik kan ook niet lang zonder jou, Eva. Je bent verslavend... ik ben geobsedeerd door jou...'

Hij beet me zachtjes, begeleid door een rauw dierlijk geluid. Intussen bleef hij me neuken met zijn vingers en bewerkte hij met zijn andere hand mijn clitoris, zodat ik achter elkaar bleef komen door de gelijktijdige lustprikkels.

'Gideon!' bracht ik hijgend uit, toen mijn klamme handen uit de lus gleden.

Hij liet me los en ik hoorde het erotische geluid van een gulp die werd opengeritst. 'Laat maar los en ga met je benen wijd op je rug liggen.'

Ik nam plaats op de bank en ging er languit op liggen, sidderend van verlangen mijn lichaam aan hem aanbiedend. Hij keek me aan, zijn gezicht even verlicht door de koplampen van een tegemoetkomende auto.

'Je hoeft niet bang te zijn.' Hij ging uiterst voorzichtig op me liggen.

'Daar ben ik veel te geil voor.' Ik pakte hem vast en drukte me tegen zijn harde paal aan. 'Neem me.'

Zijn eikel beroerde mijn schaamlippen. Met één enkele beweging kwam hij in me en net als ik zoog hij zijn adem naar binnen toen hij in me was. Ik lag onmachtig op de bank, mijn handen raakten zijn slanke middel nauwelijks aan.

'Ik hou van je,' fluisterde ik, en ik keek hem in de ogen terwijl hij op en neer bewoog. Mijn huid brandde alsof ik door de zon was verbrand en mijn borst voelde zo zwaar aan door verlangen en emoties dat ik amper lucht kon krijgen. 'En ik verlang naar je, Gideon.'

'Ik ben van jou,' fluisterde hij, zijn pik in me stotend. 'Voor de volle honderd procent.'

Er ging een rilling door me heen en mijn spieren spanden samen terwijl ik met mijn onderlijf zijn beheerste stoten opving. Ik kwam met een geluidloze kreet klaar, trillend toen het genot door mijn vagina voer en die hem melkte totdat hij grommend zijn pik in me ramde.

'Eva.'

Ik bewoog mee op zijn heftige stoten en moedigde hem aan. Hij greep me stevig vast en beukte op me in. Mijn hoofd sloeg tegen de bank en ik kreunde schaamteloos, genietend van hem en van het decadente gevoel van bezeten en genadeloos bevredigd worden.

We waren zo bloedgeil en neukten als wilde beesten. Ik was zo vreselijk opgewonden dat ik dacht dat ik het orgasme dat eraan zat te komen niet zou overleven.

'O, Gideon, wat ben je lekker. O, wat ben je lekker...'

Hij pakte me bij mijn billen en trok me naar zich toe voor de volgende stoot en ramde heel diep in me wat me een kreetje van genot en pijn ontlokte. Ik kwam weer en de spieren van mijn vagina knepen zich hard samen.

'O, jezus, Eva.' Met een woeste kreun kwam hij klaar. Hij hield me dicht tegen zich aan en spoot zich diep in me helemaal leeg.

Toen hij er geen druppel meer uit kon persen, haalde hij raspend adem en greep me weer bij mijn haar om me op mijn bezwete keel te kussen. 'Wist je maar wat je met me deed. Kon ik je dat maar vertellen.'

Ik drukte hem stevig tegen me aan. 'Ik ben stapelgek op je, Gideon. Het is allemaal zo lekker. Ik...'

'... kan er niets aan doen.' Hij was weer bezig, stootte weer in me. Op zijn gemak, alsof we alle tijd van de wereld hadden. En met elke haal werd hij dikker en langer.

'Terwijl het voor jou juist nodig is dat je de touwtjes in handen houdt.' Ik hield mijn adem in toen hij hard in me stootte.

'Ik heb jou nodig, Eva.' Hij keek me fel aan terwijl hij op en neer bewoog. 'Ik heb je nodig.'

Gideon week de rest van de avond niet van mijn zijde en zorgde ervoor dat ik bij hem bleef. Tijdens het eten hield hij met zijn rechterhand mijn linkerhand beet. Hij at ook deze keer liever met maar één hand dan dat hij me los moest laten.

Corinne, die tegenover hem zat, keek hem verbaasd aan. 'Ik dacht dat je rechts was?'

'Ben ik ook,' zei hij en hij tilde onze in elkaar geklemde handen op en kuste mijn vingertopjes. Ik was opgelaten en onzeker toen hij dat deed en me maar al te bewust van Corinnes onderzoekende blikken.

Jammer genoeg belette het romantische gebaar hem niet tijdens het eten met Corinne te praten en niet met mij, en daar was ik niet blij mee. Ik zag Gideons achterhoofd vaker dan zijn gezicht.

'Gelukkig geen kip.'

Ik wendde me tot de man naast me. Ik was zo gespitst geweest op het afluisteren van Gideon dat ik niet op mijn buurman had gelet.

'Ik hou van kip,' zei ik. Maar de tilapia die was geserveerd, had ik ook lekker gevonden, ik had mijn bord helemaal leeggegeten.

'Maar toch niet de rubberen versie, mag ik hopen?' Hij grinnikte en zag er plotseling veel jonger uit dan zijn zilvergrijze haar deed vermoeden. 'Kijk aan, een glimlach,' mompelde hij. 'En nog wel zo'n mooie.'

'Dank u.' Ik stelde mezelf voor.

'Dokter Terrence Lucas,' zei hij. 'Maar mijn vrienden noemen me Terry.'

'Dokter Terry, aangenaam.'

Hij glimlachte weer. 'Zeg maar gewoon Terry, Eva.'

Inmiddels had ik wel door dat dr. Lucas niet veel ouder was dan ik, hij was alleen vroeg grijs. Hij had een knap, rimpelloos gezicht en intelligente, vriendelijke groene ogen. Ik stelde zijn leeftijd naar beneden bij op een eind in de dertig.

'Vind je het ook zo saai?' vroeg hij. 'Dit soort gala's mogen dan een hoop geld bij elkaar schrapen, maar ik weet wel leukere dingen om te doen. Ga je mee naar de bar? Dan trakteer ik je op een borrel.'

Ik testte Gideons greep op mijn hand onder de tafel door mijn vingers te strekken. Hij hield me nog steviger beet.

'Wat ben je van plan?' fluisterde hij.

Ik keek achterom en zag dat hij me aankeek. Zijn blik verschoof toen dr. Lucas opstond. Gideons ogen werden kil.

'Ze gaat de saaiheid verdrijven van genegeerd te worden, Cross,' zei Terry die zijn handen op mijn rugleuning legde, 'door mee te gaan met iemand die maar al te graag in het gezelschap van zo'n mooie vrouw wil verkeren.'

Ik was meteen opgelaten, me bewust van de vijandigheid die tussen de twee mannen heerste. Ik trok aan Gideons hand, maar die liet me niet los.

'Ga nou maar weg, Terry,' waarschuwde Gideon hem.

'Je was zo druk bezig met mevrouw Giroux dat je niet eens doorhad dat ik aan deze tafel kwam zitten.' Terry's glimlach kreeg een scherp randje. 'Ga je mee, Eva?'

'Blijf zitten, Eva.'

Er liep een rilling over mijn rug door de ijskoude klank in Gideons stem, maar ik voelde me toch geroepen om te zeggen: 'Hij heeft anders wel gelijk.'

Gideon kneep zo stevig in mijn hand dat het pijn deed. 'Nu niet, Eva.'

Terry keek me aan. 'Dat moet je niet pikken, Eva, dat hij zo'n toon tegen je aanslaat. Al heeft hij nog zoveel geld, hij heeft het recht niet om je rond te commanderen.'

Pisnijdig en enorm opgelaten keek ik Gideon aan. 'Crossfire.'

Ik had geen idee of ik het stopwoord ook buiten de slaapkamer kon gebruiken, maar hij liet me los alsof hij zich gebrand had. Ik schoof mijn stoel naar achteren en gooide mijn servet op het bord. 'Ik zie jullie allebei wel weer.'

Met mijn tasje in de hand liep ik met lange, soepele passen weg. Ik ging rechtstreeks naar de toiletten om mijn make-up bij te werken en me een beetje op te frissen om weer wat bij te komen. Maar toen ik het verlichte bordje van de uitgang zag, kon ik mijn neiging om te vluchten niet meer bedwingen.

Ik pakte mijn smartphone zodra ik buiten stond en stuurde Gideon een sms'je: Ik laat je niet in de steek. Ik ga alleen weg.

Ik wist een voorbijrijdende taxi aan te roepen en ging naar huis om daar nog een tijdje kwaad te blijven.

Ik snakte naar een warm bad en een fles wijn toen ik bij mijn huis aankwam. Ik stak de sleutel in het slot, draaide de deurknop om en kwam in een pornofilm terecht.

Het duurde even voordat mijn geschokte brein registreerde wat ik zag. Ik stond met de deur open als aan de grond genageld zodat de technopop die in mijn woonkamer schalde de gang op denderde. Snel sloeg ik de deur achter me dicht. Ik zag zoveel verschillende lichaamsdelen dat het even duurde voordat ik doorhad wat bij wie hoorde. Een vrouw lag wijdbeens op de grond. Een andere vrouw had haar gezicht in haar kruis begraven. Cary was haar suf aan het neuken terwijl hij door een man in zijn kont werd gepakt.

Ik wierp mijn hoofd in mijn nek en gilde het uit van woede. Ik had het helemaal met iedereen gehad. En omdat ik niet tegen de geluidsinstallatie op kon boksen, trok ik een van mijn pumps uit en smeet die ernaartoe. De cd sloeg over waardoor het kwartetje in mijn huiskamer zich opeens bewust werd van mijn aanwezigheid. Ik strompelde naar de installatie en zette het geluid af, toen keerde ik me naar hen om.

'Als de sodemieter mijn huis uit,' beet ik hen toe. 'En snel een beetje.'

'Wie is dat nu weer?' vroeg de roodharige vrouw onderop. 'Is dat je vrouw?'

Er stond even een zweem van gêne en schuld op Cary's gezicht te lezen, maar toen glimlachte hij brutaal. 'Mijn huisgenote. Kom erbij, meisje, hoe meer zielen, hoe meer vreugd.'

'Cary Taylor,' waarschuwde ik hem, 'je kunt maar beter uitkijken, ik heb een erg slechte avond achter de rug.'

De donkerharige man liet Cary los, kwam overeind en slenterde op me af. Toen hij dichterbij kwam, zag ik dat zijn bruine ogen onnatuurlijk verwijd waren en dat de slagader in zijn nek heftig klopte. 'Daar weet ik wel wat voor,' bood hij met een verlekkerde grijns aan.

'Waag het niet dichterbij te komen.' Ik ging anders staan zodat ik hem indien nodig van me af kon slaan.

'Laat haar met rust, Ian,' snauwde Cary, die overeind kwam.

'Kom dan, meisje,' vleide Ian. Het irriteerde me mateloos dat hij Cary's koosnaam voor mij gebruikte. 'Je kunt wel wat lol gebruiken. Ik kan je daarbij wel helpen.'

Het ene moment stond hij pal voor mijn neus, het volgende knalde hij met een kreet van pijn tegen de bank. Gideon kwam kokend van woede tussen mij en de anderen staan. 'Doe dat in je eigen kamer, Cary,' beet hij hem toe. 'Of ga ergens anders naartoe.'

Ian lag te jammeren op de bank en probeerde het bloed dat uit zijn neus spoot met beide handen te stelpen.

Cary griste zijn spijkerbroek van de grond. 'Je bent mijn moeder niet hoor, Eva.'

Ik stapte om Gideon heen. 'Had je je lesje nu nog niet geleerd nadat je het met Trey hebt verknald, stomme lul die je bent?'

'Trey heeft hier niets mee te maken!'

'Wie is Trey nu weer?' vroeg de nepblondine terwijl ze opkrabbelde. Toen ze Gideon eens goed bekeek, stak ze meteen haar borst vooruit en haar billen naar achteren. Ze had eerlijk gezegd best een mooi figuur.

Haar moeite werd beloond met een blik die zo afkeurend, laatdunkend en geringschattend was dat ze uiteindelijk zo netjes was om te blozen en zich bedekte met een nauwsluitend goudkleurig jurkje dat ze van de grond raapte. En omdat ik een rotbui had, zei ik: 'Trek het je niet aan, hij heeft nu eenmaal liever brunettes.'

Gideon wierp me een dodelijke blik toe. Ik had hem nog nooit zo woest gezien. Hij stond letterlijk te trillen van woede.

Ik schrok ervan en deinsde achteruit. Hij vloekte luid en ging met zijn handen door zijn haar.

Ik had het opeens helemaal gehad met de mannen in mijn leven en draaide me afgepeigerd om. 'Zorg dat ze weggaan, Cary.'

Ik liep de gang op en trapte onderweg mijn andere pump uit. Binnen een minuut had ik mijn jurk uitgetrokken, had ik de badkamer bereikt en stapte ik onder de douche. Ik bleef uit de straal totdat het water warm genoeg was en ging er toen onder staan. Ik was te moe om lang te blijven staan en liet me op de grond zakken, waar ik mijn armen om mijn benen sloeg en met mijn ogen dicht het water op me neer liet komen.

'Eva.'

Ik kromp ineen toen ik Gideon hoorde, en maakte mezelf nog kleiner.

'Verdomme nog aan toe!' viel hij uit. 'Je bent de enige die me zo pisnijdig kan krijgen.'

Ik gluurde naar hem tussen de slierten nat haar door. Hij liep heen en weer in de badkamer, zonder colbert en met zijn overhemd uit zijn broek. 'Ga naar huis, Gideon.'

Hij bleef staan en keek me vol ongeloof aan. 'Ik laat je hier echt niet alleen achter. Cary is volkomen doorgeslagen! Het scheelde maar een haartje of die gore klootzak had je te grazen genomen.'

'Dat zou Cary echt niet laten gebeuren, hoor. Cary en jij zijn me nu even te veel.' Ik wilde het liefst alleen zijn.

'Dan houd je het maar op mij alleen.'

Ik streek ongeduldig het haar uit mijn gezicht. 'O, dus jij hebt voorrang, vind je?'

Hij deinsde achteruit alsof ik hem een klap in zijn gezicht had gegeven. 'Ik had zo de indruk dat we voorrang bij elkaar hadden.'

'Ja, dat dacht ik ook. Tot het gala, dan.'

'Jezus. Houd nu alsjeblieft eens op over Corinne!' Hij spreidde zijn armen. 'Ik ben nu toch bij jou? Ik heb amper gedag kunnen zeggen omdat ik achter jou aan moest draven. Voor de zoveelste keer.'

'Goh, moet ik je nu dankbaar zijn of zo?'

Gideon stormde gekleed en al de douche in. Hij trok me overeind en kuste me. Heftig. Zijn mond verslond die van mij, hij
hield me bij mijn bovenarmen vast zodat ik overeind bleef.

Maar deze keer gaf ik me niet over. Ik gaf niet toe. Zelfs niet
toen hij me wilde verleiden met talloze likjes.

'Hoe komt het toch?' mompelde hij met zijn mond tegen mijn
keel. 'Hoe komt het toch dat je me helemaal gek maakt?'

'Ik weet niet wat jij op dokter Lucas tegen hebt en eerlijk gezegd
kan me dat ook geen bal schelen, maar hij had wel gelijk. Corinne was voortdurend in je vizier. Je liet me bijna de hele tijd
links liggen.'

'Ik kan jou helemaal niet links laten liggen, Eva.' Zijn gezicht
stond strak en boos. 'Als jij bij mij in dezelfde kamer bent, heb ik
voor niemand anders oog.'

'Eigenaardig, want elke keer dat ik naar je keek, had je je blik
op haar gericht.'

'Dit slaat nergens op.' Hij liet me los en streek het natte haar uit
zijn gezicht. 'Jij weet donders goed hoeveel je voor me betekent.'

'O, is dat zo? Je wilt me neuken. Je hebt me nodig. Maar is
Corinne degene van wie je houdt?'

'Godallemachtig. Nee, natuurlijk niet.' Hij draaide de kraan
dicht en pinde me tegen het glas. 'Moet ik zeggen dat ik van je
hou, Eva? Is dat de bedoeling?'

Mijn maag kromp samen alsof hij me had gestompt. Ik had nog
nooit zoveel pijn gehad, had zelfs niet geweten dat er zoveel pijn
bestond. De tranen sprongen me in de ogen en ik dook onder
zijn arm door voordat ik in snikken uitbarstte. 'Ga naar huis,
Gideon. Alsjeblieft.'

'Ik ben al thuis.' Hij pakte me van achteren beet en begroef zijn
gezicht in mijn kletsnatte haar. 'Want ik ben bij jou.'

Ik worstelde om los te komen, maar ik was op. Lichamelijk en
geestelijk. De tranen stroomden over mijn wangen, ik kon ze met
geen mogelijkheid meer tegenhouden. En ik vond het een ramp
om te huilen waar iemand bij was. 'Ga nou toch weg.'

'Ik hou van je, Eva. Dat is toch duidelijk?'

'O, lieve god.' Ik haalde met mijn voet naar hem uit. Ik wilde de
man die een hoopje pijn en verdriet van me had gemaakt niet

meer zien. 'Bespaar me je medelijden, ja? Rot nu maar gewoon óp.'

'Dat gaat niet. Je weet best dat ik dat niet kan doen, Eva. Stribbel nu even niet tegen en luister naar me.'

'Wat je ook zegt doet me pijn, Gideon.'

'Het woord dekt de lading niet, Eva,' ging hij koppig door, fluisterend in mijn oor. 'Daarom heb ik het niet gezegd. Het omvat niet wat ik voor jou voel.'

Ik hield op met worstelen en trillend zag ik in de spiegel mijn met mascara besmeurde gezicht, mijn natte haar en Gideons aangedane schitterende kop. Zijn gezicht was verwrongen door emoties terwijl hij me stevig tegen zich aan drukte. We leken totaal niet bij elkaar te passen.

En toch begreep ik hoe het was om met mensen om te gaan die jou niet echt kenden of daar ook geen moeite voor deden. Ik had mezelf veracht omdat ik deed alsof, omdat ik een beeld projecteerde van degene die ik wilde zijn maar niet was. Ik was altijd bang geweest dat de mensen van wie ik hield zich van me af zouden keren als ze erachter kwamen hoe ik echt in elkaar stak.

'Gideon...'

Hij streelde met zijn lippen over mijn slaap. 'Ik hield meteen al van je. Toen vrijden we in de limousine en werd het opeens iets anders. Iets veel diepers.'

'Het zal wel. Jij moest er toen opeens vandoor vanwege Corinne. Dat is toch vreselijk, Gideon?'

Hij tilde me op en droeg me naar de plek waar mijn ochtendjas aan een haak aan de deur hing. Hij deed me die aan en liet me plaatsnemen op de rand van het bad. Hij liep naar de wasbak en haalde de rol wattenschijfjes uit de la. Toen hurkte hij voor me neer en maakte mijn wang schoon.

'Toen Corinne tijdens dat etentje belde, was ik even de weg kwijt.' Hij bekeek met een liefdevolle blik mijn betraande gezicht. 'Wij hadden net seks gehad en ik kon niet helder denken. Ik zei haar dat ik het druk had en dat er iemand bij me was. Maar toen ik het verdriet in haar stem hoorde, wist ik dat het tussen haar en mij eerst opgelost moest worden, voordat ik verder kon met jou.

'Daar snap ik niets van. Jij liet me in de steek en ging naar haar toe. Dat lijkt me toch niet echt gunstig voor ons.'

'Ik heb het met Corinne verknald, Eva.' Hij tilde mijn kin op zodat hij de mascara die tot achter mijn oren zat, weg kon halen. 'Ik leerde haar als eerstejaars op de universiteit kennen. Ze was me uiteraard opgevallen. Ze is mooi en lief en ze kraakt nooit iemand af. Toen ze de jacht op me opende, liet ik me vangen en zij werd de eerste met wie ik vrijwillig seks had.'

'De bitch.'

Zijn mondhoeken gingen een tikje omhoog.

'Nee, echt, Gideon. Ik zie groen en geel van jaloezie.'

'We hadden alleen maar seks, engel. De seks die wij samen hebben mag soms erg ruig zijn, het is en blijft de liefde bedrijven. Steeds opnieuw, vanaf de allereerste keer. Jij bent de enige die dat voor elkaar heeft gekregen.'

Ik zuchtte diep. 'Nou goed dan. Het gaat al een stukje beter.'

Hij kuste me. 'Je zou het verkering kunnen noemen. We waren monogaam en gingen vaak als een stel ergens naartoe. Maar toen ze me vertelde dat ze van me hield, stond ik toch met mijn ogen te knipperen. Ik was gevleid en ik vond haar aardig. Ik vond het leuk om dingen met haar te doen.'

'Nog steeds, blijkbaar,' mompelde ik.

'Wacht nog even.' Hij tikte me bestraffend op het puntje van mijn neus. 'Ik dacht dat ik ook wel van haar kon gaan houden, op mijn manier dan... op de enige manier waarop ik van iemand kon houden. Ik wilde haar met niemand delen. Dus toen ze me ten huwelijk vroeg, zei ik ja.'

Ik deinsde achteruit. 'Vroeg zij jou ten huwelijk?'

'Je hoeft niet zo geschokt te zijn,' zei hij droogjes. 'Dat is niet goed voor mijn ego.'

Ik was zo opgelucht dat ik er duizelig van werd. Ik wierp mezelf in zijn armen en drukte hem dicht tegen me aan.

'Hé.' Hij beantwoordde mijn knuffel met evenveel enthousiasme. 'Gaat het?'

'Ja, ja, het gaat steeds beter.' Ik ging naar achteren zitten en legde mijn hand op zijn wang. 'Ga door.'

'Ik zei ja, maar had dat beter niet kunnen doen. We gingen al twee jaar met elkaar om maar hadden nooit een hele nacht samen geslapen. We hadden het nooit over de dingen gehad die me aan het hart gaan. Ze kende me niet echt en toch had ik mezelf wijsgemaakt dat ik al blij mocht zijn dat iemand om me gaf. Wie zou er verder nog van me kunnen houden?'

Mijn andere oog was aan de beurt en hij verwijderde ook daar de zwarte strepen. 'Volgens mij had ze verwacht dat we door de verloving anders met elkaar om zouden gaan. Dat ik meer zou praten. We zouden eens een keer in het hotel kunnen overnachten – wat zij trouwens erg romantisch vond – in plaats van bijtijds op te breken omdat we al vroeg uit de veren moesten.'

Het kwam op mij ontzettend eenzaam over. Arme Gideon. Hij was al zo lang alleen geweest. Zijn hele leven misschien wel.

'Het kan zijn dat ze na een jaar de verloving verbrak,' ging hij door, 'in de hoop dat we daardoor een nieuwe impuls zouden krijgen. Dat ik moeite zou doen om haar te houden. Maar ik was juist opgelucht omdat ik tot het besef was gekomen dat ik absoluut niet met haar samen wilde wonen. Hoe kon ik het voor elkaar krijgen dat we gescheiden zouden slapen en ik mijn eigen kamer moest hebben?'

'Je had het haar gewoon kunnen zeggen.'

'Nee.' Hij haalde zijn schouders op. 'Tot ik jou leerde kennen, zag ik mijn verleden niet als een probleem. Zeker, ik had er af en toe last van, maar ik had het een plaatsje gegeven en ik was niet echt ongelukkig. Ik had de indruk dat ik een goed en zorgeloos leventje leidde.'

'Jemig.' Ik trok een gezicht. 'En dan leer je míj kennen. Daar gaat de zorgeloosheid.'

Hij grijnsde. 'Dat hoef je mij niet te vertellen.'

22

Gideon gooide het wattenschijfje in de prullenbak en pakte een handdoek om het water op te nemen dat hij op de grond had achtergelaten. Toen trok hij zijn schoenen uit en tot mijn grote vreugde deed hij vervolgens zijn natte kleren uit.

Ik keek hem in vervoering gebracht aan en zei: 'Jij voelt je schuldig omdat ze nog steeds van je houdt.'

'Dat klopt. Ik kende haar echtgenoot. Dat was een prima kerel en hij was stapel op haar, tot hij erachter kwam dat het niet wederzijds was en het huwelijk stukliep.'

Gideon keek me aan terwijl hij zijn overhemd afpelde. 'Het was mij een raadsel waarom hij zich dat zo aantrok. Hij was getrouwd met het meisje dat hij wilde, ze woonden in een ander land, dus wat maakte het uit? Nu begrijp ik het wel. Als jij van iemand anders zou houden, Eva, zou dat elke dag weer mijn hart breken. Ik zou eraan onderdoor gaan, ook al was je bij mij en niet bij hem. Maar ik zou je niet net als Giroux laten gaan. Ik mocht je dan niet helemaal hebben, maar je was nog steeds van mij en ik zou genoegen nemen met wat je me kon geven.'

Ik vouwde mijn handen in mijn schoot. 'Dat vind ik nu zo beangstigend, Gideon. Jij hebt geen idee hoe waardevol je bent.'

'Dat weet ik toevallig wel: twaalf mil...'

'Ach, hou je kop.' Mijn hoofd tolde en ik drukte mijn vingertoppen tegen mijn ogen. 'Zo gek is dat toch niet, dat vrouwen verliefd op je worden en blijven? Weet je dat Magdalene haar haar niet knipte in de hoop dat zij je aan Corinne deed denken?'

Hij liet zijn broek vallen en keek me bevreemd aan. 'Hè?'

Het feit dat hij geen benul had, deed me diep zuchten. 'Omdat zij denkt dat jij liever Corinne hebt.'

'Dan heeft ze niet goed opgelet.'

'O, nee? Corinne zei dat ze je bijna elke dag spreekt.'

'Dat valt wel mee. Ik ben vaak niet bereikbaar. Je weet zelf hoe druk ik het heb.' Zijn blik werd broeierig. Ik kende die blik maar al te goed, hij moest nu vast denken aan de keren dat hij met mij 'bezig' was geweest.

'Maar dat is toch te gek voor woorden, Gideon, dat ze je elke dag belt. Dat is gewoon stalken.' En dat deed me denken aan haar bewering dat hij bij haar ook zo bezitterig was geweest. Dat stak me enorm.

'Wat wil je daarmee zeggen?' vroeg hij geamuseerd.

'Heb je het nu nog niet door? Jij drijft vrouwen tot het uiterste omdat jij zo geweldig bent. Het beste van het beste. Als een vrouw jou niet kan krijgen, moet ze genoegen nemen met minder. En daar moet ze niet aan denken, dus doet ze er alles aan om je toch in haar klauwen te krijgen.'

'Behalve dan degene die ik wil,' merkte hij droogjes op. 'Degene die steeds maar weg lijkt te willen rennen.'

Ik keek hem onbeschaamd aan en genoot ervan dat hij in zijn blootje voor me stond. 'Vertel eens, Gideon. Waarom wil je mij hebben als je de meest perfecte vrouwen kunt krijgen? En ik zit nu niet te vissen naar complimentjes of geruststellende opmerkingen, ik wil het gewoon eerlijk weten.'

Hij nam me bij de armen en leidde me naar de slaapkamer. 'Eva, je mag ons niet zien als een tijdelijk iets, want dan ga je over de knie en reken maar dat je ervan zult genieten.'

Hij liet me in een stoel zakken en liep naar de ladekast.

Hij haalde er ondergoed, een joggingbroek en een topje uit. 'Ik slaap samen met jou altijd in mijn blootje, weet je nog?' zei ik.

'We blijven hier niet slapen.' Hij keek me aan. 'Voor hetzelfde geld komt Cary weer met een paar dronken torren thuis en eenmaal in bed ben ik versuft door de pillen die dokter Petersen me heeft voorgeschreven en dan kan ik je niet beschermen. We gaan naar mijn huis.'

Ik sloeg mijn ogen neer toen ik eraan dacht dat ik misschien wel bescherming tegen Gideon nodig zou hebben. 'Ik heb dit al vaker met Cary meegemaakt, Gideon. Ik kan me niet bij jou thuis verschuilen in de hoop dat hij het zelf oplost. Ik moet er nu voor hem zijn.'

'Eva.' Gideon reikte mij mijn kleren aan en hurkte voor me

neer. 'Ik weet dat je Cary moet steunen. We zoeken morgen wel uit hoe we dat gaan doen.'

Ik legde mijn handen op zijn wangen. 'Dankjewel.'

'Maar ik heb je ook nodig,' zei hij stilletjes.

'We hebben elkaar nodig.'

Hij kwam overeind en liep naar de ladekast waar hij wat spullen voor zichzelf uitzocht.

Ik stond op en kleedde me aan. 'Gideon...'

Hij trok net een laaghangende spijkerbroek aan. 'Ja?'

'Ik ben er een stuk geruster op nu ik weet hoe het zit, maar ik zit nog steeds met Corinne in mijn maag.' Ik had het topje in mijn hand. 'Je moet haar snel laten weten dat ze geen kans maakt. Zet het schuldgevoel opzij, Gideon, en laat haar zachtjes vallen.'

Hij ging op het bed zitten om zijn sokken aan te trekken. 'We zijn bevriend, Eva, en ze heeft het moeilijk. Het zou onmenselijk zijn als ik haar nu liet stikken.'

'Ik zou er maar eens goed over nadenken, Gideon. Je weet dat ik ook een rijtje exen heb. Jij geeft nu aan hoe ik met hen om moet gaan. Gelijke monniken, gelijke kappen.'

Hij stond met een woedende blik op. 'Ben je me nu aan het bedreigen?'

'Nee, ik vertel je hoe de zaken ervoor staan. Zo gaat het nu eenmaal in relaties. Ze heeft wel meer vrienden, er is heus wel iemand anders die haar kan bijstaan.'

We pakten wat we nodig hadden en gingen naar de zitkamer. Het was daar één grote puinhoop: een blauwe bh onder een bijzettafeltje en druppels bloed op mijn roomwitte bank. Als Cary er nog was geweest had ik hem er flink mee om de oren geslagen.

'Ik ga het er morgen met hem over hebben,' zei ik verbeten. Ik was boos op Cary, maar maakte me ook zorgen. 'Verdomme, ik had hem knock-out moeten slaan en hem moeten opsluiten in zijn kamer tot hij weer bij zinnen was.'

Gideon legde zijn hand op mijn onderrug en wreef zachtjes. 'Doe dat morgen maar, als hij alleen is en een kater heeft. Dan gaat dat een stuk eenvoudiger.'

Angus had de limousine voorgereden toen we beneden kwamen. Ik wilde net achterin instappen toen Gideon binnensmonds vloekte en me tegenhield.

'Wat is er?' vroeg ik.

'Ik ben nog iets vergeten.'

'Ik pak mijn sleutels wel even.' Ik wilde mijn weekendtas al van Gideon overnemen, omdat mijn handtas erin zat.

'Dat hoeft niet, ik heb zelf een stel sleutels.' Hij grijnsde brutaal toen ik mijn wenkbrauwen optrok. 'Ik heb ze na laten maken voordat ik de set aan je teruggaf.'

'Meen je dat nou?'

'Het mag je dan niet opgevallen zijn' – hij drukte een kus boven op mijn hoofd – 'maar de sleutel van mijn huis zit al die tijd al aan jouw sleutelbos.'

Ik keek hem met open mond na toen hij langs de portier het gebouw in schoot. Ik moest denken aan de vier dagen ellende toen ik dacht dat we uit elkaar waren en hoe rot ik me had gevoeld toen de sleutelbos uit de envelop kwam glijden.

Al de tijd had ik de sleutel om bij hem te kunnen zijn in mijn bezit gehad.

Hoofdschuddend keek ik om me heen naar mijn nieuwe stad. Ik had het er vreselijk naar mijn zin en was dankbaar voor de bron van geluk die ik hier had gevonden.

Gideon en ik moesten nog een hoop werk verrichten. We waren dan wel dol op elkaar, maar dat hield niet in dat we in het reine konden komen met ons verleden. Maar we praatten, we waren eerlijk tegen elkaar en we waren allebei veel te koppig om het zonder slag of stoot op te geven.

Gideon kwam weer het gebouw uit toen er net twee grote, prachtig getrimde poedels langskwamen met hun al even netjes gekapte bazinnetje.

Ik stapte in de limousine. Terwijl Angus wegreed van de stoep, trok Gideon me op zijn schoot en gaf me een knuffel. 'Het was een zware avond, maar we hebben het overleefd.'

'Ja, dat is zo.' Ik boog mijn hoofd naar achteren en bood hem mijn mond aan voor een kus. Hij kwam tegemoet aan mijn wens met een langzame en lieve kus, de bevestiging van onze waardevolle, ingewikkelde, gekmakende, noodzakelijke band.

Ik pakte hem bij zijn nek en woelde met mijn vingers door zijn zijdezachte haar. 'Ik heb weer zin.'

Hij gromde sensueel en bedolf mijn nek onder de kusjes en kietelende beetjes, zodat ons verleden op de achtergrond raakte.

Voorlopig althans...

Dankwoord

Mijn diepste dankbaarheid gaat uit naar mijn uitgever, Hilary Sares, die zich echt in dit verhaal heeft ingegraven en me flink aan het werk heeft gezet. Het komt erop neer dat ze me een schop onder mijn achterste heeft gegeven. Door me niet te ontzien en me de details niet te laten afraffelen, heeft ze me veel harder laten werken en daardoor is dit verhaal een veel en veel beter boek geworden.

Zonder jou zou *Verslaafd aan jou* niet zijn geworden wat het nu is, Hilary. Dankjewel!

Ik dank Martha Trachtenberg, redacteur *extraordinaire*. Dit boek is belangrijk voor me en zo heeft ze het ook behandeld. Dankjewel, Martha!

Ik bedank Victoria Colotta, voor al haar inzet voor het binnenwerk en het zetwerk. Ze heeft van mijn tekst iets prachtigs gemaakt. Dankjewel, Victoria!

Ook dank ik Tera Kleinfelter, die de eerste helft van *Verslaafd aan jou* heeft gelezen en me vertelde dat ze het een heerlijk boek vond. Dankjewel, Tera!

Voor alle meiden die in hun tienerjaren weleens op Cross Creek zijn geweest: ik hoop dat al jullie dromen uitkomen. Jullie hebben het verdiend.

En ik wil Alistair en Jessica van *Seven Years to Sin* bedanken, omdat ze me geïnspireerd hebben om het verhaal van Gideon en Eva te schrijven. Ik ben zo blij dat het een dubbele inspiratie was!